JN011874

『公害スタディーズ』 正誤表

本文中に誤りがございましたので、下記のとおり訂正いたします。

ころから編集部

2022.3

頁		誤	正
81	左段 14行目	04年の	1903年の
82	右段 7〜8行目	質問の旨、趣その要領を得ず	質問の旨趣その要領を得ず
82	右段 28行目	見舞金	「見舞金」（カッコ付きとします）
83	左段 12〜13行目	山を荒らさず川を荒らさず	山を荒さず川を荒さず
83	左段 20〜22行目	多くの朝鮮人が強制移住させられました。中国人や白人の捕虜も強制労働させられました。	多くの朝鮮人や中国人、連合軍の捕虜も強制労働させられました。
83	右段 3行目	1961年	1950年代半ば

頁		誤	正
84	左段 16〜19行目	1973年に、渡良瀬流水域の毛里田地区の農家出身で太田市議会議員となった板橋明治らは、渡良瀬川鉱毒根絶太田期成同盟会（以下、同盟会）を結成しました。折しも、水俣や四日市などの公害裁判において、原告が続々と勝訴しはじめた頃でした。板橋らは、古河鉱業を相手取って訴訟を起こしました。	1958年の源五郎沢堰決壊を機に、渡良瀬川鉱毒根絶期成同盟会（以下、同盟会）が結成されました。72年に、毛里田地区の農家出身で太田市議会議員となった板橋明治が、古河鉱業による損害賠償を中央公害審査委員会に申立てました。折しも、四日市公害裁判において原告が勝訴した頃でした。
85	左段 10行目	見舞金	「見舞金」
85	左段 14行目	白人捕虜	連合軍捕虜
85	左段 24〜26行目	高度経済成長期に引き起こされたイタイイタイ病、水俣病	高度経済成長期に顕在化した水俣病
85	左段 27行目	四大公害	これらの公害
203	年表1973年 4行目	渡良瀬川鉱毒根絶太田期成同盟会発足。全国公害患者の会連絡会発足。	全国公害患者の会連絡会発足。

悶(もだ)え、
哀(かな)しみ、
闘(たたか)い、
語りつぐ

公害
スタディーズ

編著／安藤聡彦・林美帆・丹野春香　ころから

はじめに
——SとYさん一家の物語から学んだこと

　九州の西端を南北に縦貫する国道3号線。この道路を熊本県水俣市中心部から南下すること20分ほどで、隣接する鹿児島県出水市に行き着きます。ときおり進行方向右手側に姿をあらわす不知火海や対岸の天草、あるいは御所浦島、獅子島等の島影はいつもやるせないほど穏やかで、何度通っても「なぜここであの悲劇が」という思いがこみあげてくるのを抑えることができません。

　Sはこの町で生まれ育った若者でした。初めて会った時、彼は多分30歳少し前であったと思います。Sは母親が「私は水俣病の患者である」とその数年前に初めてカミングアウトした時のことを振り返り、私にこう語ってくれました。

　「正直水俣病についてぜんぜん関心がなくて、最初はピンと来なかったです。自分の家は、じいちゃん・ばあちゃんも、親戚の叔父さん達もみな早死にで、うちはそういう家系なのかな、と思ってたんですけど、まさか、それが水俣病が原因だったなんて。学校でも水俣病のことは勉強しましたけど、『あれは隣の水俣の病気だ』としか教わりませんでした」

　Sの母親であるYさんがそっと一枚の図を私に見せてくれました。それは彼女一家の家系図でした。Sの言う通り、そこに記された30人ほどの人びとの中で半数以上の名前の横に「（水俣病）認定者」という記載があり、すでに亡くなられている方が多数でした。幼くして亡くなった方も少なくないようです。カミングアウトの後、Sは母親と共に、そうした家族の歴史から水俣病そのものについて調べていったのですが、その結果は次のような表現に凝縮されるに至ります。

　「もう、狂いそうになりました」

　SとYさん一家の物語は、私にふたつのことを教えてくれました。

Ｙさんは、地元の大きな漁師の一族のもとで育ちます。幼い日々の思い出を語る時、いつもＹさんの顔は輝いていました。ボラ、タチウオ、ガラカブ、タコ、アカエビなど、「魚湧く海」といわれた不知火海での漁がどんなに盛大であったか、獲物をのせた船が戻ってきた時の漁港がどんなに賑やかであったか、そしてたくさんの魚が並んだ食卓が何と楽しいものであったかということ。けれども、そうした日常がある時から暗転します。飛んでいる鳥が落ちてくる、豚が泡を吹いて死ぬ、町内のあちこちに寝たきりの人びとが出てくる。この地域からただ一人裁判をやった叔父に対して、親戚中が「あいつには近づくな」と言う。Ｙさんがかつて住んでいたあたりを案内してくれたことがあります。木々が生い茂る小さな家の前で彼女が語るには、以前ここには彼女の親戚が住んでいた、申請がかなってようやく水俣病患者として認定され補償金が支給されたのだけれど、その途端まわりから「金貸せ、金貸せ」とせがまれるようになり、ついにその親戚は自殺してしまった、と。彼女が語る地域と一族の物語は、悶え、哀しむ人びとの姿に満ちあふれていました。それは、自然と人間が、そしてその相互関係のもとに成り立っていた社会がいかに傷つきやすい存在であるかを私に教えてくれました。

　一家の物語から私が学んだもうひとつのことは、公害がどれほど見えにくい出来事であるか、ということです。ＳはＹさんがカミングアウトするまで、母親を含む自分の一族の多くが水俣病患者であることをまったく知りませんでした。ひと口に水俣病といっても症状は多様ですので、周囲はもとより、時に本人でさえ気づくことは容易ではありません。また公害は放置されたり隠ぺいされるので、その意味でもその存在を認識するには絶えず困難がともないます。実際、Ｙさん自身自分が水俣病患者であることの認定を求めて鹿児島県に申請していましたが、棄却されつづけていました。公害は「ここにあります」と書いてあるわけでなく、現実にはきわめて見えにくいものであり、見ようとして見なければ決して見えるものではないこと、そして公害が存在することを確認するためにはしばしば裁判等の闘いが必要になることを、私は一家のエピソードから学びました。

日本では、これまで数多くの公害が引き起こされ、その多くが依然未解決ですが、今日、日々の暮らしの中で「公害」という言葉を見聞きする機会は大幅に減ってきています。しかしそれでは現在進行形の問題を解決できないばかりでなく、将来同様の事件が発生することを防ぐことも困難でしょう。そこで私達は、公害とあらためて出会い向き合うための本を編纂することにしました。ＳとＹさん一家の物語のように、公害には、悶え、哀しみ、闘い、語りつぐ、きわめて多様なストーリーが存在しています。そうした公害の実相にあらためて目を見開き、公害という視点から社会と環境と自分自身とを見つめ問い直す営み──公害スタディーズ──が今こそ必要なのではないか、と私達は考えたのです。この企図を土台としたうえで、私達は本書を２部に分けて構成することにしました。第１部「出会う」では、「公害」によって何（誰）がどのように傷つけられてきたのか、それに対して何がなされ何がなされなかったのか、をみていきます。第２部「向き合う」では、「公害」という見えにくい出来事を捉え、探究していくためには何が必要なのか、そしてこれからの社会をどうつくり、どう生きていくのか、を考えます。

　本書を作成するために、様々な立場から公害に関わってこられた50人もの方々が文字通り珠玉の原稿を寄せてくださいました。それら一つひとつの原稿が完成した作品となっていますから、本書はどこから読みはじめていただいても構いません。ただ、第１部、第２部を通して読んでいただくことにより、読者は日本の近現代社会に大きなインパクトをもたらしてきた公害の諸相を理解するだけでなく、それを過去の問題、他者の問題として通り過ぎずに、これからの社会のあり方の問題、そして何よりもこの社会を生きる自分自身の問題、として手繰り寄せて考えることができるでしょう。

　本書が読者のみなさんと公害との新たな出会いの契機となることを心から願っています。ようこそ、公害スタディーズの世界へ。

編著者を代表して　安藤聡彦

第2章 語られた公害 ……………… 97

第4章 # 公害と生きる………………171

凡例 ● 公害・災害等の名称については著者によって異なる場合があります。
　　● 各省庁の名前は、当時のものとします。● 原子力発電所は「原発」と表記。
　　● 会社名は「株式会社」など法人格を省略。
　　● 第1章では各公害ごとに学びに役立つ「公害資料館で学ぼう！」「検索ワード」「場所」を紹介。
　　●「公害資料館で学ぼう！」の番号は各公害資料館に対応します（P10-11、P194-199）。
　　● 本文中の重要用語については「用語解説」（P92-95、206-212）を適宜参照してください。

日本公害地図

地図中の番号と公害資料館
リストの番号は対応しています。

公害は日本全国各地で起こっています。
それぞれの地域の公害について学ぶことができるのが、公害資料館です。
本書で取り上げる主な公害地域および関連する場所、
公害資料館をご紹介します。各公害資料館につきましては、
詳しくはP194〜199の「公害資料館リスト」をご覧ください。

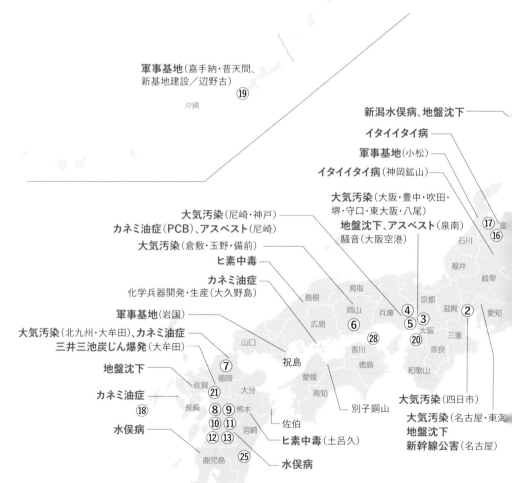

軍事基地（嘉手納・普天間、
新基地建設／辺野古）
⑲
沖縄

新潟水俣病、地盤沈下
イタイイタイ病
軍事基地（小松）
イタイイタイ病（神岡鉱山）

大気汚染（尼崎・神戸）
カネミ油症（PCB）、アスベスト（尼崎）

大気汚染（大阪・豊中・吹田・
堺・守口・東大阪・八尾）
地盤沈下、アスベスト（泉南）
騒音（大阪空港）

大気汚染（倉敷・玉野・備前）

ヒ素中毒

カネミ油症
化学兵器開発・生産（大久野島）

軍事基地（岩国）

大気汚染（北九州・大牟田）、カネミ油症
三井三池炭じん爆発（大牟田）

地盤沈下

カネミ油症
⑱

水俣病

⑰
富
⑯
石川
福井
岐阜
愛知
島根
鳥取
京都
滋賀
④
⑤③
大阪
⑳
②
三重
奈良
和歌山
岡山
兵庫
⑥
⑦
福岡
㉑
佐賀
長崎
⑧⑨
熊本
⑩⑪
宮崎
⑫⑬
鹿児島
㉕
広島
山口
⑳
祝島
香川
徳島
愛媛
高知
大分
佐伯
別子銅山
㉘
大気汚染（四日市）
大気汚染（名古屋・東海）
地盤沈下
新幹線公害（名古屋）
ヒ素中毒（土呂久）
水俣病

● 大気汚染
① 神奈川県立川崎図書館
② 四日市公害と環境未来館
③ あおぞら財団付属
　　西淀川・公害と環境資料館（エコミューズ）
④ 尼崎市立歴史博物館 "あまがさきアーカイブズ"
⑤ 尼崎南部再生研究室（あまけん）
⑥ みずしま財団（公益財団法人 水島地域環境再生財団）
⑦ 北九州市環境ミュージアム

● 水俣病
⑧ 熊本学園大学 水俣学研究センター
⑨ 熊本学園大学 水俣学現地研究センター
⑩ 水俣市立水俣病資料館
⑪ 環境省国立水俣病総合研究センター
　　水俣病情報センター
⑫ 一般財団法人水俣病センター相思社 水俣病歴史考証館
⑬ 熊本大学文書館

● 新潟水俣病
⑭ 新潟県立環境と人間のふれあい館
　　─新潟水俣病資料館─
⑮ 一般社団法人あがのがわ環境学舎

● イタイイタイ病
⑯ 富山県立イタイイタイ病資料館
⑰ 清流会館

● カネミ油症
⑱ 五島市カネミ油症 被害資料展示コーナー

● 軍事基地
⑲ 沖縄県平和祈念資料館

● アスベスト
⑳ アトリエ泉南石綿の館

● 三井三池炭じん爆発
㉑ 三川坑跡

● 福島原発事故
㉒ 原子力災害考証館 furusato

● 足尾鉱毒事件
㉓ 太田市足尾鉱毒展示資料室
㉔ NPO法人 足尾鉱毒事件田中正造記念館

● ヒ素中毒
㉕ 宮崎大学土呂久歴史民俗資料室

● 公害一般
㉖ 法政大学大原社会問題研究所 環境アーカイブズ
㉗ 立教大学共生社会研究センター
㉘ 豊島のこころ資料館

北海道

青森
小坂鉱山
秋田　岩手
地盤沈下
山形　宮城
地盤沈下
⑭
⑮
新潟
福島
栃木
群馬
埼玉
茨城
東京
千葉
神奈川
静岡

足尾鉱毒事件（足尾銅山）
福島原発事故
安中
足尾鉱毒事件
日立鉱山
遺棄化学兵器（神栖）
東海第二原発・
JCO臨界事故（東海村）
地盤沈下、アスベスト
大気汚染（千葉）
地盤沈下（液状化／浦安）
大気汚染、地盤沈下（東京）
軍事基地（横田）
大気汚染（川崎・横浜）、軍事基地
（厚木、遺棄化学兵器／寒川町）
宝鉱山
大気汚染（富士）
三島・沼津

⑯
㉒
㉓
㉔
㉖ ㉗
①

第1部

出会う

第 **1** 章

生きることの危機
様々な公害

公害は、「呼吸する」、「食べる」、「働く」など、生きるうえで不可欠な行為を介して人間のいのちと暮らしを蝕みます。共通しているのは、人びと、とりわけ様々な意味で弱い立場におかれている人びとこそ傷つきやすく、きわめて多様で重層的な困難がもたらされている、ということです。本章では、公害はなぜ発生したのか、人びとにどのような被害をもたらしたのか、発生以来どのような経過をたどってきたのか、何が解決され何が未解決であるのか、を13の事例を通してみていきます。

大気汚染

尾崎寛直（東京経済大学 経済学部 教授）

公害資料館で学ぼう！ ➡ ①②③④⑤⑥⑦（P194-195）

検索ワード　光化学スモッグ、公害病、四日市ぜんそく、公害対策基本法、公害健康被害補償法、固定発生源、移動発生源、浮遊粒子状物質（SPM）、自動車NOx・PM法、PM2.5、幸福追求権、生存権

場　所　四日市、千葉、川崎、名古屋、大阪西淀川、尼崎、倉敷、北九州、東京、太平洋ベルト地帯

大気汚染はなぜ起こるのか

ヒトが生きるためにまず何より必要なのは空気。窒素約78％、酸素約21％等で組成される空気がたまたま地球の大気圏の下層に存在していたために、私達は生きていられます。もし、生命維持に欠かせないこの空気が清浄ではなく、有害な気体や微粒子が入り交じって汚された状態——大気汚染になっていたらどうなるでしょう？答えは明らかです。ヒトの健康は害され、生命を支える環境そのものの破壊、さらには地球温暖化など、深刻な問題をまねく危険性があります。

そのような大気汚染が深刻化した背景には、近代化の過程で大規模な産業化と都市への産業集積、過密化が進んだことがあり、具体的には工場の稼働などの生産活動や都市の交通・物流（自動車による）が大きな要因としてあげられます。

古くは17世紀にはすでにイギリスの大都市や工業地帯において、燃料として石炭の多用によるばい（煤）煙や硫黄酸化物（SOx）を原因とする被害が問題になっています。こうした化石燃料の燃焼によって生成する大気汚染物質（硫黄酸化物、窒素酸化物（NOx）等）は、それ自体でも人体に呼吸器障害を与えるほど有害ですが、雨雲の水分に溶ければ酸性雨として木々を枯らしたり、太陽光によって有害な光化学オキシダントに変化し「光化学スモッグ」を生じさせて、人体や環境に害を与えることにもなり得ます。

有名な「ロンドン・スモッグ事件」（1952年12月5日〜9日）では、激しいスモッグの中で呼吸困難を訴える人が続出し、その数日間だけでロンドン市内では呼吸器系の疾病の悪化などにより例年と比べて約4000人死亡者が増加したとされています。

日本の近代化と共に始まる大気汚染公害

このような大気汚染は、家庭部門からの発生もありますが、圧倒的に多いのが産業部門です。産業活動（公共事業も含む）によって有害物質が大気中に放出され、地域住民や周辺環境に深刻な被害をもたらす現象を「大気汚染公害」と呼びます。日本で公害という言葉が世間で定着するのは戦後の高度経済成長期ですが、じつはその言葉が生まれる以前から、大

原告の歴史的勝訴の判決当日夜も変わらずばい煙を吐き出す四日市コンビナート群(1972年7月24日 澤井余志郎撮影)

気汚染公害は始まっていたのです。

19世紀以降の近代化の過程では、まずは足尾銅山、別子銅山、日立鉱山、小坂鉱山に代表される鉱山開発の周辺地域で、製錬所からの排煙等による深刻な鉱毒被害が発生しています。たとえば、足尾では周辺の山林が次々枯死して「はげ山」になったり、農作物も深刻な煙害を被り、村が廃村に追い込まれるほどの被害が出ています。20世紀に入ると、大都市部への産業集積にともない、セメント工場からの粉じん、化学工場からの塩化水素ガス、電力会社からのばい煙や亜硫酸ガスなど、「富国強兵」「殖産興業」を旗印にした産業優先の体制下で、無秩序な環境放出による大気汚染公害が頻発しています。それに対しては、農業被害を訴える住民の反対運動も起こりましたが、当時は加害者側の圧倒的な権力や圧力のもとに、すずめの涙ほどの金銭補償でよしとされるのがせいぜいであり、人権や生活権の訴えは抑圧される状態が続きました。

戦後の激甚化と人体への被害多発

戦時中、多くの工業地帯が空襲で焦土と化しましたが、1950年代には高度経済成長が始まり、大都市圏臨海部には次々と重化学工業の工場群が進出してきます。さらに拠点開発方式によって「新産業都市」に指定された地域にも産業集積が始まり、国・地方自治体をあげた工場誘致や産業基盤への公共投資の結果、白砂青松の海岸線は埋め立てられて、石油化学プラント、製鉄所、火力発電所などの大工場が海辺を奪っていったのです。

そうした拠点開発の典型が三重県四日市市です。四日市には石油精製会社や化学メーカー、電力会社等が相互に連携しながら操業する「コンビナート」が形成され、これらが住宅地に隣接、あるいは取り囲むように集積立地する異様な都市構造が形成されたのです（P16図1）。それぞれの大工場からの排煙は、複合して住宅地に押し寄せ、大気汚染公害はまさに激甚化していきました。

図1 四日市市の都市構造と工場配置（1983年時点）
(出所)『四日市市史』第15巻史料編 現代Ⅱ
四日市市 1998年より作成

公害健康被害補償法に基づく指定地域

にこの公害病は「四日市ぜんそく」との呼称で有名になりました。

大気汚染物質は、空気に紛れてヒトの呼吸と共に体内に取り込まれ、気管支や肺などの呼吸器系組織をじわじわと損壊していきます。侵された気管支や肺の組織は完全には元に戻らなくなると共に、損傷により炎症を起こした気管支は、突発的な「発作」をたびたび起こします。これはある被害者の言葉を借りれば、「水を入れたバケツに顔を突っ込まれたような」呼吸困難の苦しみを患者にもたらし、酸素吸入などの手当てが遅れると窒息死に至ることもあります。こうした性質から、大気汚染による公害病を「緩慢なる殺人」と呼ぶ人もいます。

このような大気汚染公害は、千葉、川崎、名古屋、大阪、尼崎、倉敷、北九州など、とりわけ太平洋ベルト地帯の工業地帯・地域で同様に発生し、膨大な数の公害病患者を生んでいきました（P17図2）。

その結果、工場群に隣接する地区で1960年前後を境に、爆発的な勢いで住民がぜん息のような突然発作を起こす事例が多発しました。大気汚染と呼吸器疾患との因果関係に基づく「公害病」の端緒です。大気汚染は農作物への被害をもたらすだけでなく、住民の健康あるいは生命そのものの破壊につながりうることが知覚される契機となったといえます。後

公害病患者の主体化と公害裁判

概して産業公害の被害は、産業活動の結果生まれる全体の便益の大きさに比べて、周辺的なものと捉えられがちです。また、公害病の具体的なリスクは生物的・社会的に弱い立場の人びとに集中的に発生しやすいため、被害を被る人びとが異議申し立てをしなければ、被害は「放置」されるか、ともすると「なかったこと」にされてしまう危険すらあります。

特に呼吸器疾患は、公害以外の要因でも、また都市部以外でも起こりうる「非特異性疾患」であるため、患者さんは自分の体の弱さや健康管理などに原因を求めてしまい、公害の被害者という自覚に至らないことが少なくありません（ただし実際、呼吸器疾患の有病率は大都市部において有意に高く、かつ大気汚染の激しい地域ほど高い事実があります）。

自らに責任を押し込めて孤立しがちな患者さん達が、公害と健康被害との因果関係を自覚するうえで大きな役割を果たしたのが、地域の医療機関・医療関係者でした。地元の医師会が積極的に患者組織の立ち上げを支援した例もあります。被害を受けた当事者達が泣き寝入りせずに声をあげたことは、支援の輪を広げるきっかけになりました。その結果、ついに原因者の大企業群を相手に裁判を起こす組織も出てきたのです。

1972年7月、四日市公害裁判判決での

図2 全国の公害認定患者数（大気汚染）

東京都	41534
千葉県	684
愛知県	6507
神奈川県	4359
兵庫県	7620
三重県	950
岡山県	2632
静岡県	878
大阪府	32999
福岡県	3635

※数値は公害健康被害補償法による認定患者数（大気汚染のみ）1987年12月末現在
（出所）『昭和63年版環境白書』(1988)より

原告患者の勝利は、他の大気汚染地域の患者組織に勇気と希望を与え、各地で提訴の気運が高まりました。前後して国も世論の高まりを受けて、「公害対策基本法」の制定（67年）と大幅改正（70年）、「公害健康被害救済特別措置法」（69年）の制定とそれを引き継ぐ「公害健康被害補償法（以下、公健法）」（73年）の制定へと舵を切り、医療費だけでなく障害補償費まで含む補償制度が創設されました。まさに公害裁判は、政策形成を前に進めるテコの役割を果たしたといえます。

大気汚染の質の変化と新たな課題

公健法では、補償費の財源確保のため、ばい煙を出す全国の工場等に幅広く網を掛け、SOxを指標に汚染負荷量に応じた賦課金を徴収するしくみ（インセンティブ）を適用したことで、各社は賦課金を減らすべく脱硫装置などの技術革新に取り組むようになり、SOxは急速に低減されました。ただ、SOx由来の大気汚染と入れ替わるように、1970年代半ば以降、大気汚染の主原因は工場等の「固定発生源」から「移動発生源」の自動車の排気

ガス汚染へとシフトしていったのです。

1970年代からモータリゼーション（車社会化）は急激に加速し、さらに自動車メーカーは税金が安く据え置かれた軽油を燃料に使うディーゼル車（一般にガソリン車より汚染物質を多く出す）をトラックなどに積極投入したことで、NOxや浮遊粒子状物質（SPM）、なかでも微小なディーゼル排気微粒子（DEP）などが大気汚染物質の主流となりました。特にトラックなどの貨物輸送が集中する幹線道路の周辺地域において汚染が深刻化するなど、従来の臨海部以外の内陸部にも大気汚染の被害が広がっていったのです。

そのため、当初は臨海部の工場群を問題にしていた公害裁判も、大阪西淀川（1978年〜）、川崎（82年〜）、尼崎（88年〜）、名古屋（89年〜）、東京（96年〜）における集団訴訟では、自動車排気ガス汚染の責任追及のため、道路の設置・管理者であり規制権限を有する国、旧高速道路公団（東京ではさらに自動車メーカー7社）も被告に加えられたのです。最終的にはいずれの裁判でも国側が敗訴し、一部では汚染物質の「差止」も命じられました。その結果、道路沿道の環境対策や大型車の運行規制、自動車NOx・PM法の制定、ディーゼル排ガス規制の抜本的強化、PM2.5の環境基準設定、等の政策形成を促したことは注目すべきです。それに促されて、自治体レベルでも東京都が「ディーゼルNO作戦」（99年〜）を開始したり、自動車メーカーがガソリン

大型幹線道路と2階建て高速道路が住宅地の真横を走る（兵庫県尼崎市 2005年 筆者撮影）

車並みに汚染物質を除去した「クリーンディーゼル」車や、ハイブリッド車、電気自動車、燃料電池車などの「エコカー」を開発せざるを得ない状況が生まれたことは特筆すべきでしょう。

しかし、大都市部においてはいまだ道路や自動車の集積・過密が著しく、PM2.5のように超微小な「見えない」大気汚染に住民はさらされつづけており、呼吸器疾患に苦しむ患者は多数に上っています。にもかかわらず、国は固定発生源による汚染の改善を理由に公健法を改定し、1988年2月末にて指定地域を解除、新規認定を廃止したまま、新たな患者を「放置」しています。それゆえ「未認定」の被害者らが立ち上がり、自動車メーカー等の責任を追及し、補償制度の創設を求めていますが、自動車排気ガス汚染を指標にした国の制度は未整備です。大気汚染問題は今なお続いています。

〈おすすめの関連図書〉
『ディーゼル車に未来はあるか──排ガス偽装とPM2.5の脅威』杉本裕明・嵯峨井勝著 岩波ブックレット 2016年
『西淀川公害の40年──維持可能な環境都市をめざして』除本理史・林美帆編著 ミネルヴァ書房 2013年
『ドキュメント大気汚染の日々──思いきり空気を吸いたい』増田文雄著 合同出版 2003年
『ディーゼル車公害』川名英之著 緑風出版 2001年

一住民の被害の訴えが巨大企業を動かす

尾崎寛直

東京大気汚染公害裁判・原告らによる自動車メーカー本社前での座り込み行動

「もう、恥ずかしい、裁判とか何とかってねえ。タクシーでも、私は恥ずかしくて〔磯津へ行ってくれと〕言われへんぐらいやった。（……）そんなまさか裁判して、こんな大げさになるなんて……。なるだけなら〔公害病であることを〕隠したかったけどね。やっぱりね、私ら子どもがおりましたからね。それ〔子どもの結婚への影響〕が一番気がかりだった、若い時はね。親がこんな病気をもっとると……。」（〔　〕内は筆者注）

これは「四大公害裁判」といわれる四日市公害裁判の原告患者が出た、第1コンビナートに隣接する四日市市塩浜地区磯津の住民Aさんにインタビューした時の発言です。自分が公害病であることを「隠したかった」、地元で裁判を起こして「大げさになる」ことが「恥ずかしく」思ったと、それらの事実が子どもの結婚へ悪影響を及ぼすことが「一番気がかりだった」と言っています。

ここからは、1970年前後、まだまだ「工場の煙は繁栄の象徴」といった価値観が覆っていた地域において、名もなき住民が高度経済成長を牽引し地域を代表する大企業（三菱油化等）を相手に裁判を闘うことは、とんでもない「事件」だったというべき状況がうかがえます。公害は人権侵害であるにもかかわらず、得てして被害者自身が社会的圧力や世間の目を気にして「公害を口にしたくない」と、自ら被害を隠してしまう転倒した現実があります。つまり公害の被害は、被害者の身体影響にとどまらず、社会的・経済的諸関係にも及びうることを示しています。

わずか9人の住民が世間の視線を気にしながら決死の覚悟で訴えた四日市公害裁判ですが、その勝利が他地域の被害者に大きな希望と勇気を与えたことは間違いありません。四日市を皮切りに以降の大気汚染公害裁判では、千葉（431人）、大阪西淀川（726人）、川崎（440人）、倉敷（292人）、尼崎（498人）、名古屋（292人）、東京（633人）のような集団訴訟が可能になりました。それは公害裁判が戦後の憲法で規定された「幸福追求権」や「生存権」等の権利の実質化を促してきた結果だともいえます。

そうした普遍的な意味をもつ公害裁判を闘った原告患者らは、被告企業に勝訴した後も個人賠償で終わらず、勝ち取った和解金の一部を基金にして、公害を克服する環境再生のまちづくり活動や、原告以外の「未認定」患者も救済されるための制度づくりにも尽力されています（例：大阪西淀川の「あおぞら財団」）。公害を一方的に押しつけられた地域の回復に被害者自身が取り組む試みは、国内外から大きな注目を集めています。

水俣病

高峰　武（熊本日日新聞 元論説主幹）

公害資料館で学ぼう！ ➡ ⑧ ⑨ ⑩ ⑪ ⑫ ⑬（P195-196）

検索ワード｜猫実験、チッソ、企業城下町、公害健康被害補償法、政府解決策、水俣病特別措置法、
水銀に関する水俣条約、胎児性水俣病
場　所｜不知火海、月浦坪谷、水俣湾、熊本、鹿児島

熊本県水俣市。水俣病を生んだ不知火海を眺めます。海が凪いでいる時はじつに穏やかで、対岸の天草の島影もどこか優しげな感じさえします。水俣病事件を告発する書ともなった『苦海 浄 土』を著した作家の石牟礼道子さんはこの不知火海を「さくらさくらわが不知火はひかり凪」と詠みました。「ひかり凪」。そんな言葉で形容したくなるような美しい海です。

しかし、この海はまた世界に例を見ない深刻な健康破壊、環境破壊である水俣病事件の舞台となった海でもあります。公式確認から2021年は65年。なぜ、水俣病が発生したか、今はどうなっているのか。これから考えていきます。

環境の私物化

1956年4月、水俣市月浦坪谷の5歳と2歳の幼い姉妹がチッソ附属病院に入院します。今まで見たことがなかったような症状のため、同病院は5月1日、原因不明の中枢神経疾患が発生している、と熊本県水俣保健所に届けました。これが水俣病の公式確認です。

当初は原因もわからず「奇病」とも呼

八代海
（不知火海）
と水俣市

ばれましたが、水俣湾の魚介類を使った猫実験などから、伝染病ではなく重金属による中毒と見当がつき、1959年7月、熊本大学医学部研究班は、有機水銀で汚染された魚介類を食べたことによるもので、水銀はチッソから排出された、と発表します。

チッソは1908年、実業家の野口 遵 が日本窒素肥料として水俣市で発足させた会社です（50年に新日本窒素肥料、65年にチッソと改称）。水力発電の電気を使って化学製品、肥料製造などを行い、延岡工場（現在の旭化成）をはじめ事業を急拡大。朝鮮半島に従業員約5万人の興南工場を造るなど国策と共に歩みましたが、敗戦で海外資産をすべてなくし、水俣工場で再建をはかります。

水俣病の原因となった有機水銀はアセトアルデヒド製造過程で副生されたものです。アセトアルデヒドはプラスチックの可塑剤をはじめとする化学製品の原材料で、生産開始は1932年。戦後復興から高度経済成長にかけプラスチックの需要は急拡大、チッソの生産も60年にはピークに。チッソは常に国内生産の3分の1から4分の1をしめていました。水俣病患者の発生もこの頃ピークを迎えています。

2016年4月、最後の水俣訪問となった石牟礼道子さん。正面右が第1号患者が暮らしていた家（月浦坪谷）。海のすぐ側にある
（写真提供／熊本日日新聞社）

水俣病は、工場から流出した有機水銀がプランクトンやえらから魚介類に取り込まれ、食物連鎖を通じ人間の中枢神経が侵されるというものです。

水俣病事件史をみる時に忘れてならないのは、企業城下町水俣でのチッソによる環境の私物化です。工場排水で海を汚染、漁民から苦情が出るごとに補償金を支払ってきており、安全が証明されない排水を水俣湾、不知火海に流しつづけたのもこうした歴史の延長線上にあります。

被害は弱い人に

「公害が起こって差別が生じたのではなく、差別のあるところに公害が起きる」と言ったのは50年にわたって水俣病事件と向き合ってきた医師・原田正純氏でした。弱者がまず被害に遭うというのです。実際、水俣病被害も子ども達から始まっています。水俣保健所から熊本県への第一報のタイトルは「水俣市字月浦付近に発生せる小児奇病について」です。また被害は漁民やその家族にあらわれます。漁民達の暮らしは貧しく、社会的な弱者とも呼べる人達でした。

1959年11月8日付の熊本県の地元紙・熊本日日新聞がこんな見出しで、水俣市民の動きを伝えています。「水俣工場 廃水停止は困る 市民の生活に響く 各種団体が知事に陳情」。記事によると、水俣市長をはじめ28団体の代表約50人が7日、熊本県知事にチッソの操業継続を陳情しているのですが、記事には、市税の半分をチッソに依存しており、操業を中止すれば5万人の市民が何らかの形で影響を受ける、とあります。"オール水俣"とも呼ぶべき団体の中に入っていないのは水俣病患者家族、漁民です。ここには、少数の患者家族、漁民と、多数の市民という構図がありはしないでしょうか。この構図は、多数の利益が少数の犠牲の上に

成り立っていることを示唆してもいるように思います。そして多くの場合、多数の側にはこうした意識は薄いものです。この構図は今の日本社会にも見られるものではないでしょうか。

被害者とは誰か

水俣病の被害者は何人いるのか。この問いの入口で私たちは迷路の中にいることを知らねばなりません。

熊本県と鹿児島県で「公害健康被害補償法」に基づき認定された水俣病患者は約2300人。いわゆる行政認定（一時金1600万〜1800万円）の数です。一時金に加え加害企業からの年金、医療費などの支給があります。

一方で、行政認定はされないものの、水俣病にもよく見られる症状をもつ人を対象とした1995年の政府解決策（一時金260万円と医療費など）の対象が約1万人、またさらにその後の水俣病特別措置法（以下、特措法 2009年）や裁判での和解に基づき一時金210万円と医療費を受ける人が約3万3000人います。医療費の自己負担分の救済を受ける人が約2万2000人。このほか訴訟で賠償が確定した約60人もいます。

先の質問に戻れば、患者は2300人ということも間違いではないでしょうし、何らかの形で公的救済（政府解決策や特措法は行政措置を含む）を受けている者も含めて約7万人ということも可能なのです。なぜこんな複雑なことになったので

しょうか。答えは簡単です。加害企業や国、県という側のその時々の事情によってできたことなのです。予算が先にあって、それに被害（者）を合わせる、つまり「何人、いくらか」という発想で、目前の対症療法を繰り返した結果で、いわば服のサイズに体を合わせた結果なのです。不知火海沿岸で約20万人が何らかの影響を受けたとする研究者もいます。

不作為の歴史

水俣病の原因については1968年9月、政府が原因はチッソから出た有機水銀とする統一見解を出しましたが、公式確認からすでに12年もたっており、この年の5月にチッソのアセトアルデヒド製造は終了していたのでした。つまりチッソの排水は誰も止めなかったのです。

不作為という言葉があります。やるべきことをやらなかった、ということですが、水俣では不作為が繰り返されました。

ひとつは1957年の食品衛生法適用問題です。56年の公式確認以降、熊本大学の研究が進み、患者が漁村に集中していることなどがわかりました。水俣湾の魚を猫に食べさせる猫実験での発症確認などから、熊本県は食品衛生法を適用して魚介類の摂取の禁止を計画、厚生省（当時）に同法の適用可否を照会しました。ところが厚生省からはこんな返事が返ってきたのです。「水俣湾内の魚介類すべてが有毒化しているという明らかな根拠が認められない」。当時の方法では、魚介類す

水俣湾の埋め立て地。この下には未処理のままの水銀が埋まっている。左が不知火海、右は水俣湾、右奥がチッソ
（2017年5月2日 写真提供／熊本日日新聞社）

べての有毒化の証明にはすべての魚介類を猫実験するしかないことを意味していました。事実上、不可能を強いるものです。結果、汚染は広がりつづけました。

　1958年制定の水質二法の問題もあります。59年11月、厚生省の食品衛生調査会は有機水銀説を厚生大臣に答申しましたが、閣議で池田勇人通産大臣（当時）が「結論は早計」などと発言。同調査会水俣食中毒部会は解散させられたのです。水質保全法と工場排水規制法という当時の水質二法などによる権限行使を怠ったとして、国と熊本県の責任を認める最高裁判決が出るのは2004年のこと。公式確認からするとじつに48年が経過していました。高度経済成長を支えたチッソは環境の私物化を続け、国は的確な対応をとらずブレーキも踏みませんでした。

　こうした歴史の中、被害を訴え、救済を求めつづけたのはほかならぬ被害者自身でした。公式確認直後からチッソと交渉を行いますが、支援もなく孤独な座り込みを強いられます。1959年12月末、チッソと水俣病患者家庭互助会は見舞金契約を結びます。大人の死亡者は、30万円に発病の年数に10万円を乗じた額を加えるなどとする内容ですが、将来新たな補償要求はしないことなども書き込まれていました。

　チッソを相手とした裁判では患者側が勝訴。また自主交渉をはじめ多様な活動を被害者自身が行い、それが全国の関心、共感を呼び、「反公害」の大きなうねりともなったのですが、多数ではなく、少数の人がぶれない核になり状況を切り開いていったのが特徴といっていいでしょう。水俣市の北に位置する芦北町の漁師・緒方正人さんは「チッソは私であった」と

23

宣言、今も自分の生き方を問いながら発信を続けています。様々な表現者がいたことも事件史で特筆されることです。石牟礼道子さんをはじめ、写真家のユージン・スミス氏、記録映画作家の土本典昭氏など、多様な表現者が磁場に引きつけられるようにして水俣に足を運び、「水俣の意味」を表現しました。

金の精錬過程。ここで水銀が使われている
（ミャンマー 2019年 筆者撮影）

まだら模様

　今の水俣病問題をめぐる状況は、「まだら模様」という言葉が一番ふさわしいように思います。

　水俣病とはどんな病気かという、病像論があります。当然、65年前の公式確認直後のように五里霧中の中にいるわけではありません。原因がチッソの有機水銀とわかり、一定の研究の積み重ねもあります。しかし現実はどうでしょう。現地から聞こえてくるのは、被害を訴える人達の多様な症状です。手足のしびれに加えてほかの症状があることを必須とする今の認定基準はこうした現地の声を拾ってはいません。相次ぐ裁判で現行の認定基準は批判されているのですが、国は「司法と行政は別」という立場をとりつつけています。

　公害の加害者には、発生責任、拡大防止責任、救済責任があるとはよくいわれることですが、水俣病事件史をみる時、そのいずれも果たされたことはなかったように思います。裁判が続いているのがその何よりの証拠でしょう。

　環境破壊の象徴的な例は、25ppm以上の水銀ヘドロを浚渫（水底からさらって土砂を取り去る工事のこと）した水俣湾の埋め立て地問題です。1990年に総工費約480億円をかけて58haの海面を埋め立てて完成したのですが、肝心の水銀は未処理のままです。2013年に採択された「水銀に関する水俣条約」で国際社会が「水銀フリー」を目指すことを謳う中、足元の水俣ではこんな状態が続いているのです。条約に水俣の名前を入れるように主張したのはほかならぬ日本政府でした。であれば、ミャンマーなどアジア各地を中心に行われている水銀を使った金の採掘・精錬で、健康や環境に配慮した安全な方法を確立するために指導的立場をとるべきなのですが、残念ながらその姿ははっきりとは見えません。

〈おすすめの関連図書〉
『新装版 苦海浄土──わが水俣病』石牟礼道子著 講談社文庫 2004年
『水俣病』原田正純著 岩波新書 1972年
『チッソは私であった──水俣病の思想』緒方正人著 河出文庫 2020年
『水俣病の民衆史』全6巻 岡本達明著 日本評論社 2015年
『8のテーマで読む水俣病』高峰武著 弦書房 2018年
『水俣病を知っていますか』高峰武著 岩波ブックレット 2016年

命の循環が断たれた事件

高峰 武

1954年8月1日付
「熊本日日新聞」の記事

猫てんかんで全滅
ねずみの激増に悲鳴

　みなさんにぜひ読んでほしい記事があります。1954年8月1日付の熊本日日新聞の記事です。

　「猫てんかんで全滅 水俣市茂道(もどう) ねずみの激増に悲鳴」。こんな見出しの記事は、120戸の漁村・茂道で、百余匹いた猫が狂い死にしはじめ、ネズミが大威張りで地区を荒らし回り、困った住民がネズミの駆除を水俣市に申し込んだ、というものです。水俣病公式確認の2年ほど前のこと。

　3段見出しの記事ですが、今からみれば、たくさんのことを示唆しています。一つ目は茂道が漁村であること。猫が食べるのは何か。考えられるのは魚介類です。二つ目は、よそからもらってきた猫が狂死するということ。猫ではなく、茂道という場所そのものに何か原因があるのではないか。そんなことが推察されます。また茂道には水田がないというのであれば、農薬の直接的関係は薄いのではないか。

　自然は重要な示唆を与えていたのですが、私達の社会はこのサインをきちんと受け止めることはしませんでした。記事そのものは自然界の異変を最初に伝えたものとして評価されますが、しかしこの後、茂道がどうなったかについて、追跡や検証が行われていれば、記者は多分、人の異変に出遭ったはずなのです。茂道はその後、患者多発地区になりました。

　水俣病事件はどの角度から光をあてるかで見えるものが違ってきます。しかし、その大本をいえば、「命の循環が断たれた事件」ということではないか、と思います。人が生きていくうえで一番大切な「食」が国家の後押しを得た企業活動によって汚染され、そうとは知らなかった住民の命と健康が奪われたのです。母親のお腹の中にいた時にへその緒を通じて有機水銀の影響を受けた「胎児性水俣病」患者は約70人とされます。これほどの汚染を社会の側は結局止めなかったのです。事件史を上流からいえばチッソから始まるのでしょうが、下流からさかのぼれば、毎日の食卓からこの事件は始まっています。命の問題だから、終わりようがないのです。

　教訓という言葉をよく聞くようになりました。しかしほんとうの教訓は、身を切り刻むような真摯(しんし)な葛藤(かっとう)の中からしか生まれないものだと思います。消費社会といわれる中、教訓という言葉まで私達は観念的に「消費」してはいないか。教訓という時、不可欠なのはその主体をはっきりさせることです。政治、行政、医学、マスコミ、教育などなど、主体を明確にしたものでなければ抽象的な教訓しか出てこないことは歴史が教えるところです。誰が何をしたか、あるいは誰が何をしなかったのか。それを考える未来への手掛かりは、水俣という現場にあります。

新潟水俣病

関 礼子（立教大学 社会学部 教授）

公害資料館で学ぼう! → ⑭ ⑮（P196）

検索ワード 食物連鎖、企業城下町、四大公害訴訟、未認定患者、政治解決、関西訴訟最高裁判決、
水俣病特別措置法、ふるさとの環境 づくり宣言、新潟水俣病地域福祉推進条例

場 所 阿賀野川、鹿瀬

公害の社会問題化の原点

　1965年6月12日、阿賀野川流域で有機水銀中毒の発生が公式発表されました。新潟水俣病です。阿賀野川の上流の昭和電工鹿瀬工場のアセトアルデヒド生産工程からの排水に含まれる有機水銀が、食物連鎖（食物網）を通して魚介類に生物濃縮（生体濃縮）され、汚染された魚介類を多食した流域の人びとが水俣病を発症したのです（P27図1）。

　水俣病は、高度経済成長期の経済至上主義がもたらした公害病です。熊本に続き、阿賀野川流域で繰り返された公害病です。水俣病を繰り返した社会の矛盾は、新潟水俣病患者が裁判を起こし、全国各地の公害問題を社会問題化することで是正されてきました。公害の社会問題化の「原点」が新潟水俣病にあるのです。

なぜ阿賀野川の上流に工場ができたのか

　新潟水俣病の原因になった昭和電工鹿瀬工場は、1929年、新潟県東蒲原郡鹿瀬町（現在、阿賀町）の昭和肥料鹿瀬工場の設立から始まります。石灰を採掘する原石山が近くにあったこと、鹿瀬ダム開

発でつくられる豊富な電力を利用できることが、立地の決め手でした。『昭和電工五十年史』には、「電気の原料化という国家的理想を旗印にして発足した」と書かれています。阿賀野川の水を原料化してダムで電気をつくり、電気を原料化してカーバイド（炭化カルシウム）や石灰窒素を製造していくのです。

　豊かな水量を誇る阿賀野川は、もともと会津と越後を結ぶ交易路で、川船が行き交い、材木を組んだイカダを流す水運が盛んでした。阿賀野川を分断するダム建設に、イカダ師達が反対しました。尾瀬の平野長蔵を中心に、上流に魚が遡上しなくなると、反対運動も起こりました。ダムは物質循環を妨げます。上流から下流への土砂の供給も断ちます。流域の生業に様々な影響を与えながら、「電気の原料化」が進められたのです。

　1936年には、アセトアルデヒドの生産が始まりました。プラスチックの可塑剤の原料になるアセトアルデヒドの製造工程で、水銀は触媒に用いられていました。その水銀を含む排水が阿賀野川に流され、後に新潟水俣病を発生させることになります。

図1 食物連鎖によるメチル水銀の蓄積

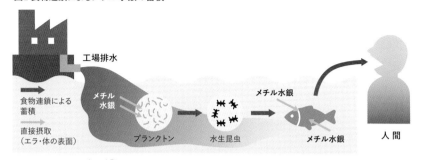

工場排水

食物連鎖による
蓄積

直接摂取
（エラ・体の表面）

メチル
水銀

プランクトン

メチル水銀

水生昆虫

メチル水銀

人間

（出所）『新潟水俣病のあらまし』新潟県福祉保健部生活衛生課編 新潟県 2019年 P15の図より作成

なぜ第二の水俣病が発生したか

　戦後は、食糧増産のための化学肥料やアセトアルデヒドの需要が高まりました。鹿瀬工場は活気にあふれました。最盛期には、通勤時間ともなると鹿瀬駅から昭和電工の門まで労働者が列をなしたといいます。鹿瀬町は企業城下町として発展、1964年までは地方交付税不交付団体でした。人気の映画を上映する電工会館は、最新流行の文化の発信基地でもありました。

　他方で、阿賀野川には異変が生じていました。1954年に阿賀野川漁業協同組合は汚毒水による被害実態の調査を行っています。59年には工場裏手のカーバイド残渣置き場が決壊し、阿賀野川の川魚が死滅するという大事件も生じました。

　すでに、1956年、熊本県水俣市では原因不明の脳症状を示す患者の発生が報告され（水俣病公式確認）、59年に、通産省（当時）が新日本窒素肥料（後のチッソ）のアセトアルデヒド製造工程と同種工場の排水調査を極秘で行っていました。

　この時点で水俣病の原因究明や排水対策・規制、同種工場への指導や注意喚起があれば、新潟で水俣病が発生することはなかったでしょう。昭和電工のアセトアルデヒド生産量はチッソの水俣病の発生後に急増しました。山口県徳山工場のエチレンによるアセトアルデヒド生産開始を受けて生産を停止する1965年1月までに、生産量は3倍以上になっています。

　第一の水俣病の原因をうやむやにし、再発防止策をとらなかった結果、新潟水俣病が発生しました。新潟水俣病は第二の水俣病です。適切に対処したならば、防げたはずの公害病なのです（P28図2）。

誰が新潟水俣病の被害を受けたのか

　阿賀野川は流域の人びとの生活の舞台でした。河川敷や中州の畑を耕し、玉石や砂利を採って船で運び、流木を拾って薪にしました。川水を汲んでお茶を入れ、洗濯するのも米をとぐのも阿賀野川だったと語る人もいました。子ども達は川で泳ぎ、遊びました。親には、「阿賀野川に行ったら手ぶらで帰ってくるな。流木の

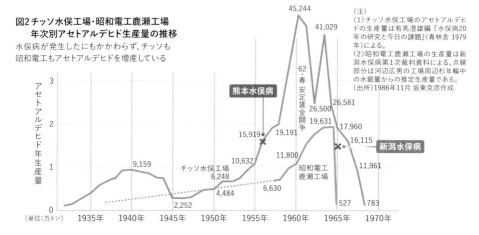

**図2 チッソ水俣工場・昭和電工鹿瀬工場
年次別アセトアルデヒド生産量の推移**

水俣病が発生したにもかかわらず、チッソも
昭和電工もアセトアルデヒドを増産している

（注）
（1）チッソ水俣工場のアセトアルデヒドの生産量は有馬澄雄編『水俣病20年の研究と今日の課題』（青林舎 1979年）による。
（2）昭和電工鹿瀬工場の生産量は新潟水俣病第1次裁判資料による。点線部分は河辺広男の工場周辺杉年輪中の水銀病からの推定生産量である。
（出所）1986年11月 坂東克彦作成

アセトアルデヒド年生産量（単位：万トン）

熊本水俣病

新潟水俣病

45,244　41,029　62春安定賃金闘争　26,500　26,581　19,631　17,960　16,115　15,919　19,191　11,800　11,961　10,632　9,159　6,248　6,630　4,484　2,252　527　783

チッソ水俣工場　昭和電工鹿瀬工場

1935年　1940年　1945年　1950年　1955年　1960年　1965年　1970年

1本、魚の1匹でも獲ってこい」と言われて育ったという人もいました。

川に用事があれば、行きにカゴを仕掛けて、帰りに掛かった川魚を持ち帰るのは、当たり前の日常でした。新鮮な川魚を食べ、囲炉裏で焼いて干して保存し、それでも余るほど獲れれば隣近所に分けました。阿賀野川の水は農業用水にも使われていました。用水から田んぼに水を引けば川魚も一緒に入ってきます。用水や田んぼで魚釣りをして食べるという風景もありました。

新潟水俣病の被害を受けたのは、このように阿賀野川と親しく関わってきた人びととその家族、その地域でした。自給自足が当たり前の時代です。冷凍庫のある2ドア冷蔵庫が普及したのは1970年代になってからです。スーパーもコンビニもありませんでした。土地でとれたものを食べるという、当たり前の暮らしの中で、阿賀野川の流域の人びとは被害を受けたのです。

当初は、劇症型水俣病やハンター・ラッセル症候群、胎児性水俣病のような顕著な症状の患者さんもいましたが、その後に出てきた患者さんの多くは、感覚障害や運動失調といった外から見えない慢性症状です。加齢によって症状がひどくなった患者さんもいます。お医者さんに言われて、ようやく水俣病だと気づいたという人もいます。

症状は、いつも耳鳴りがする、料理の味がわからない、感覚が鈍くケガをしやすい、転びやすい、手足がしびれる、服のボタンがはめにくいなど、日常生活の様々な場面で不自由を感じさせるものでした。「感覚障害」といってしまえばひと言ですが、それだけとっても深刻な症状です。映画『阿賀に生きる』（佐藤真監督 1992年）には、風呂で大やけどをした船大工が登場します。古いタイプの風呂で、熱いところに足をくっつけて骨が見えるほどの大やけどをしながら、風呂から上がるまで気づかずにいたのです。

新潟水俣病は昔話か

新潟水俣病発生の公式発表から、ゆうに半世紀以上がたちました。明治・大正生まれの初期の患者さんが亡くなり、戦前生まれの患者さんが亡くなり、戦後生まれの患者さんだけでなく、1965年以降に生まれた方々も被害を訴えはじめています。新潟水俣病は、昔話ではありません。

新潟水俣病をめぐって、これまでに5つの裁判が提訴され、ひとつは現在も係争中です（下表）。3度の解決がはかられましたが、なお未解決の問題なのです。

新潟水俣病の患者や家族は、1967年6月12日、新潟水俣病の原因は昭和電工の工場排水にあると、初の本格的な公害裁判を起こしました。新潟水俣病第1次訴訟です。この裁判が先駆けとなって、四日市公害訴訟、イタイイタイ病訴訟、水俣病訴訟が提訴されました（四大公害訴訟）。反公害の世論を巻き起こした新潟水俣病第1次訴訟は71年に勝訴、73年に補償協定が結ばれました。水俣病に認定されれば、裁判をしなくても補償が受けられるようになりました。新潟水俣病第1次訴訟と第一の解決です。

この「認定されれば」が、後に問題になります。2つの水俣病の認定基準は、1969年に制定された「公害に係る健康被害の救済に関する特別措置法（73年から「公害健康被害補償法」）で統一されて現在に至っています。2つの水俣病は、共に認定基準をめぐって、困難な状況に追いやられてきました。71年に環境庁（当時）は、水俣病であることが疑わしい場合には救済するという方針を示しました。ところが、73年のオイルショックや有明海の「第三水俣病」発生疑惑と水銀パニックを境に、新潟でも棄却される患者が増えていきました。77年には複数の症状の組み合わせがなければ水俣病と認めない、78年には医学的にみて水俣病である蓋然性が高いと判断されなければ水俣病

新潟水俣病裁判	原告	被告	提訴日	解決枠組み
新潟水俣病第1次訴訟	認定患者・患者家族	昭和電工	1967.6.12〜1971.9.29（新潟地裁判決、原告勝訴、発生源は昭和電工、過失責任あり）	1973.6.21補償協定締結
新潟水俣病第2次訴訟	未認定患者	国・昭和電工	1982.6.21〜1992.3.31（新潟地裁第1陣判決、水俣病に認定された3名をのぞく原告91名中88名を水俣病と認める、昭和電工の賠償責任を認める、国の責任は否定）双方が控訴 1996.2.23（1陣、東京高裁和解）／1996.2.27（2陣〜8陣、新潟地裁和解）	1995.12.11解決協定締結
新潟水俣病第3次訴訟	未認定患者	国・新潟県・昭和電工	2007.4.27〜2019.3.5（最高裁上告棄却、国・新潟県・昭和電工が勝訴の高裁判決確定）	なし（抗告訴訟で9人が認定）
ノーモア・ミナマタ新潟第1次訴訟（第4次訴訟）	未認定患者	国・昭和電工	2009.6.12〜2011.3.3（新潟地裁和解、「水俣病被害者の救済及び水俣病問題の解決に関する特別措置法（特措法）」制定を契機に）	和解条項による（特措法を受けての解決）
ノーモア・ミナマタ新潟第2次訴訟（第5次訴訟）	未認定患者	国・昭和電工	2013.12.11〜（2021年3月末現在係争中）	─

表 新潟水俣病の裁判と解決枠組み　　　　　　　　　　　　（出所）筆者作成

と認めないと、認定基準が厳しくなります。認定申請をしても、棄却される「未認定患者」の問題が生まれたのです。82年、認定を棄却された患者が、国と昭和電工を被告として裁判を起こしました（第2次訴訟）。裁判は長期化し、原告患者も次々に逝去する中で、患者団体らは95年に「政治解決」を受諾し、翌年、裁判は和解しました。これが新潟水俣病第2次訴訟、第二の解決です。

2004年、「政治解決」を唯一、拒否した水俣病関西訴訟の最高裁判決が出されました。国・熊本県・チッソの責任を認め、水俣病特有の感覚障害があれば水俣病と認められるという判決でした。この判決後に、水俣病の裁判が新たに提訴され、新潟でも第3次訴訟やノーモア・ミナマタ新潟第1次全被害者救済訴訟（第4次訴訟）が提訴されました。第4次訴訟は、09年に「水俣病被害者の救済及び水俣病問題の解決に関する特別措置法（以下、特措法）」の制定後、和解協議によって解決がはかられました。第三、第四の裁判と第三の解決です。

しかし、特措法での救済には申請期限が定められていました。多くの被害者の切り捨てにつながると、申請期限の撤回を求める要望が新潟県からも出されましたが、申請は締め切られました。申請に間に合わなかった人びとが、2013年ノーモア・ミナマタ新潟第2次全被害者救済訴訟（第5次訴訟）を起こしました。

被害者を社会で支えつづける

新潟県は、「ふるさとの環境づくり宣言〜新潟水俣病40年にあたって〜」（2005年）で、新潟水俣病被害者が地域社会の中で安心して暮らし、新潟水俣病の悲劇を未来の教訓として活かしていくことが行政の責任だと宣言しました。また、「新潟水俣病地域福祉推進条例」（09年施行）を制定し、新潟水俣病の被害者を社会全体で支え、誰もが安心して暮らすことができる地域社会の実現のための施策を、流域市町と連携して推進しています。

2016年、「新潟県立環境と人間のふれあい館―新潟水俣病資料館―」には、「阿賀野川を平和で豊かに」という記念碑が建てられました。新潟水俣病の症状は治癒しません。被害をなかったことにもできません。しかし、被害者の方々の痛みを知り、被害者を支える社会をつくることはできるはずです。碑文には、そのような意志が込められています。

裁判と解決が繰り返され、なおも未解決の被害が残されているのが新潟水俣病の現在です。被害者を支える社会づくりは、これからも地道に続きます。

〈おすすめの関連図書〉
『新版 新潟水俣病問題――加害と被害の社会学』飯島伸子・舩橋晴俊編著 東信堂 2006年
『新潟水俣病の三十年――ある弁護士の回想』坂東克彦著 NHK出版 2000年
『阿賀の記憶、阿賀からの語り――語り部たちの新潟水俣病』関礼子ゼミナール編 新泉社 2016年
『新潟水俣病のあらまし』新潟県福祉保健部生活衛生課編 新潟県 2019年
『いっちうんめぇ 水らった――聞き書き・新潟水俣病』新潟水俣病聞き書き集制作委員会編・出版 2003年
『新潟水俣病ガイドブック 阿賀の流れに』新潟水俣病共闘会議編・出版 1990年

語れない被害
—— 差別・偏見

関 礼子

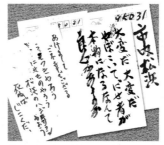

送りつけられたいやがらせのはがき*

同じ食卓を囲んだ家族、同じように川魚を食べていた地域の人に、水俣病を隠してきた人がいました。家族や親しい間柄だからこそ、言えなかったのかもしれません。その結果、水俣病の認定申請や救済制度への申請が遅れた人が大勢います。

なぜ被害者は被害を隠さなければならなかったのでしょう。

「みば悪いすけ」。水俣病は世間体の悪い病気だというのが、被害を隠す最大の理由でした。新潟水俣病は、原因がわからなかった時には「タタリ」、「伝染する」と陰口され、原因がわかってからも「職場を解雇される」、「子どもが就職できない」、「結婚できない」と言われました。新潟水俣病の発生当初、埋もれた被害者を見つけ出そうと、阿賀野川流域では行政の集団検診が行われましたが、「何としても水俣病にはならない」と、元気を装って頑張った人がいました。川魚をたくさん食べ、身体症状があると言わなければ、水俣病とは認定されません。水俣病の被害は、隠そうと思えば隠せたのです。

新潟水俣病第1次訴訟が勝訴し、補償協定が締結されると、水俣病への差別・偏見に変化が生まれました。「金欲しさ」で水俣病のふりをしている「ニセ患者」と中傷されることが増えたのです。子どもが就職したから、結婚したからと、ようやく認定申請に踏み切った人びとにとって、あまりに辛く悔しいことでした。認定申請を棄却された人びとは、差別・偏見の中で、肩身の狭い思いをしながら、第2次訴訟を闘ってきました。

顔と名前を出した被害者に届けられたはがきがあります。「大変だ大変だ　やぼこいて、にせ者が本物になるなんて良心があるのか」。宛先は「市内松浜」ですから、差出人は比較的近くにいた人でしょう。

新潟水俣病の被害を隠さなくてよい社会、被害を訴えることができる社会は、病気に対する差別・偏見のない、人権を大切にする社会です。

人権教育を重視している新潟県上越市の小学校で、新潟水俣病の授業を見学したことがあります。「水俣病は伝染しないのに、水俣病がうつると言われた」と言う児童の発言に、教員はその場で「うつる病気なら差別してもいいのか」と問い返し、児童から「うつってもうつらなくても差別はいけない」と言う言葉を引き出しました。誰もが安心して暮らせる社会のために、児童が新潟水俣病から学んだことは新潟水俣病以上だったのではないでしょうか。

*（出所）『新潟水俣病のあらまし』P18

イタイイタイ病

向井嘉之（ジャーナリスト）

公害資料館で学ぼう！ ➡ ⑯⑰（P197）

検索ワード カドミウム、三井金属鉱業神岡鉱業所、小松みよ、萩野昇医師、イタイイタイ病対策協議会、
イタイイタイ病に関する厚生省見解、四大公害訴訟
場　所 岐阜県、神岡鉱山、高原川、神通川、富山県、旧婦中町

カドミウムに汚染された飲み水や米

イタイイタイ病というのは、富山県の神通川（じんずう）流域の住民が被害を受けた日本の公害病認定第1号（1968年）で、近代日本の公害の原点とされる足尾鉱毒事件（あしお）と共に、日本における典型的な公害です。富山湾に注ぐ神通川をさかのぼるように、上流へ向かうと、富山県と岐阜県の県境あたりで、神通川は二つの支流に分かれます。一方が飛騨高山から神通川に合流する宮川、もう一方がイタイイタイ病の原因となったカドミウムを排出した神岡鉱山（かみおか）の前を流れる高原川です。富山市から神岡鉱山まではおよそ50kmです（図1）。

イタイイタイ病は、1911年頃から岐阜県の三井金属鉱業神岡鉱業所（現神岡鉱業）の排水に含まれるカドミウムに汚染された飲み水や米を通じて、富山県の神通川流域住民が被害を受けました。主として年配の女性に多く発生しましたが、重金属のカドミウムが体内に蓄積すると腎臓障害（じんぞう）を起こし、骨が軟化し折れやすくなります。重症の場合はくしゃみ程度で骨折するほどで、激痛に見舞われた患者が「痛い、痛い」と全身の激痛を訴え

図1 神岡鉱山の位置

たのが名前の由来です。後に原告患者の筆頭としてイタイイタイ病訴訟に加わった小松みよさんも典型的な患者でした。神通川の傍らにある農家に生を受け、近くの農家に嫁いだみよさんは、30歳を過ぎたばかりの頃に発病、激痛と共に骨を侵され、やがて30cmほど背丈が縮んでしまいました。みよさんは亡くなる66歳まで苦闘に満ちた生涯を送りました。

神通川流域ではみよさんのように、多くの人がイタイイタイ病の苦しみの中で一生を終えています。

近代化と戦争と共に進む鉱山開発

神岡鉱山は江戸時代に銀山として開発が始まりました。1889年、三井組が神岡

鉱山全体の鉱業権を取得するまでは、銀以外に銅・鉛が主流でした。神岡鉱山からの鉱毒、とりわけイタイイタイ病に結びつくカドミウムはそもそも亜鉛に含まれているもので、神岡鉱山では亜鉛の200分の1のカドミウム含有量ですが、この亜鉛鉱石は鉛鉱石をともなって産出するので、鉛を産出する神岡鉱山では亜鉛を含む鉱石も多いということになります。カドミウムは長い間、その用途が発見されなかったために、捨てられてきました。じつはカドミウムそのものは、ばく(曝)露30年で発病するといわれます。ばく露というのは、化学物質などに生体がさらされることをいいますが、飲み水や米を通じて、身体の中に入ったカドミウムの影響はおよそ30年後にあらわれるということになります。

一方、亜鉛や鉛は、武器製造に役立てられます。このことはなぜ、神岡鉱山からの鉱毒によりイタイイタイ病が発生したかを知るうえで重要なポイントになります。

明治政府がヨーロッパ各国に対抗して進めた近代化は、ひとつは国家の経済を発展させて軍事力の増強を促す「富国強兵」であり、もうひとつは産業・資本主義育成をはかる「殖産興業」の国策でした。この国策のもとで戦争への道を突き進むことになった日本は神岡鉱山の開発を一気に進めました。その担い手となったのが、財閥と呼ばれる三井組でした。以後、三井財閥は近代化を急ぐ国と一緒に

なって鉱山開発に力を注ぎました。

1894年からの日清戦争、1904年の日露戦争勃発、14年の第一次世界大戦、37年の日中戦争から41年のアジア太平洋戦争突入という、およそ50年間にわたる相次ぐ戦争は、当然のことながら神岡鉱山と無縁ではありませんでした。日清戦争の頃は、銅・鉛の採掘が主でしたが、煙害が激化しはじめる一方で、後にイタイイタイ病の原因となるカドミウムを含む亜鉛は不要物として川に捨てられました。10年後の日露戦争では鉛需要の増大と共に、採取した鉱石から亜鉛を選別する技術が進歩し、亜鉛鉱石の採取も本格的に開始されました。しかしカドミウムは不要ですから高原川に大量に廃棄されていたのです。

さらに第一次世界大戦では日本が武器輸出を行うようになり、神岡鉱山は日本最大の亜鉛鉱山となりました。この間、神岡鉱山周辺の山林だけでなく、高原川沿岸の漁業被害、そして神通川中流域で農業被害が発生していました。被害を受けた住民らは、すでに神岡鉱山の鉱毒がこうした農・漁業被害をもたらしていることを知っており、神岡鉱山に抗議し、行政にも訴えましたが、ほとんど無視されました。

第一次世界大戦後、日本は国内の混乱の中で、日中戦争からアジア太平洋戦争へと、国をあげての戦時体制となっていきます。航空機・車両・船舶などの各種兵器に欠かせない重要物資である鉛・亜

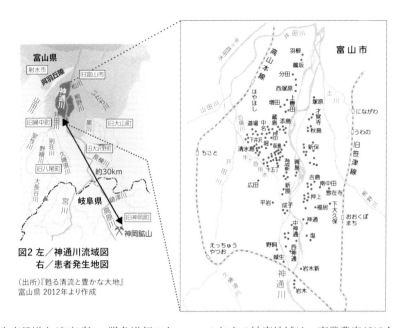

図2 左／神通川流域図
　　右／患者発生地図

（出所）『甦る清流と豊かな大地』
富山県 2012年より作成

鉛の生産量増大が叫ばれ、戦争遂行のために、神岡鉱山では乱掘と共に、鉱山の作業にはまったく経験のない朝鮮半島出身者や捕虜などが現場へ動員されました。

神通川中流域で患者が発生

　神岡鉱山では戦時増産にともなう廃棄物の増大が続き、神通川流域への影響は大問題になっていましたが、鉱毒水対策は戦争による鉱業優先の前に無視され、富山平野における被害の拡大は、農業のみならず、すでに発生していたイタイイタイ病を激化させることになりました。この頃から神通川中流域の旧婦中町（現富山市）では、まだイタイイタイ病としては知られていませんでしたが、奇病・風土病の呼び方で多くの患者が発生していました。地図の赤色の地域です（図2）。

　これらの被害地域は、専業農家がほとんどという農村地帯でした。神通川の豊かな川水は、飲み水をはじめ日常的な生活用水であり、また、農業には欠かせない貴重な灌漑用水でした。さらに神通川はたびたび氾濫し、激甚被害地となった地域では、洪水時に農用地・非農用地を問わず神岡鉱山の鉱毒水が運ばれ、広範囲に冠水していたのです。

　アジア太平洋戦争敗戦後、朝鮮半島では朝鮮戦争が勃発（1950年）、神岡鉱山はその特需で再び息を吹き返し好況期を迎えます。イタイイタイ病が新聞報道により、初めてその存在が知られるようになったのは1955年のことですが、経済成長最優先を掲げる戦後の日本では、患者救済や原因究明に取り組むようにはなりませんでした。それどころか、経済成長

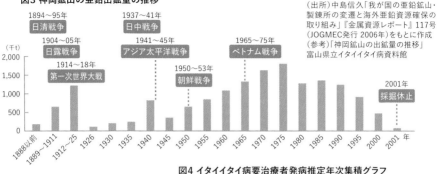

図3 神岡鉱山の亜鉛出鉱量の推移

(出所)中島信久「我が国の亜鉛鉱山・製錬所の変遷と海外亜鉛資源確保の取り組み」『金属資源レポート』117号(JOGMEC発行 2006年)をもとに作成 (参考)「神岡鉱山の出鉱量の推移」富山県立イタイイタイ病資料館

1894〜95年 日清戦争
1904〜05年 日露戦争
1914〜18年 第一次世界大戦
1937〜41年 日中戦争
1941〜45年 アジア太平洋戦争
1950〜53年 朝鮮戦争
1965〜75年 ベトナム戦争
2001年 採掘休止

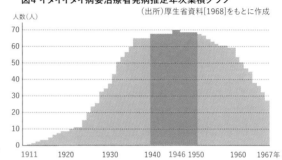

図4 イタイイタイ病要治療者発病推定年次集積グラフ
(出所)厚生省資料[1968]をもとに作成

を後押しするかのように、ベトナム戦争の前線基地となった日本に特需をもたらし、神岡鉱山は鉛・亜鉛の生産で需要が活発になっていったのです。日本の戦争と共に歩んだ神岡鉱山の亜鉛出鉱量の推移をグラフにしてみました(図3)。

「認定患者数」への違和感

イタイイタイ病は100年を超える歴史の中で、あまりにも人の命が顧みられることがありませんでした。一体どれだけの人がイタイイタイ病で亡くなったのかの記録さえないのです。死者の多くは女性ですが、なぜイタイイタイ病が女性に多発したのかは、まだ明確に解明されていません。ようやく患者の認定制度ができたのが1967年です。70年発行の被害者団体の文献には、戦後の46年から70年までの死者は230人との記述がありますが、私の調査では、戦前を含めると500人以上の死者がいたと推定できます。

厚生省(当時)が1968年に発表した「イタイイタイ病要治療者発病推定年次集積グラフ」を参考にわかりやすく発病年次を推定したグラフを見てください(図4)。イタイイタイ病の資料としてよく使われる「認定患者数200人」の記述には違和感を覚えます。つまり、イタイイタイ病の認定制度ができたのは、もっとも発病者が多かったアジア太平洋戦争直前の1940年から戦後の50年までの10年間を過ぎ、イタイイタイ病の公害裁判が始まる前年、67年です。以降の認定患者数が200人ということであり、イタイイタイ病の実態を伝える数字ではないと思います。

このうちすでに199人が亡くなり、2021年2月現在の生存者は1人だけです。認定

はされませんでしたが、イタイイタイ病で苦しみつづけた患者数の推定はさらに困難になります。今もなお、苦しみつづける患者達。さらにカドミウム腎症という、いわばイタイイタイ病の前段症状の患者達に対して国は公害病として認定すらしないのです。

企業責任を明確にした裁判の成果

イタイイタイ病の患者や遺族ら神通川流域の被害住民が原因究明と患者救済を求めて立ち上がったのは、イタイイタイ病の存在が社会的に明らかになってから10年後でした。

すでにイタイイタイ病のカドミウム原因説を発表していた地元の萩野昇医師の呼びかけで始まった学習会は、やがて被害者組織である「イタイイタイ病対策協議会」へと発展、神通川流域の農民が自らの意志で神岡鉱山の鉱毒に正面から立ち向かう住民運動が動き出しました。

1968年3月9日、イタイイタイ病の患者と遺族が三井金属鉱業を相手取り、富山地方裁判所へ慰謝料請求の訴えを起こしました。この提訴直後、日本の公害の歴史においてまさに画期的な国の発表がありました。「イタイイタイ病に関する厚生省見解」です。当時、高度経済成長下、次々と発生する大気汚染や水俣病をはじめとする公害に反対する世論が大きなうねりを呼ぶ中で、国がイタイイタイ病を初の公害病と認定したのです。

この厚生省見解から3年後の1971年6月30日、四大公害訴訟の先頭を切って、日本の公害裁判史上大きな意味をもつイタイイタイ病原告勝訴の判決が出されました。

翌年1972年の控訴審判決での完全勝訴をへて、悲惨なイタイイタイ病患者への救済と賠償が始まりました。そして汚染された広大な農地の復元、さらには神通川に清流を甦らせるための神岡鉱山への立ち入り調査の開始、いずれもが企業責任を明確にした裁判の貴重な成果です。イタイイタイ病の被害者組織やその支援団体による住民運動と共に、公害根絶を目指した広い世論の力に支えられて被害者救済の道が開かれたのです。

今後の課題をあげると、現在、被害住民による鉱山への立ち入り調査が毎年行われてはいるものの、残されているカドミウムにより、豪雨や大地震で神通川流域が再汚染するという危険もあります。さらに、カドミウムによる健康被害はまだまだ解決したとはいえません。

100年を超えるイタイイタイ病の公害経験をいかに風化させないで後世に伝えていくかは、現代に生きる私達に課せられた責務といえるのではないでしょうか。

〈おすすめの関連図書〉
『イタイイタイ病と戦争──戦後七五年 忘れてはならないこと』
向井義之著 能登印刷出版部 2020年
『定本 カドミウム被害百年 回顧と展望──イタイイタイ病の記憶（改題）』松波淳一著 桂書房 2010年
『イタイイタイ病と教育 公害教育再構築のために』
向井嘉之編 能登印刷出版部 2017年
『イタイイタイ病──発生源対策22年のあゆみ』畑明郎著
実教出版 1994年
『イタイイタイ病との闘い 原告 小松みよ──提訴そして、公害病認定から五〇年』向井嘉之著 能登印刷出版部 2017年

世界史に記録される 日本の公害病認定第1号

向井嘉之

原告勝訴を患者と共に喜ぶ萩野昇医師
（旧婦中町萩野病院 1971年6月30日 筆者撮影）

イタイイタイ病という多くの犠牲者を出して得た貴重な人類の経験が、今の社会にきちんと伝えられているかというと心もとない現状です。みなさんがイタイイタイ病を考える時に、次の点を理解してほしいのです。まずイタイイタイ病は世界史に記録される日本の公害病認定第1号であるということです。「公害」という言葉はそもそも日本で生まれた言葉です。世界史的にもイタイイタイ病は itai-itai disease として知られています。

世界でこれほどのカドミウム被害を出したところはありません。人間への被害や土壌汚染を含めて、歴史的な環境汚染事件といえます。イタイイタイ病は1968年の国による公害病認定、71年の第1次訴訟での原告勝訴、72年の控訴審全面勝訴確定などをへて、水俣病と共に、世界の環境問題を考える出発点となりました。72年にはスウェーデンのストックホルムで初めての国連人間環境会議が開かれ、イタイイタイ病研究者であった萩野昇医師らも参加しました。このようにイタイイタイ病をはじめとする日本の公害は世界にその惨状をさらしながら、国際報道のテーマとなり、やがて「環境の世紀」と呼ばれる21世紀へ向かうことになったのです。

さて、イタイイタイ病の被害者が、公害裁判で初めて被害者敗北の歴史に終止符を打ってから、2021年で50年になります。自らの記憶としてイタイイタイ病を語ることのできる被害者はしだいに少なくなっていき、これからはイタイイタイ病の歴史を語りつぎ、記録する時代に入っていきます。

2014年、富山ではイタイイタイ病の歴史的意義を伝えていこうと、私達市民が設立メンバーとなって「イタイイタイ病を語り継ぐ会」を発足させました。21年現在、会員は約100人です。私も代表運営委員を務めていますが、イタイイタイ病は解決済みの過去の問題ではなく、現在進行形として存在している環境問題であるとの認識に立ち、フィールドワークや市民塾を開催しています。

私は1966年の放送局入社以来、ジャーナリストとして、弱者の立場でイタイイタイ病を見つめてきました。イタイイタイ病は原因企業があって、多くの人が公害で苦しんだという単純な構図ではありません。幾多の訴えを無視して、カドミウムを神通川に流しつづけた人間達がいた。苦痛と絶望の日々を送らざるを得なかった被害住民を黙殺した人間達がいた。そういう人間達に力を貸した国や行政があった。つまり、わかりやすくいえば、「人間が人間を押しつぶすもの」、これが公害です。私達はイタイイタイ病の歴史と教訓を学ぶことによって、これからを生きる健全な批判意識を育てていきたいものです。

カネミ油症

宇田和子（高崎経済大学 地域政策学部 准教授）

公害資料館で学ぼう！ ➡ ⑱（P197）

検索ワード ポリ塩化ビフェニル、ダイオキシン、病気のデパート、未認定問題、仮払金返還問題、環境ホルモン、
カネミ油症患者に関する施策の総合的な推進に関する法律、POPs条約

場所 北九州市、西日本、福岡県、長崎県、広島県、兵庫県高砂市

複合的な汚染

カネミ油症とは、有害な食品によって引き起こされた食品公害です。福岡県北九州市にあるカネミ倉庫が、米ぬかから食用油を製造する過程で、有害なポリ塩化ビフェニル（以下、PCB）が混入しました。その油を購入して食べた西日本地域一帯の人びとに健康被害が生じ、1968年に発覚しました。

なぜ食品に有害物質が混入したのでしょうか。そもそもPCBは工業用の液体で、1950年から日本に輸入され、電気機器の絶縁油などに使用されてきました。化学的に安定していて便利なことから、様々に用途を広げ、食品の加工工程にも使われるようになったのです。

米ぬか油には独特の臭いがあり、そのままでは販売に向きません。そこでカネミ倉庫は、大きなタンク（脱臭缶）に油を満たし、ステンレスのパイプをらせん状に張り巡らせ、そのパイプに高温に熱したPCBを循環させて、間接的に油を加熱することで脱臭を行いました（P39図）。ところが、パイプに穴があき、PCBが漏れ出し、加熱されたPCBからは、体

カネミ倉庫製造の食用油「カネミライスオイル」は炒め物やてんぷら用の油として家庭で広く使われていた（山口県 1972年 写真／河野裕昭）

内に長期間残留するポリ塩化クアーターフェニル（PCQ）、および毒性の強いダイオキシン類であるポリ塩化ディベンゾフラン（PCDF）が生成されました。つまり油は複数の化学物質に汚染されたのです。

健康被害と生活破壊

1969年7月までに1万4627人が保健所に被害を届け出て、913人がカネミ油症と認定されました。それ以降も、自分が

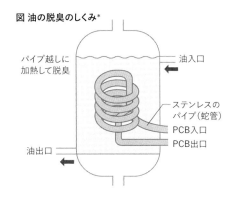

図 油の脱臭のしくみ*

パイプ越しに加熱して脱臭

油入口

ステンレスのパイプ（蛇管）

PCB入口
PCB出口

油出口

被害者であるとあとから気づいたり、何度も申請を棄却された末に認定されたりした人がおり、認定患者数の累計は亡くなった人を含めて2350人になりました（2020年12月末現在）。患者が特に多い地域は、福岡県、長崎県、広島県で、2021年現在、患者は全国36都道府県に居住しています。

　カネミ油症の特殊な症状には、全身の黒い吹き出物、爪や歯・骨の変形などがあります。それ以外にも、生殖器疾患、内科系疾患、神経系疾患など、患者は多くの病に侵されています。医師の原田正純氏は、一人の患者が抱える症状が非常に多いことから、カネミ油症を「病気のデパート」と呼びました。治療法は、まだ確立されていません。

　こうした健康被害は、患者の日常生活や将来設計にも影響を及ぼしました。家事ができなくなったり、油を食卓に出したことを責められたりして、家族関係が悪化した人がいます。仕事を休みがちになり、職を失い、生活費と医療費のやりくりに苦労した人がいます。受験の年に入院を余儀なくされ、進学をあきらめた人がいます。吹き出物を「汚い」と言われたり、伝染病と勘違いされて「うつるから近寄るな」と差別されたりした人がいます。さらに、多くの病気に苦しんでいるにもかかわらず、血液中の有害物質の濃度が基準に満たないため、患者であることを否定される「未認定」の人がいます（未認定問題）。

次世代に続く汚染

　被害は油を直接口にしていない世代にも及びました。カネミ油症の親から、その子どもに汚染物質が移行したのです。象徴的な例として、皮膚が黒褐色に色素沈着した「黒い赤ちゃん」が次々に生まれ、世間に衝撃を与えました。ほかにも死産や、生まれて短期間で亡くなる、歯の本数に異常があるなど、出産をめぐる問題が起きています。

　被害が次世代に連鎖することを恐れて、縁談を破棄されたり、自ら恋愛や結婚をあきらめたりした人がいます。また、親は認定されているのに、子どもは認定されないという問題があります（二世の未認定問題）。二世の人びとの健康にどのような影響があるのか、汚染物質が何世代先まで移行するのかは、まだわかっていません。

　子どもに油を食べさせたり汚染物質を引き継いだりしたことは、親達に罪悪感をいだかせました。その申し訳なさや、わが子にカネミ油症の影響があるとは認め

＊（出所）『カネミ油症裁判の決着──「隠された事実からのメッセージ」増補版』加藤八千代著　幸書房　1989年　P41図「脱臭缶の構造」を参考に筆者作成

たくないという思いから、子どもに対してカネミ油症のことを一度も口にできない親達がいます。患者に認定されることで十分な補償や治療を受けられるならまだしも、差別や不利益を被ることの方が多ければ、なおさら子どもにカネミ油症のことを話そうとは思わないでしょう。

被害者運動の苦闘

被害はどう補償されるのでしょうか。カネミ倉庫は認定された患者に見舞金23万円と医療費を支払っています。この補償は、水俣病に対する慰謝料や、カネミ油症と同様に食品が原因で起きた森永ヒ素ミルク中毒に対する生活手当に比べると、はるかに金額が低いものです。それでも、この補償を得るまでには、被害者運動の大きな苦労がありました。カネミ倉庫は事件当時、自らの責任を否定し、被害者との交渉の席に着こうとしませんでした。そこで被害者は、カネミ倉庫の前で被害を訴えるビラを配ったり、座り込みをしたり、各地で裁判を起こしたりし、1987年に最高裁でカネミ倉庫と和解に至りました。

しかし、和解の内容は原告（裁判を起こした被害者）にとって厳しいものでした。カネミ倉庫は判決で命じられた賠償金を支払うだけの資力がないとして、これを払わない代わりに医療費を支払うことを提案しました。カネミ油症はよく「食品公害」と呼ばれますが、法的には公害と認められません。公的救済のしくみが

各地の患者ら約100人が北九州市のカネミ倉庫本社で直接交渉を要求（1973年9月10日 写真／河野裕昭）

なく、カネミ倉庫のほかには医療費を負担する者がいないことから、原告は和解条項をのまざるを得ませんでした。

さらに、原告は国も訴えていましたが、最高裁で敗訴の可能性が濃厚になったため、国に和解を申し入れました。もし最高裁で敗訴が確定すると、判例となり、ほかの被害者、特に次世代被害者の救済の道を閉ざすことになってしまうからです。しかし、国が和解に応じなかったので、原告は訴えを取り下げざるを得ませんでした。

この訴えの取り下げにより、原告には国に仮払金を返還する義務が生じました。仮払金とは、過去の判決で国が責任を認められ、原告に対して仮に支払った約27億円の賠償金のことです。多くの被害者は仮払金の返還が困難であったため、いわば「国に借金をしている」状態になり、

その負い目から沈黙
していきました。これ
が、「仮払金返還問題」
です。

新たな支援者の誕生

　それから約10年が
たち、1990年代後半に
入ると、カネミ油症は
「環境ホルモン」と「ダ
イオキシン汚染」とい
う文脈で注目される

新認定訴訟の記者会見（北九州市 2009年5月 P42, 43の写真共に筆者撮影）

ようになりました。PCBはホルモンをか
く乱する物質（環境ホルモン）のひとつ
であり、野生生物や人間の生殖機能に障
害をもたらす可能性があるとして、カネ
ミ油症の被害者があらためて取材されま
した。また、ゴミ焼却場からの排出など、
ダイオキシン類による環境汚染が懸念さ
れ、その先行例としてもカネミ油症に関
心が向けられました。新たに設立された
支援組織「カネミ油症被害者支援センタ
ー」は、沈黙していた全国の被害者に再
び声をあげるよう促しました。その結果
地道な署名活動や議員への働きかけによ
り、仮払金返還問題を解決するための法
律が2007年に成立しました。

　翌2008年には、1980年代の裁判終結
後に新たに認定された患者らによる新認
定訴訟が提起されました。しかし、損害
賠償を請求する権利は被害発生から20
年で失われるという「除斥期間」の適用
により、すでに訴えを起こせる期間を過

ぎたとして、2015年に最高裁で訴えを退
けられました。新認定患者の中には、体
調不良は生まれつきのものだと思ってい
た人や、認定を棄却されつづけてきた人
などがいます。こうした人達が事件発覚
から20年以内に訴えを起こすことは事
実上不可能ですが、裁判所は原告の声を
聞こうとはしませんでした。

　裁判と並行して、被害者を救済するた
めの法律制定が目指され、2012年に「カ
ネミ油症患者に関する施策の総合的な推
進に関する法律（以下、推進法）」が成立
しました。この推進法は、認定患者全体
を対象とする初めての制度です。推進法
の施行により、カネミ倉庫からの一時金
給付、健康調査協力者に対する国からの
支援金給付、認定患者と当時同居してい
た家族の認定、そして患者・カネミ倉庫・
国による三者協議が始まりました。しか
し、これで問題は終わりではなく、さら
なる課題が残されています。

第12回三者協議（福岡市 2018年6月25日）

PCB廃棄物の処理問題

　カネミ油症問題について、何が解決され、何が解決されていないのでしょうか。一定の解決をみたのはPCBの規制に関してです。カネミ油症に加え、PCBによる環境汚染が問題化したことから、1973年にPCBの製造・輸入を禁止する法律ができました。さらに、2027年までにすべてのPCBを適正に処分することがストックホルムの外交会議で採択されました（POPs条約）。日本でもPCBの回収と処理を進めていますが、事業は難航し、期限に間に合うかどうかが切迫した問題になっています。

　また、PCBを製造していたカネカ（旧・鐘淵化学工業）のある兵庫県高砂市では、PCBで汚染された土砂の盛り土が大雨で崩れ、周辺住民に不安を与えました。ほかにも、全国の企業や学校に残されたPCB使用製品など、環境中に拡散したPCBによる汚染が懸念されています。

聞き入れられない被害者の声

　何よりも解決されていないのは、被害救済についてです。2012年に推進法はできましたが、その対象は認定患者のみで、次世代をはじめとする未認定患者は今なお取り残されています。

　また、被害救済において優先されるべきことの順位が逆転している点も変わっていません。国は1985年からカネミ倉庫に政府米の保管事業を委託し、カネミ倉庫から患者への医療費支払いを支えてきました。推進法の施行後、カネミ倉庫の費用負担が増加したのを受けて、国は委託事業を増やし、さらに手厚い支援を行うようになりました。患者・カネミ倉庫・国による三者協議では、カネミ倉庫を倒産させないことが最優先され、患者の要望、たとえば医療費給付について協定を結びたいとか入院時の食費を給付してほしいとかの被害者として当然望むようなことでさえ、聞き入れられることがありません。つまり加害者の声が尊重され、もっとも優先されるべきはずの被害者の声が軽んじられているのです。被害者軽視の構造が変わらない限り、被害者が救済を求める過程でさらに被害を増幅させられるという歴史が繰り返されます。

〈おすすめの関連図書〉
『カネミ油症事件50年記念誌』長崎県五島市カネミ油症事件50年記念誌編さん会議編 五島市 2019年（表紙〜第一章は五島市ホームページにて公開）https://www.city.goto.nagasaki.jp/s034/010/010/110/20200603184525.html
『食品公害と被害者救済──カネミ油症事件の被害と政策過程』宇田和子著 東信堂 2015年
『カネミ油症──終わらない食品被害』吉野高幸著 海鳥社 2010年
『カネミ油症 過去・現在・未来』カネミ油症被害者支援センター編 緑風出版 2006年
『油症は病気のデパート──カネミ油症患者の救済を求めて』原田正純著 アットワークス 2010年

被害者を被害者として
扱うとはどういう
ことなのか？　宇田和子

推進法成立を受けて手を取り合う被害者と弁護士（2012年）

カネミ油症の被害者は、集会、記者会見、省庁交渉などの場で「ありがとうございます」とたびたび頭を下げてきました。なぜ被害に遭った人が、身体や家庭に関する個人的な事情を公にし、さらには他人に感謝しなければならないのでしょうか。

被害者が謝意を表す理由のひとつは、多くの場面で被害の訴えが無視され軽んじられてきたからです。賠償金の不払いを受け入れざるを得なかったり、交渉の場が保証されてこなかったり、被害者は被害者として当然の権利要求をもった主体だということが認められずにきました。だからこそ、被害の訴えに耳を傾けられるという「珍しい」機会に、感謝の言葉が出るのでしょう。

被害者が頭を下げなくてもすみ、黙っていたければそうできるようにするには、何が必要でしょうか。ひとつは、被害救済のしくみを作ることです。カネミ油症はよく食品公害と呼ばれますが、じつは法律上、食品公害という言葉は存在しません。環境基本法の定める公害とは、大気汚染や水質汚濁などの「典型七公害」に限られ、それ以外の被害は公害とみなされません。食品に由来する被害は、食品衛生法に基づき、すべて食中毒とみなされます。しかし、食品衛生法には、被害救済に関する規定がありません。食中毒には、公害や薬害のように包括的な救済制度も存在しません。被害者が補償を得るには、多大な労力と費用、時間をかけて運動をするしかないのです。

そうではなく、被害者が手続きしさえすれば、相応の補償を受けられるような制度が必要です。その前提として、公害に類する「食品公害」という事態があることを認識し、典型的な食中毒とは切り離して政策的に位置づけることが求められます。こうした制度は、同様の事件が起きた際の被害者をも救うことになるでしょう。

もうひとつは、加害者を加害者として扱うことです。なぜカネミ倉庫は倒産しないばかりか、国からの経済的支援を受けられるのでしょうか。それは、環境汚染の回復にかかる費用を汚染者が負担するべきであるという「汚染者負担の原則」に国が固執するあまり、汚染者の存続が優先されているからです。被害者を救済することよりも、汚染者に費用を負担させることが目的化してしまっているのです。カネミ倉庫が補償主体である限り、国は補償問題の矢面に立たされることがなく、原則を守って最善を尽くしていると主張することができます。汚染者負担の原則に限界があることは、食品公害に限らず、水俣病や福島第一原発事故など、一企業では補償費用を負担し得ない大規模かつ長期にわたる環境被害の回復・補償に共通する問題です。社会が加害者をどう扱うかということは、被害者をどう扱うかということと表裏一体です。

化学物質過敏症

中下裕子（弁護士）

公害資料館で学ぼう！

検索ワード　シックビルディング症候群、シックハウス症候群(SHS)、ホルムアルデヒド、化学物質過敏症(CS)、
多種化学物質過敏症(MCS)、総揮発性有機化合物(TVOC)、電磁波過敏症、香害、環境ホルモン
場　所　住宅、学校、オフィスビル等

シックハウス症候群が社会問題化

「公害」というと、工場からの排水、自動車の排気ガス汚染による周辺住民の健康被害が思い浮かびますが、オフィスビルや住宅をはじめ、私達の身の回りの様々な化学物質によって健康が害されるという事例が近年報告されています。

欧米では、1970年代後半から80年にかけて、オフィスビルで働く人びとの間で粘膜刺激症状や、何となく体調が悪いという「不定愁訴」などの症状を訴える人が増加し、「シックビルディング症候群」として社会問題化しました。日本では90年代の半ば以降、住宅構造や生活様式の変化にともない、住宅の室内空気汚染による「シックハウス症候群」（以下、SHS）が初めて社会問題化するようになりました。

その原因として、住宅建材に使用されるホルムアルデヒド、トルエン、キシレンなどの化学物質や、シロアリ駆除剤として使用される有機リン系農薬のほか、私達の生活環境中の様々な有害化学物質が指摘されました。近年の住宅建築においては、外国産の木材を用いた合板・集成材が多用されるようになりましたが、それらにはホルムアルデヒド等の様々な化学物質が使用されています。また、テーブル・椅子式の生活スタイルが普及し、床フローリングなどの内装が好まれますが、こうした内装工事にも接着剤などの化学物質が用いられます。一方で、住宅の気密性が向上したため、換気不足になり、建材等から放散される化学物質によって室内空気が汚染されるようになりました。さらに、高温多湿の日本の気候では合板・集成材はシロアリの被害を受けやすいため、シロアリ駆除剤の使用が常態化し、床下から揮発した薬剤が室内に流入し、室内空気汚染に拍車をかけています。そして、そのような汚染された空気を吸い込むことによって、まず家族の中で住宅に滞在する時間の長い人がSHSを発症し、次いで脆弱な高齢者、子どもが続き、最後にはパートナーもと、家族全員が発症するケースも少なくありません。

SHSの症状は、皮膚・眼・鼻・喉などの粘膜刺激症状や、全身倦怠感、めまい、頭痛・頭重などの不定愁訴等です。SHSは、医学的に確立した単一の疾患ではな

図1 患者自身の報告による「化学物質過敏症」の主な症状

（出所）公害等調整委員会『化学物質過敏症に関する情報収集、解析調査報告書』（平成20年）より筆者改変

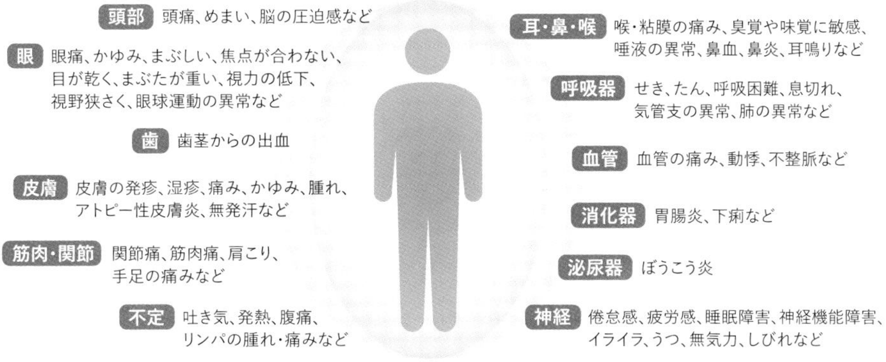

[頭部] 頭痛、めまい、脳の圧迫感など

[眼] 眼痛、かゆみ、まぶしい、焦点が合わない、目が乾く、まぶたが重い、視力の低下、視野狭さく、眼球運動の異常など

[歯] 歯茎からの出血

[皮膚] 皮膚の発疹、湿疹、痛み、かゆみ、腫れ、アトピー性皮膚炎、無発汗など

[筋肉・関節] 関節痛、筋肉痛、肩こり、手足の痛みなど

[不定] 吐き気、発熱、腹痛、リンパの腫れ・痛みなど

[耳・鼻・喉] 喉・粘膜の痛み、臭覚や味覚に敏感、唾液の異常、鼻血、鼻炎、耳鳴りなど

[呼吸器] せき、たん、呼吸困難、息切れ、気管支の異常、肺の異常など

[血管] 血管の痛み、動悸、不整脈など

[消化器] 胃腸炎、下痢など

[泌尿器] ぼうこう炎

[神経] 倦怠感、疲労感、睡眠障害、神経機能障害、イライラ、うつ、無気力、しびれなど

く、「住環境による健康被害の総称」とされています。

SHSから「化学物質過敏症」の発症に

　SHS発症後もその住宅に住みつづけていると、やがて「化学物質過敏症」（以下、CS）の発症に至るケースが少なくありません。CSは、「はじめに高濃度の化学物質にばく（曝）露される（さらされる）か、あるいは比較的低濃度であっても、長期にわたってばく露された後に、同種または多種の化学物質に過敏となり、極めて低濃度のばく露によって複数の臓器の症状を呈してくる疾患」とされ、諸外国では多種の化学物質に反応することから「多種化学物質過敏症（MCS）」と呼ばれています。タバコの煙、香水、整髪料、洗剤など私達の生活環境中のごく普通の化学物質にも反応して症状が悪化してしまうので、しばしば日常生活に支障をきたしたり、仕事や通学ができなくなったりします。CSの主な症状は図1の通りです。

　日本では、1997年に厚生省（当時）長期慢性疾患総合研究事業アレルギー研究班が診断基準（石川基準）を提示しました。北里大学北里研究所病院においてこれを用いた診断が重ねられ、様々な裁判例においてもこれに基づくCSの発症という被害が認められています。

シックハウス対策の経過と課題

　安らぎのマイハウスのはずが、家が原因で病気になり、仕事や学校までやめざるを得なくなってしまうとは、何ということでしょうか。住宅は高価でローンで購入するのが通常ですから、シックハウスかもしれないと思っても、転居は容易ではありません。転居したくても、ローン返済と転居先賃料との二重払いを余儀なくされるので、なかなか実現が難しいのです。このため、我慢して家にとどまりつづけたため、症状がいっそう悪化してしまい、SHS段階（この段階なら、家から離れることによって症状が軽癒され

図2「シックハウス症候群」を引き起こす化学物質に囲まれた私達の危険な暮らし

①〜⑬：厚生労働省がこれまでにシックハウス防止のための指針値等を定めた13物質

①ホルムアルデヒド(合板、パーティクルボード、壁紙用接着剤、防腐剤) ②アセトアルデヒド(接着剤、防腐剤)
③トルエン ④キシレン ⑤エチルベンゼン(内装材の施工用接着剤、塗料)
⑥スチレン(断熱材等) ⑦パラジクロロベンゼン(衣類の防虫剤、トイレ芳香剤) ⑧テトラデカン(塗料等の溶剤)
⑨クロルピリホス(シロアリ駆除剤) ⑩フェノブカルブ(シロアリ駆除剤) ⑪ダイアジノン(殺虫剤)
⑫フタル酸ジ-n-ブチル(塗料、接着剤の可塑材) ⑬フタル酸ジ-2-エチルヘキシル(壁紙、床材等の可塑材)

イラスト/小川澄江

る)から、多種類の化学物質に反応するCSの発症に至ってしまうケースが少なくありません。そして、CSになると、種々の化学物質に反応してしまうので、今度は転居先を探すのも容易ではなくなります。ようやく見つかっても、病気を抱えながら、ローンと賃料の二重払いや、シックハウスの自宅の処置——シックハウスなのに売却してよいのか——という重い課題がのしかかってきます。

　このような事態を避けるためには、まず徹底したシックハウスの防止対策と、被害者の救済策が必要不可欠です。ところが、残念ながら、これらの対策はまだ十分とはいえないのが現状です。

　厚生労働省は、1997年からシックハウス対策の検討に着手し、2002年までにホルムアルデヒド等13物質および総揮発性有機化合物(以下、TVOC)について指針値・暫定目標値を策定しました。このうち、キシレン、フタル酸ジ-n-ブチル、フタル酸ジ-2-エチルヘキシルについては2019年1月に改定されましたが、それ以外は改定がなく、また新たな物質の追加も見送られました。TVOCも「暫定目標値」にとどまり、指針値に変更されませんでした。また、13物質については確かに使用量は減少し、他の物質に代替さ

れていますが、代替物質の安全性はチェックされていないのです。

たとえば、ホルムアルデヒドは接着剤のみならず合板の防腐剤としても機能していたのですが、その使用をやめる代わりに、ネオニコチノイド系農薬によって合板の防腐処理をしたうえで、そのことは表示しないまま「ノンホルムアルデヒドの環境配慮型住宅」などと宣伝している例もあります。これでは、安全性が高まったとはいえず、むしろ農薬の毒性の高さを考えると、被害を重症化させているのではないかと心配です。

また、この対策はあくまでも指針値・暫定目標値の設定にとどまり、法的強制力のあるものではありません。指針値の設定を受けて、建築基準法、学校保健法などの改正が行われましたが、建築基準法で規制されたのはホルムアルデヒドとクロルピリホスの2物質のみ。学校保健法でも対象は6物質にすぎません。次々と新規の化学物質が開発される現状に照らし合わせてみると、現行制度はあまりに不十分と言わざるを得ません。また、建築基準法は新築住宅のみが対象で、リフォーム工事には適用がありません。リフォーム工事での発症もしばしば起きていますので、早急に対策が求められます。

望まれる被害者への救済対策

被害者救済対策については、ほとんど対策らしいものはないというのが現状です。住宅事業者によるシックハウスの買い取り、修理措置や、代替住宅の賃料・医療費の支払義務等は定められておらず、ローンと家賃の二重払い等の問題はすべて被害者の自己責任とされています。室内空気濃度の測定も、事業者に義務づけられておらず、ホルムアルデヒドの簡易測定のみ保健所が行ってくれるにすぎません。室内空気測定は相当の費用がかかりますし、そもそも消費者の依頼で測定してくれる機関や業者も少数です。消費者が安価な費用で測定を依頼できるような公的機関の整備が求められます。

SHS、CSについては、まだ未解明な点も多く、治療方法も確立されていません。また専門医もきわめて少なく、一般医はほとんど知識がないというのが現状です。したがって、患者さん達は、医者をたらい回しで受診することを余儀なくされた揚げ句、「原因不明」で治療は受けられないということも珍しいことではないのです。そもそもCSについては、国は病名登録はしたものの、その概念自体もいまだに認めてはいない状況です。しかし、欧米では専門医や専門治療も行われており、日本でもこうした分野の早急な改革が求められています。

被害の賠償については、公的な賠償制度は定められておりません。被害者が個別に事業者と交渉したり、裁判所に訴訟を提起するしかありません。

司法の場では、国が認めていないCSについても12〜14級の後遺障害として認め、治療費のほか、逸失利益、慰謝料

等の損害賠償の支払いを命じた事例や、前述の厚生労働省の指針値を超過するホルムアルデヒド濃度を示した住宅について、これが「隠れたる瑕疵（欠陥）」にあたるとして瑕疵担保責任に基づく原状回復及び損害賠償請求を認容した事例など、少しずつですが勝訴事例が重ねられています。といっても、発症と化学物質ばく露との因果関係の立証や、事業者の過失の立証などでは相当の困難があると言わざるを得ません。その意味でも、被害者に対する補償制度の創設が望まれます。

「電磁波過敏症」「香害」の発生

　SHS対策がきわめて不十分な現状において、新たに「電磁波過敏症」や「香害」が社会問題化しています。

　「電磁波過敏症」もSHS、CSと同様の症状を呈するものです。SHS、CSの患者が併発することが多く、急速なIT化の進展の中で、患者さん達は安心して過ごせる職場や住宅を確保するのさえ困難という状況に追い込まれています。IT化を進めるにあたっては、それにともなうマイナス面についても十分に配慮のうえ、慎重に進める必要があると思います。

　「香害」は、近年の香りブームの中で、香料（合成化学物質）の使用量が増加しただけでなく、匂いを長もちさせるために使用されるマイクロカプセルの材料に有害化学物質が使われていることが加わって、被害を訴える人が急激に増えています。この問題に取り組む市民団体のアンケート調査によると、回答者全体の79％にあたる7000人以上の人が、「香害の被害がある」と回答しています。症状はSHS、CSと同様のものが多いですが、特に頭痛と吐き気が目立っています。原因は、柔軟剤（86％）、香りつき合成洗剤（74％）、香水（67％）、除菌・消臭剤（57％）、制汗剤（43％）、アロマ（28％）などで、被害を受けた場所は、乗り物の中（73％）、店（62％）、公共施設（53％）、隣家からの洗濯物のにおい（47％）、職場（44％）でした。香害で退職・休職したり、不登校になった人も回答者の19％をしめており、看過できない問題であることは明らかです。しかし、今のところ、国は対策に着手していません。

　私達の文明社会は新しい技術や生活スタイルにより、次々と新たな「公害」を生んできました。一つひとつの被害に適切に対処して予防策を講じるべきは当然ですが、「公害」を生む構造そのものを断たなければ「公害」はなくなりません。今こそ、私達は文明のあり方そのものを根本的に問い直すべき時であると思います。

〈おすすめの関連図書〉
『化学物質過敏症』柳沢幸雄・石川哲ほか著 文春新書 2002年
『香害は公害──「甘い香り」に潜むリスク』水野玲子著 ジャパンマシニスト社 2020年
『化学物質過敏症──治療・研究の最前線』ダイオキシン・環境ホルモン対策国民会議・CSプロジェクト編・著 明正社 2010年
『室内化学汚染──シックハウスの常識と対策』田辺新一著 講談社現代新書 1998年
『へその緒が語る体内汚染──未来世代を守るために』森千里・戸高恵美子著 技術評論社 2008年
『化学物質過敏症対策──専門医・スタッフからのアドバイス』宮田幹夫監修 水城まさみほか著 緑風出版 2020年

見えない「公害」
——物言えぬ被害者達
中下裕子

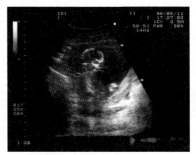

エコー検査で確認された命、胎児の環境を守るためにも
化学物質に敏感になりたい
（写真提供／助産師 川島広江）

人間は、自分の肉体の外に、もうひとつ別の自分をもっています。それは土・水・空気の環境です。人間は、土（食物）・水・空気なしには生きていけない存在です。つまり、環境と人間は別々のものではなく、同一の存在なのです。その環境が汚染されているということは、まさに自分自身が汚染されていることにほかならないのです。

従来の公害事件も、化学物質過敏症などの新たな公害も、人間がこの根本原理を忘れて、ひたすら経済的利益を追求しようとしたことから生み出されました。そして、対策の遅れから取り返しのつかない被害の拡大をまねいてしまったのです。

ところが、こうした公害事件の構造は、じつは現在もほとんど変わっていません。今も日々、化学汚染の被害を受けていながら、まったく無視されている被害者がいます。それは、物言えぬ次世代の子ども達と野生生物です。日本の環境規制は、公害事件の犠牲者の叫びに突き動かされて、少しずつ進展してきました。しかし、次世代の子ども達や野生生物は、声さえもあげられず、出生できなかったり、障害をもって生まれたりしているのです。

こうした「見えない公害」の原因は、生体内のホルモン伝達作用をかく乱する「環境ホルモン」（内分泌かく乱化学物質）です。環境ホルモンの特徴は、①発ガンなどの毒性の発現のためのばく露量よりもずっと微量で作用すること、②胎児期〜幼児期の感受性の高い時期にばく露されると、その後の発達に不可逆的影響を及ぼすことがあること、③胎児期のばく露により、出生後の中・高齢期の成人病を引き起こすことがあることです。恐ろしいことに、環境ホルモンは、有害物質から胎児を守るといわれる胎盤もスルリと透過し、赤ちゃんを汚染してしまいます。また、同じく有害物質からの保護機能である血液脳関門も通過してしまうことがわかっています。

環境ホルモンは、体内のホルモンをかく乱するので、その影響も種々です。不妊症、不育症、男児の性器異常などの生殖への影響のほか、甲状腺障害、脳発達障害、免疫異常などが指摘されています。

環境ホルモン作用がある化学物質には、農薬類やプラスチックに含まれているフタル酸化合物、ビスフェノール類などがあります。日本では「環境ホルモンは終わった」とされ何らの規制もありませんが、EUではすでに規制が導入されています。今こそ、私達は、公害事件に学びつつ、物言えぬ者達に成り代わって、大きく声をあげるべき時ではないでしょうか。

地盤沈下

徳竹真人（環境地盤研究所 地盤解析室室長・所長）

公害資料館で学ぼう!

検索ワード　液状化、地下水、砂れき層、粘性土層、間隙、0m地帯、水溶性ガス、緑のダム、環境基本法、シールド工法、リニア中央新幹線、外環道

場所　浦安市、九十九里平野、新潟平野、濃尾平野、筑後・佐賀平野、関東平野低地部

予測できた大地震時の「液状化」

2011年の東北地方太平洋沖地震[*]では岩手・宮城県内で20～84cmの地盤沈下（2011年4月14日国土地理院）があったり、関東造盆運動では埼玉県と千葉県の2地点を中心に地盤沈下が続いています。

必ずしも自然現象だけが原因でない例もあり、じつは地盤沈下の多くは人間の活動で生じています。千葉県浦安市では、埋め立て地を液状化対策せずに宅地造成した1455haに住んでいた約3万7千世帯が、東北地方太平洋沖地震で地盤沈下をともなう液状化被害を受けました。この地域は地下水位が浅くルーズな砂地盤を造成したのですから、大きな地震時には液状化すると容易に予測できていたのです。それなのに対策を施していなかったのですから、これは人災ですし「公害」です。

倒れるガードレール

地面から飛び出したマンホール

地盤沈下でできた段差

傾くバス停留所

2011年3月東日本大震災の折に千葉県浦安市で起きた液状化現象は街の様子を文字通り一変させた
（出所）浦安震災アーカイブ http://urayasu-shinsai-archive.city.urayasu.lg.jp/
[*]「東北地方太平洋沖地震」による災害を総称して「東日本大震災」と呼ぶ。

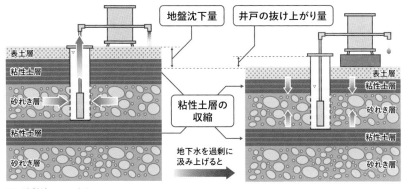

図1 地盤沈下のしくみ
砂れき層から地下水を揚水しても沈下しないが、粘性土層は水を失うと失った分沈下し元に回復しない
(出所)『令和元年度 全国の地盤沈下地域の概況』環境省 水・大気環境局 2021年 P17図より作成

地盤沈下はなぜ起きる?

岩盤でも地盤沈下が発生することがありますが、多くは土の地盤で生じるので、ここでは土の地盤について考えます。

私達が「土」といっている土は、その粒子の大きさで細かい方から粘性土、砂質土、れき質土に分けられます。「土」はこれらが混じり合っていますが、その中でもそれぞれが特に多い部分が地層を作っています。平野は、砂やれきが多い砂れき層と、粘性土が多い粘性土層が、サンドイッチ状に重なり合ってできています。

「土」には水も空気も含まれています。花や木を植えた時に、水をあげるとそれを根が吸収していきます。植物は根から空気も吸収していきますので、洪水が長く続くと、植物は呼吸ができなくなり、枯れたり勢いがなくなります。

地下にはひじょうに遅い流れですが、水も流れています。川のように流れるのではなく、「土」の粒子の隙間の通りやすいところを流れるので、大きな隙間がたくさんある砂れき層を好んで流れます。粘性土層にも水がありますが、流れにくいので、ほとんど停滞しています。

ここで、質問です。井戸で水を汲み上げたらどうなるでしょう?この水は、サンドイッチ状に堆積している砂れき層に多く含まれています。砂れき層の上流や周囲から砂れき層に水が供給されていますが、供給量より少ない量を汲み上げているなら問題は起きませんが、供給量より多い水を汲み上げたらどうなるでしょうか?少し多い量を汲み上げたら、砂れき層の上の粘性土層に含まれている水が絞り出されます。砂れき層の水がなくなる程度まで多くの水を汲み上げたら、下の粘性土層からも水が絞り出されます。砂れき層は水を失っても体積は変わりませんが、粘性土は水を失うと、失った水の体積と同じだけ収縮します(図1)。

砂れき層と粘性土層はサンドイッチ状

に何層も堆積していますので、たとえばひとつの粘性土層が5cm収縮し、粘性土層が10層あるとしたら、沈下量は全部で5cm×10＝50cm沈下します。地中で生じた沈下は地表に地盤沈下としてあらわれます。粘性土は水を失って収縮した後に水を加えても、元に戻ることはないので収縮したままです。

軍需優先で過剰な汲み上げ

　地盤沈下は明治時代から起きていましたが、東京で地盤沈下がひどくなりはじめたのは1910年に深井戸を掘削し、地下水を汲み上げる技術が普及してからです。各地の工業地帯でも地下水を大規模に汲み上げましたし、千葉県の茂原を中心とした九十九里地方では、地下水に溶けているガスを採るために地下水を多量に汲み上げました。

　みなさんは地盤沈下の原因が地下水の過剰な汲み上げだと、すでにわかったことでしょう。しかし、1939年までは、地殻変動や活断層が地盤沈下を起こしていると考えられていました。このような中で、23年に関東地震が起きて、この説が不動の位置をしめました。

　1939年に、地盤沈下は地下水の過剰な汲み上げで発生していることを、広野卓蔵ら二人の学者が明らかにしましたが、軍需産業の工場の稼働が優先だったため、この説は顧みられませんでした。41年から始まったアジア太平洋戦争で、全国の工業地帯や人口密集地が米軍の空爆を受

けました。特に敗戦直前の44年からの爆撃で、東京低地部の江東区・墨田区一帯をはじめ各都市の工業地帯は跡形なく焼き払われ、揚水ができなくなりました。すると各地の地盤沈下はやや収まり、広野らの説が正しいことが認知されました。

　しかし、1950年から53年まで続いた朝鮮戦争の「特需」で工場が再建され、大規模な揚水が再び行われます。そのため、55年頃以降は、全国各地で地盤沈下が加速しました。地下水の汲み上げに遅れて、地盤沈下が顕著化するのです。

「0m地帯」での様々な被害

　第二次世界大戦後の地下水汲み上げは、工業用水だけではありませんでした。台地部の建物の冷房に使う建築用水の汲み上げが増えたり、東京の荒川河口域では水に溶けたガスが発見され、1972年までガスを採るために地下水の汲み上げが続きました。季節によっては、地下水を多く使うようにもなりました。

　そのひとつは、新潟県の六日町盆地などの積雪地帯で、冬期に道路の融雪に水温が高い地下水を使っています。このため、新潟県ではガス採取地以外でも地盤沈下が継続しています。

　また水田が広がる地域では地域により差がありますが、概ね5月上旬頃の水張りから中干し期間をのぞいて9月上旬頃の落水までの間に河川水が十分に得られないと、地下水を汲み上げていました。佐賀県の佐賀平野でも農業用水が足りない

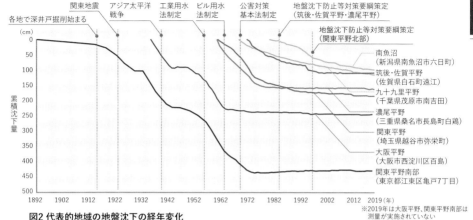

図2 代表的地域の地盤沈下の経年変化
（出所）『令和元年度 全国の地盤沈下地域の概況』環境省 水・大気環境局 2021年 P19図より作成

と浅い地下水を汲み上げることが多いため、やはり地盤沈下が起きています。

　これらの結果、低地部では地盤沈下が促進され、台地部では従来は目立たなかった地盤沈下が顕著化しました。低地部での地盤沈下では、広い地域が「０ m地帯」になり、家屋が傾き、道路との段差拡大、道路の波打ち、排水溝などの機能停止、埋設物や杭の抜け上がり、堤防の沈下による高潮時の浸水、水田のぬかるみ化などの公害が顕著化しました。

　一方台地部では、大きな構造物は杭基礎の上に建っているので構造物の被害はありませんが、電気・ガス・水道・下水などの地下埋設物と建物との地中での接続部や、周辺道路との段差が大きくなるなどの問題が起きました。

地下水は公共の財産に

　1950年代から73年にかけては「高度経済成長期」を迎え、工業をはじめとする産業の育成を最優先策としたため、地盤沈下を含めて様々な公害が激化しました。このような環境の劣化の中で、反公害運動が各地で発生しました。その一環として、50年代までは、地下水はその土地の所有者のものであり、土地所有者が無秩序に利用していましたが、61年頃から地下水は公共の財産、「公水」と認識されはじめました。これは、地下水は敷地に関わりなく存在し、地下水を大規模に汲み上げると、敷地の境に関わりなく地下水位が低下し、広域が地盤沈下すると認識されるようになったからです。

　社会的な認識の変化と共に、地盤沈下を止めるには地下水の利用に制約を施す必要があると、行政も理解するようになりました。裁判でもこの考えに沿った判例が多く出て、地盤沈下は「公害」と認められました。

1956年、地盤沈下防止を目的に工業用水の揚水を制限する「工業用水法」が制定されます。62年には、大阪市が全国で初めて建築物用水の汲み上げを規制し、各地も同様に規制しはじめました。この結果、大阪では62年頃から地盤沈下が急速に収まり、関東平野南部では75年頃から収まりはじめます。図2（P53）は「代表的な地盤沈下地帯の沈下量の累積沈下量と規制の時期」を示したものです。図からわかるように、地下水の大規模な汲み上げは各種規制でほぼ止まり、その後地盤沈下は収束に向かいました。

解決したことと未解決なこと

近年、各都道府県は規制と共に利水ダムや多目的ダム、ため池を整備して、地盤沈下公害の抑制をはかっています。しかし河川水の利用の拡大には難点もあります。というのは多くの河川には水利権が古くから設定されていることが多く、そのような河川では河川水の利用が制限されている場合が多いのです。工場が進出した時に、近くの河川から水路で水を引き込むことができず、地下水に依存したのもそのためでした。現在では、工場や農業などには水道用水も併用するようになりました。これにともない、長期の渇水になると、多目的ダムでは上水道などの生活用水と他目的との水の取り合いが生じるようになりました。降水量（雨や雪）が平年通りあると問題は少ないのですが、渇水年には降水に頼れないのが

弱点です。

新潟県や千葉県では水溶性ガスの採取が続いていますが、ガス採取時に汲み上げた水はガスを取り除いた後、全量あるいは多くを地盤に戻す技術が確立したことで、地盤沈下が少なくなりました。

現在は地盤沈下の防止に地下水の管理が実施され、多くの地域で地盤沈下が止まっていることから、収支バランスが概ね機能していると思われる一方で、工業では水需要が増えています。農業でも清浄栽培（水耕栽培）が拡大し、それに比例して水需要が増えています。これらに対して、地下水、河川水、降水等の供給量増大は期待しがたいです。利用したあとの水を再利用する技術が開発されつつありますが、多量の水を再利用するには、技術的、経費的および施設の面積的に課題が残っています。

また、大規模な土地改変や施工にともない、地下水の排水工が日常的に施工されていますが、一方で地下水涵養策は遅れ気味に感じます。特に森林の荒廃は降水の地下浸透を阻害すると共に、斜面崩壊、土石流、洪水などの遠因にもなっています。地下水涵養は水量だけではなく、水質の維持も同時に行うことが必要ですが、現状ではこの点が未解決です。

〈おすすめの関連図書〉
『そこで液状化が起きる理由（わけ）──被害の実態と土地条件から探る』若松加寿江著 東京大学出版会 2018年
『東京の自然史』貝塚爽平著 講談社学術文庫 2011年
『日本の0メートル地帯』中野尊正著 東大新書 1963年
『地盤沈下と地下水開発』蔵田延男著 理工図書 1960年

人口密集地の地盤沈下は「公害」ではない?

徳竹真人

外環道の工事のために住宅街に陥没発生
(東京都調布市 2020年10月18日)

　地盤沈下が地下水の過剰な汲み上げで発生したこと、そして汲み上げ量などを規制したことで、現在は極端な地盤沈下は少なくなりました。しかし、水溶性ガスを採取している千葉県の九十九里平野と新潟県の新潟平野、建築物の冷房などの目的で汲み上げている埼玉県と東京都の県都境付近の平野部や愛知県の濃尾平野、季節的に農業用水を汲み上げている佐賀県の筑後・佐賀平野、冬期に融雪用に汲み上げている新潟県内の豪雪地帯では、現在も地盤沈下が続いています。これらの地域でも地下水の汲み上げ規制を実施していますが、うまくバランスがとれていません。

　世界的にみると日本は水に恵まれていますが、山地から海までの距離が短いため、河川に流入した雨水は、海外の人から見ると「滝のように」海に流れ込んでいます。雨を地中に浸透させ、時間をかけてゆっくり海に流すのはどうでしょう?

　「緑のダム」という考え方があります。無駄なダムを廃止し、海を含めた生態系を豊かにすると共に、樹木からの蒸発散で地域の気温をも穏やかにすることができます。地盤沈下との関係では、地下水量を増やすことで、今は枯れている湧水が復活する一方で、現在も地盤沈下が継続している地方では、沈下が緩和する可能性があります。地下水は公共の財産ですので、水量や水質を良好な状態に保ちながら、うまく利用するにはどのようにすればよいでしょうか?

　「公害」とは「環境基本法」第2条第3項で、「事業活動その他の人の活動に伴って生ずる相当範囲にわたる大気の汚染、水質の汚濁、土壌の汚染、騒音、振動、地盤の沈下及び悪臭によって、人の健康又は生活環境に係る被害が生ずることをいう。」と定義されています。

　すると都市部で掘削が計画あるいは施工されているシールド工法*での地盤沈下は、陥没が起きても「相当範囲」ではないため、公害と認められない可能性があります。特にリニア中央新幹線と東京西部の東京外環自動車道(以下、外環道)では、人口密集地の平野部をシールド工法で掘削し、「地上に影響が出ない」とされる地下40m以深を施工対象とします。とはいえ神奈川県の神奈川駅や愛知県の名古屋駅ではより浅い深度を施工するようです。

　すでに工事が進んでいる外環道では、2020年12月に地表が最大30mm(日本経済新聞社が衛星データ分析で算出)地盤沈下し、路線上付近の至るところで擁壁の目地が大きく開いたり、民家の塀や門扉に顕著な段差が生じました。陥没も起きて掘削工事は止まっていますが、同じようなことが、人口密集地で起きる可能性が大きいと考えられます。しかし、現在の法律では「公害」とはみなされないのです。「公害」の定義を見直す必要はないでしょうか。みなさんはどのように考えますか。

---

*トンネル掘削工法は、対象地盤が岩盤の場合は「山岳工法」、土砂の場合は「シールド工法」に大別されます。
人口が密集している平野部の地質は土砂地盤が多いためトンネル掘削工法は「シールド工法」で掘削されます。

軍事基地

林 公則（明治学院大学 国際学部 准教授）

公害資料館で学ぼう！ ➡ ⑲（P197）

検索ワード　新基地建設、軍拡競争、軍用機騒音、大阪国際空港高裁判決、オスプレイ、国家安全保障、
　　　　　　在日米軍基地汚染、日米地位協定、情報公開法、遺棄化学兵器、マスタードガス、戦後補償裁判
場　所　　　名護市辺野古、小松・横田・厚木・嘉手納・普天間・岩国基地、大久野島、神栖市、寒川町、中国東北部

戦争は最大の公害

　軍事活動が人間や環境に及ぼす影響はとてつもなく大きくなっています。「戦争は最大の公害」といわれることがありますが、核兵器が実際に使用された時にどのようなことが起きるかは、広島・長崎の経験を通じて多くの人びとが知っています。

　軍事活動は、平時においても環境を破壊します。たとえば、ジェット戦闘機は、1時間足らずの訓練任務で米国の平均的ドライバーが1年間に消費するガソリンのほぼ2倍の量を消費すると指摘されています。また、世界各国の軍事活動による二酸化炭素の排出量は、世界の二酸化炭素排出量の3.4%をしめるという試算もあります。また沖縄県名護市辺野古沿岸で進められている米軍新基地建設によって、貴重なサンゴ礁が破壊されたりジュゴンの生息域が奪われたりしています。

　上記のように軍事活動による被害は多岐にわたりますが、以下では、「住む」に深く関連する軍用機騒音、在日米軍基地汚染、遺棄化学兵器問題を各論として取り上げます。

軍事技術の発展と環境破壊

　軍事基地の公害が深刻化している根本的な原因に、軍事技術の発展があります。核兵器や化学兵器が代表的ですが、2度の世界大戦以降に開発された兵器はそれまでのものに比べ格段に破壊力が高く、また、それらの兵器には環境中でほとんど分解されなかったり再利用が困難だったりする有害物質が含まれています。このことは、兵器の性能のみを追求し環境への影響を本質的には無視したかたちで軍事技術が発展してきたことによって起こったといってよいでしょう。

　大きな転換となったのは、第一次世界大戦です。それまでの戦争では、速戦即決の短期戦がイメージされていたので、多くの国は長期戦の準備をしていませんでした。しかし第一次世界大戦で戦線が膠着状態になると、単に弾薬や戦闘資材の準備不足といったものだけでなく、軍需品全体の生産そのものの準備の不足が明らかになりました。その結果、交戦諸国は急いで民間工業の動員に着手し、軍需品の生産に役立つすべての企業と工場を戦時生産の中に引き込みはじめまし

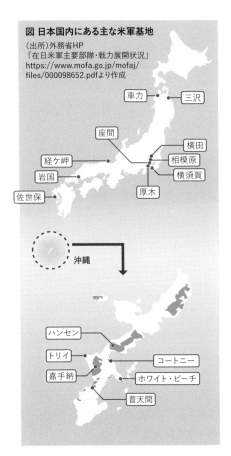

図 日本国内にある主な米軍基地
(出所)外務省HP
「在日米軍主要部隊・戦力展開状況」
https://www.mofa.go.jp/mofaj/
files/000098652.pdfより作成

車力 — 三沢
座間
経ケ岬 — 横田
岩国 — 相模原
佐世保 — 横須賀
厚木

沖縄

ハンセン
トリイ
嘉手納 — コートニー
— ホワイト・ビーチ
普天間

爆音と共にあらわれる米軍機。東京都昭島市立拝島第二小学校の上を飛行し約1km先の横田基地に着陸する。子ども達への悪影響は計り知れない(2016年 奥村博撮影)

た。以降、工業の面で大量生産方式が交戦諸国全体で導入されるようになりました。経済や産業の軍事化が引き起こされたこと、そして第二次世界大戦後の東西冷戦期に熾烈な軍拡競争が起こったことによって、軍事基地の公害を含む軍事活動による環境破壊は深刻化していきました(P61コラム)。

このような経緯もあって、軍事は各種の公害と密接な関係があります。兵器の製造に銅や鉛や亜鉛が必要とされたために、足尾鉱毒事件やイタイイタイ病が引き起こされました。水俣病を引き起こしたチッソが国に優遇されていたのは、戦時になればチッソが火薬の原料を生産できたからだともいわれています。土呂久で生産されていた亜ヒ酸は、化学兵器の原料になるものでした。そして、原発は、原爆の技術を平和利用したものです。一般に産業公害と呼ばれる公害の多くが軍事経済と密接に結びついていることを知っておくことは、公害を考えるにあたって大事なことだと思います。

軍事基地の公害が広く注目されるようになったきっかけのひとつは、冷戦の終結です。米国内基地の汚染状況が徐々に公表されるようになりましたし、それにともない基地汚染の除去作業が始まりました。軍事が無批判に何よりも優先され

る時代は終わったといえますが、以下に示した各論からみて、今でも軍事は環境より重視されているといえるでしょう。

軍用機騒音

軍事基地によって生じる被害で、もっともわかりやすいのが軍用機騒音です。とはいっても、基地周辺に住んでいなければ、深刻な被害が生じていることを知る機会は限られます。歴史的な経緯から日本（特に沖縄）では人口が密集している地域に軍事基地が置かれていることが多く、米軍機だけでなく自衛隊機による騒音も問題となっています。具体的な被害としては、睡眠妨害、精神情緒的被害、電話や会話の中断などによる日常生活妨害、難聴や耳鳴りなどの身体的被害があげられます。ベトナム戦争時には、激烈な騒音により、東京都昭島市堀向地区では全世帯が移転を余儀なくされました。現在も軍用機騒音は続いていて、戦闘機からの音は特にすさまじく、真夜中に耳をつんざく爆音が響き渡ることがあります。一方で、オスプレイなどによる低周波音も問題になっています。

軍事基地周辺住民達は、被害を甘受してきたわけではありません。まず、騒音被害の激しかった地域の住民を中心にして、軍用機の移駐反対や騒音軽減などの要請が行われてきました。ただ、深刻な被害を受けつつも運動が要請にとどまったのは、住民の多くが基地関連の仕事に携わっていたり、国家安全保障問題に一

市民が関わることへのためらいがあったりしたためです。しかし、民間機の騒音被害に対する訴訟ではあったものの、1975年の大阪国際空港高裁判決で、損害賠償（過去分・将来分）と夜間・早朝の飛行差止とが認められたことがきっかけのひとつとなり（ただし、最高裁判決で将来分の損害賠償と夜間・早朝の飛行差止は逆転敗訴となっています）、全国の軍事基地で軍用機被害に対する騒音訴訟が起こされるようになっていきました。75年に小松基地で最初の軍用機騒音訴訟が提訴され、その後、横田基地、厚木基地、そして沖縄の基地（嘉手納基地、普天間基地）、岩国基地でも訴訟が起こされて現在に至っています。

表（P59）から読み取れるように、当初は一部の周辺住民に限られていた原告の数が、基本的には訴訟を重ねるごとに増加していっています。その意味で、被害救済が進みました。また、損害賠償額も増加傾向にあります。一方で飛行差止が認められないことによって騒音被害は続いており、基地によってはオスプレイ配備や飛行経路の変更で被害が拡大しています。さらに、将来分の損害賠償が認められないことによって、損害賠償を受けつづけるために周辺住民は繰り返し訴訟を起こさなければいけない状況にあります。

在日米軍基地汚染

在日米軍基地汚染による被害は、戦後直後からみられます。特に沖縄では被害

嘉手納基地における軍用機騒音訴訟		判決日（年月日）	夜間・早朝飛行差止	過去の損害賠償額（月）W：うるささ指数	将来賠償
嘉手納基地爆音訴訟 提訴日：1982.2.26 原告数：906人	地裁	1994.2.24	×	80～85W 3,000円、95W以上 18,000円	×
	高裁	1998.5.22	×	75～80W 2,000円、95W以上 18,000円	×
新嘉手納基地爆音訴訟 提訴日：2000.3.27 原告数：5,541人	地裁	2005.2.17	×	85～90W 9,000円、95W以上 18,000円	×
	高裁	2009.2.27	×	75～80W 3,000円、95W以上 18,000円	×
	最高裁	2011.1.27	×	75～80W 3,000円、95W以上 18,000円	×
第3次嘉手納米軍基地爆音差止訴訟 提訴日：2011.4.28 原告数：22,058人	地裁	2017.2.23	×	75～80W 7,000円、95W以上 35,000円	×
	高裁	2019.9.11	×	75～80W 4,500円、95W以上 22,500円	×
	最高裁	2021.3.23	×	75～80W 4,500円、95W以上 22,500円	×

表 嘉手納基地における軍用機騒音訴訟
（出所）筆者作成（注1）過去の損害賠償額は、最低と最高のみを記している（注2）2021年3月31日現在

が大きく、たとえば、1949年頃から米軍の石油輸送管からの油流出事故がたびたび生じるようになりました。そのほか、井戸水がジェット燃料によって汚染され「燃える井戸」となったり、在日米軍基地内のドラム缶やタンクなどから有害物質が漏出し多くの死魚が発見されたりしてきました。近年でも泡消火剤に含まれる有害物質（PFOSやPFOA）が住宅地や川へ流出しており、発ガン性リスクなどが懸念されています。

　在日米軍基地から有害物質が流出し、土壌や水が汚染され、そのことによって周辺住民の健康が脅かされてしまう制度的な要因は、日米地位協定にあります。軍用機騒音の問題とも関わりますが、日米地位協定の第3条で事実上の治外法権が米軍に認められていることによって、米軍は基地内で自由にふるまうことができます。つまり、軍用機騒音を抑えるか、基地汚染を起こさないようにするかの判断は最終的には米軍に委ねられているということで、多くの場合、米軍は軍事的な

都合を優先します。また日米地位協定の第4条で原状回復義務の免除が規定されています。この規定のために在日米軍基地を汚染したとしても、米軍が汚染の除去の責任を負わなくてすむようになっています。在日米軍基地では1995年から日本環境管理基準が作成されるようになっていますが、基本的な構造は変わっていません。

　在日米軍基地汚染に関する重大な問題のひとつとして、汚染情報の入手が困難なことがあげられます。この点に関しては、米国の情報公開法（FOIA）の利用によって、在日米軍基地内の汚染状況が明らかにされるようになってきました。沖縄県などからの要望にもかかわらず日米地位協定の抜本的な改定が実現されないため、基地への立入調査や汚染除去作業を日本側が実施することは困難ですが、沖縄国際大学などでFOIA資料が公開されるようになっていることから比較的容易に汚染情報に周辺住民がアクセスできるようになってきています。

遺棄化学兵器問題

　近代的化学兵器が初めて本格的に使用されたのは、第一次世界大戦時です。その後、各国は化学兵器の開発に本格的に乗り出し、後述のマスタードガスをはじめとする数々の化学兵器を生み出しました。日本も広島県大久野島などで化学兵器を開発・生産し、中国などで実際に使用しましたが、国際条約違反にあたることもあって、敗戦時に化学兵器の多くは隠ぺいのために海洋投棄されたり地中に埋められたりしました。そういった化学兵器が戦後に何も知らない人びとによって発見され、それらに触れたことによって各地で被害が生じています。たとえば日本では、茨城県神栖市や神奈川県寒川町で遺棄化学兵器が原因とみられる被害が生じています。中国でも、黒竜江省牡丹江市、チチハル市、吉林省敦化市などで被害が発生しており、2000人を超えるとされる被害者に大きな苦しみを与えつづけています。

　化学兵器の種類によって被害は異なりますが、毒ガスの王と称されるびらん性のマスタードガスによる被害には、慢性気管支炎、肺性心、気道ガン、胃ガン、角膜障害、免疫力の低下、皮膚疾患、自律神経疾患、血流障害などがあるとされています。しかも進行性・遅発性であり、現在のところ完治療法は見つかっていません。体力が減退したり疲れやすくなり、そのために働けなくなったり学校に通えなくなったりしている被害者も多く、一度

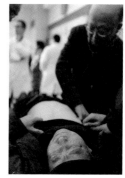

旧日本軍が中国各地に遺棄した毒ガス弾等により、今なお重篤な健康被害に苦しんでいる中国人の医療支援を日中の市民、医師が協働で行っている（2017年 嶋村大志撮影）

マスタードガスに触れてしまっただけで、それまでの生活は奪われてしまいます。

　神栖市の事件では、公害等調整委員会による裁定が2012年に下され、一定の救済がなされました。一方、中国の被害者に対しては、日本の弁護士が中心となって、中国人戦後補償裁判の一環として、1996年から遺棄化学兵器被害の救済のための訴訟がいくつも起こされてきました。しかしいずれの訴訟でも被害救済は認められませんでした。このことから、弁護団らは2016年にNPO法人日中未来平和基金を創設し、定期的な検診や被害者の治療のための資金を市民からの寄付で募る活動を始めています。

〈おすすめの関連図書〉
『基地と環境破壊──沖縄における複合汚染』福地曠昭著 同時代社 1996年
『軍事環境問題の政治経済学』林公則著 日本経済評論社 2011年
『追跡 日米地位協定と基地公害──「太平洋のゴミ捨て場」と呼ばれて』ジョン・ミッチェル著 阿部小涼訳 岩波書店 2018年
『イタイイタイ病と戦争』向井嘉之著 能登印刷出版部 2020年
『JUSTICE 中国人戦後補償裁判の記録』中国人戦争被害賠償請求事件弁護団編 高文研 2021年

軍事活動による国家安全保障は必要なのか？　林 公則

みなさんは「なぜ軍備が必要なのか」を、より正確には「なぜ軍事活動による国家安全保障が必要なのか」を考えたことがあるでしょうか。相手国が軍備をもっている以上、こちらも軍備をもたなければ支配されてしまうと答える人が多いかもしれません。もしくは、外交上優位に立つために軍備は不可欠だという意見も出てきそうです。しかし、軍事基地周辺に住んでいるのでなければ、みなさんが軍備や軍事活動による国家安全保障について考える機会はきわめて少ないのではないでしょうか。それは、軍事基地の公害を含め、軍事に関わる事項が秘匿されやすいこととも関係しています。

軍備を拡大しつづけてきた論理に、（核）抑止の考え方があります。抑止とは、相手国にある行動をとらせないようにするために、もし相手国がそのような攻撃的行動に出た場合、こちらは懲罰的報復行動をとるという威嚇を行うことによって、相手国がそうした行動に出ることを事前に思いとどまらせることです。相手国の攻撃を抑止するためには軍備を拡張しつづける必要がありますが、このことは攻撃を受けない状態が続くことによって正当化されてきました。

しかし軍事基地の公害や軍事活動による環境破壊を踏まえると、抑止の考え方から転換する必要があることがみえてきます。第一に、軍事基地公害の被害者の多くは、軍事活動による国家安全保障によって守ら

長崎原爆のキノコ雲（米軍撮影 写真提供／朝日新聞社）

れるはずの自国民です。基地周辺住民や環境など、守られるはずのものが恒常的に被害を受けており、軍拡によってその被害が深刻化する傾向にあります。第二に、軍事活動に起因する環境負荷がきわめて大きくなっており、核兵器の問題からも明らかなように、現在の軍備の規模でさえ持続可能ではありません。

今までは、仮想敵国から攻撃されないようにすることがもっとも重視されてきました。そのためには、人権や環境を犠牲にすることもやむを得ないとされる場面が多くありました。しかし、軍事活動が引き起こす環境破壊を真剣に考えると、抑止の考え方に基づく軍事活動による国家安全保障を続けることは、人類自身の首を絞めることになることがわかります。であるならば、軍事活動による国家安全保障の必要性を多くの人が考えたうえで、環境を破壊しないかたちでの安全保障のあり方を模索していかなければならないのではないでしょうか。

アスベスト

井部正之（ジャーナリスト）

公害資料館で学ぼう！ → ⑳（P197）

検索ワード　中皮腫、クボタショック、静かな時限爆弾、殺人繊維、職業ばく露、家庭内ばく露、近隣・環境ばく露、
石綿健康被害救済法、公害輸出

場　所　尼崎市、クボタ旧神崎工場、建物、学校、改修・解体現場

見えない「殺人繊維」

　「これから始まるアスベスト公害、その『よーいドン！』の号砲が鳴った」

　2005年6月30日、記者会見でそう"宣言"したのは元証券マンで中皮腫患者の早川義一さんでした。

　中皮腫は肺や心臓などの膜にできるガンで、先進国ではほとんどアスベストが原因といわれています。ところが、会見に出席した早川さんら3人はアスベストを触ったこともありません。共通点は兵庫県尼崎市のクボタ旧神崎工場の周辺に住んでいたことだけでした。

　同年4月以降、支援団体と共にクボタと話し合いをしてきた3人は、同社で出入り業者も含め計79人がアスベストによる労災で亡くなっていたことを知ります。一人をのぞいて全員が同工場の勤務歴がありました。この工場では1954〜95年に計約24万tのアスベストを使って水道管や建材を製造しました。

　「（工場外と）塀をひとつ隔てているだけで影響がないことがありえるのでしょうか」と指摘されたクボタは対応の検討を始めます。会見で3人は同社が見舞金

断熱材に含まれるアスベストのひとつ、アモサイト（茶石綿）

を支払ったことを公表し「公害」と訴えました。これが後に「クボタショック」と呼ばれるようになった出来事でした。

　アスベスト（石綿＝いしわた、せきめん）は天然の繊維状鉱物です。その繊維1本は幅$0.02\,\mu\mathrm{m}$（マイクロメートル、$1\,\mu\mathrm{m}＝1000$分の$1\mathrm{mm}$）で、髪の毛の2500〜5000分の1、花粉の1500分の1という微細なものです。2020年春から世界中で猛威をふるっている新型コロナウイルスは平均$0.1\,\mu\mathrm{m}$ですから、そのさらに5分の1です。当然そうした繊維はたくさん飛散していても目に見えません。知らない間に吸ってしまうのです。

　耐久性・耐熱性・耐薬品性・電気絶縁性などに優れ、安価のため、「奇跡の鉱物」として産業用途や建築材料、家庭用

品として利用されてきました。ところが、発ガン性がきわめて高く、吸ってから数十年後に石綿肺（アスベストによるじん肺＝鉱物性の粉じんを長期間・多量に吸うと起こる呼吸器疾患）だけでなく、肺ガン、中皮腫などによる多数の被害者を出しつづけていることが明らかになり、「静かな時限爆弾」「殺人繊維」と恐れられるようになりました。特に中皮腫は発症までの潜伏期間が20〜40年とひじょうに長いうえ、これくらいまでなら被害が発生しないという「しきい値」がなく、少量吸っただけでも発症の可能性があります。しかも発症から2年程度で亡くなってしまうことが多い重篤な病気です。

早くから危険性がわかっていたにもかかわらず、規制は遅れました。その結果、アスベストによる被害者は増えつづけています。1995年に500人だった中皮腫の死者は2015年には1504人と3倍増。肺ガンなどを含めると、年間2万人超が亡くなっていると推計されています。

一般的にアスベストによる被害は、①仕事で扱ったり、その周辺で働いていることによる「職業ばく（曝）露」、②仕事でばく露した人の作業着などから家族などが吸ってしまう「家庭内ばく露」、③工場などの周辺における「近隣・環境ばく露」──の3つがあります。以前から①の職業ばく露については労災や公務災害の対象となり補償されます。しかし②の家庭内ばく露や、冒頭の早川さんらを含む③の近隣・環境ばく露は対象外です。

吹き付けアスベストがむき出しとなった解体現場。2012年1月、仙台市の発注工事で対策なしの違法解体が起きていた。市への情報公開で筆者入手

1.5km以遠は「救済」から除外

クボタショック後、②や③だけでなく、①の職業ばく露による労災申請・認定も急増します。労災対象となるアスベスト被害さえ十分知られていなかったのです。2019年度までに労災認定は計2万人近くまで増加。毎年約1000人が認定され、その半数以上が建設業です。

さらにクボタ以外にも、ニチアスやエーアンドエーマテリアルなどの工場周辺で環境ばく露とみられる被害が発生していたことが明らかになります。2006年2月、国はアスベストを扱う工場の周辺住民など労災保険の対象とならない被害者に対し、毎月約10万円の療養手当または計約300万円の遺族給付を支払う「石綿健康被害救済法（以下、救済法）」を制定しました。

一方、2005年12月にはクボタの社長が「旧神崎工場から石綿が飛散しなかったとは言い切れず、周辺住民の方々にご迷惑をお掛けした可能性は否定できない」と道義的責任を認め被害者に謝罪、新

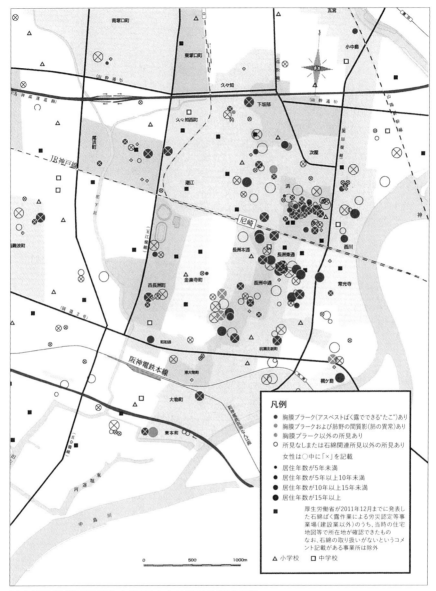

図 クボタ旧神崎工場周辺におけるアスベスト環境ばく露の状況
兵庫県尼崎市のクボタ周辺における環境ばく露によるアスベストで肺の異常が確認された者のもっとも長く住んでいた
場所を図示したもの。環境省の委託調査のため、クボタの旧神崎工場が記載されていない
(出所)『尼崎市における石綿の健康リスク調査報告書』(平成24年度) 環境省

たな対策の検討を約束します。06年4月に救済法の認定を受け、アスベストを扱う仕事をしていないなど一定の基準を満たした被害者に対し、2500万〜4600万円の「救済金」を支払うことを決めます。

これほど短期間に補償と同等の「救済」を決めたクボタの対応は評価されるべきでしょう。しかし、十分でない部分もあります。そのひとつは旧神崎工場から「1km以内の範囲に1年以上居住」との条件です。後に1.5km以内に拡大されましたが、それより離れた場所でも同工場が原因とみられる中皮腫などが出ています。被害者団体は2km以内に拡大するよう求めていますが、クボタは応じていません。

2006年3月に公表された専門家による疫学調査では工場に近いほど、中皮腫の死亡リスクが上昇し、1.5km以内で全国平均に比べ3.7倍でした。この調査をした一人、元産業医科大学教授の熊谷信二さんは「工場の南の方向では2km離れた地域でも、中皮腫死亡リスクが全国平均の2倍になっています」と被害者団体の機関誌で解説し、救済範囲の拡大要求を「当然のこと」と支持しています。

4割近くが「環境ばく露」被害

「すき間なき救済」を掲げて成立したはずの救済法も問題だらけです。たとえば、肺ガンや石綿肺などの認定基準が労災より厳しいとの差別的な対応により、中皮腫以外の被害者が切り捨てられています。また給付額が低すぎるため、子どもを抱

えた働き盛りの人が中皮腫などを発症した場合に生活が困窮してしまいます。

被害者団体らが抜本改正を求めてきましたが、加害責任に基づく「補償」でなく「救済」であることなどを理由に見送られています。水俣病や大気汚染によるぜん息被害などは「公害健康被害補償法」で認定・補償されますが、アスベストは様々な場所で使われており「原因の特定がきわめて困難」として除外されています。国にとって、アスベスト被害は「公害」ではなく、補償も不要なのです。

こうした国の意向により、2006年度以降に大規模な旧アスベスト工場周辺で実施してきた調査において、環境省は原因企業との因果関係を検討することを拒否しつづけています。被害者団体らは「原因者の特定は可能」と反論。また世界保健機関（WHO）も1986年の報告書で、原因を特定することのできない「真の環境ばく露」による被害は（証拠が）ないと否定。現在も見解を変えていません。

救済法の認定を受けた被害者は2021年3月末までに1万5672人。うち1万486人が回答したアンケート調査で、もっとも多い「職業ばく露」6196人（59.1%）に次いで多いのは「環境ばく露もしくは原因不明」の3855人（36.8%）です。クボタなど一部をのぞいてほとんどの原因者が責任を免れていることになります。

今後も被害者を出しつづけるのか

長い潜伏期間ゆえに、現在のアスベス

ト被害はすべて数十年前の製造や使用によるものです。特にやっかいなのは、天然鉱物のため過去に使ったものがその後も飛散を繰り返すことです。危険は現在も続いています。

じつは日本はアメリカに次いで世界第2位の「アスベスト消費大国」です。過去に約1000万t輸入し、約8割が建材に使用されました。2006年9月に重量の0.1％を超えて含むアスベストの製造・輸入・譲渡・提供・使用が原則禁止され、12年3月に全面禁止されました。

しかし、過去に使った建材が大量に残されています。たとえば、ビルなどの天井裏や鉄骨のはりなどに多用されている、もっとも危険性が高いとされる吹き付けアスベストは全国約280万棟に使われている可能性があります。さらに木造家屋などごく普通の住宅など約3300万棟にもアスベストを含む成形板などが使われている可能性があることが国の調査で明らかになっています。建材に使用された約800万tのアスベストのうち、9割超がスレートなど成形板（セメントなどと混ぜて成形した建材）に利用されています。

大量に残されたアスベストは建物の改修・解体などで飛散し、作業をしている人だけでなく、周辺の労働者や住民、通行人なども知らない間に吸わされている可能性があります。すでに吹き付けアスベストが天井などに使用された室内に「いただけ」で一切触っていないにもかかわらず、銀行やデパート、食品会社など

の従業員計105人が中皮腫などを発症し、労災認定を受けています。また学校の教職員からも被害が発生しています。

冒頭の会見に臨んだ3人を含め、クボタの工場による環境ばく露とみられる被害者は当時5人でした。それから15年、2020年末までに同社は工場周辺の被害者355人に救済金を支払い、元従業員も含めると工場内外の被害者は計598人に上ると発表しています。環境ばく露被害は当初の70倍超で、いまだ増えつづけています。しかも被害者は早川さんら3人も含め、ほとんど亡くなっています。

現在のアスベスト発生源である建物などの改修・解体現場は「小さなクボタの工場」と被害者団体は指摘し、規制の抜本強化を訴えましたが国は無視しました。2020年の法令改正を踏まえても、いまだ英米豪の「15〜30年遅れ」で、日本より遅くアスベスト問題が顕在化した韓国にも追い越されました。専門家は「改修・解体によるアスベスト飛散で、40〜50年後も人が死につづける」と警告しています。環境ばく露の被害者による命がけの訴えさえ、日本ではいまだ教訓化されていないと言わざるを得ません。

〈おすすめの関連図書〉
『アスベスト禍はなぜ広がったのか──日本の石綿産業の歴史と国の関与』中皮腫・じん肺・アスベストセンター編 日本評論社 2009年
『国家と石綿（せきめん）──ルポ・アスベスト被害者「息ほしき人々」の闘い』永尾俊彦著 現代書館 2016年
『アスベスト──広がる被害』大島秀利著 岩波新書 2011年
『死の棘・アスベスト──作家はなぜ死んだのか』加藤正文著 中央公論新社 2014年
『レイト・レッスンズ──14の事例から学ぶ予防原則』欧州環境庁編 松崎早苗他訳 七つ森書館 2005年

公害からの問いかけ

アスベストから見える世界は今

井部正之

紀元前から利用されてきたアスベストは、少なくとも約100年前から危険性がわかっていましたが、採掘から製造、使用、管理、除去、廃棄まですべての工程において、今も世界中で被害を出しつづけています。

アスベスト業界は、危険性が高いのはクロシドライト（青石綿）やアモサイト（茶石綿）など「角閃石系」だけで、もっとも使用量の多いクリソタイル（白石綿）は管理して使用すれば問題ないとして「管理使用」を主張してきました。しかし、それすら危険だとして日本も含め、すでに2019年7月までに世界65カ国で使用などが禁止されています。一方、中国やロシアをはじめ、アジア、アフリカ諸国などでは今も使いつづけています。

日本で1970年代に規制を厳しくした結果、危険なアスベスト製品の工場が韓国に移転されました。その後韓国でも90年代に規制が強まり、今度はインドネシアに移されています。いずれの国からも日本は製品を輸入していました。日本だけでなく韓国の工場周辺でも環境ばく露被害が発生し、「公害輸出」と批判されました。インドネシアの工場幹部によれば、中国に一部の技術を移転済みで、規制が厳しくなったら国内生産は止められるといいます。先進国が規制の緩い途上国にアスベストの危険だけを押しつける現実があります。

同じことは船舶解体でも起きています。厳しい規制を避けるため、1986年に横須

日本から韓国をへて移転されたインドネシアのアスベスト紡織工場内の様子。筆者らが調査に訪れるので初めて防じんマスクが支給されたという（2009年 筆者撮影）

賀の米軍基地で空母ミッドウェイのアスベストが除去され、廃棄物が不法投棄されました。2005年には仏海軍の空母クレマンソーがインドで解体されることになり、国際問題に発展しました。

最近では途上国からの輸入品にアスベストが含まれているとして先進国で問題になっています。子ども向けのクレヨンやおもちゃの鑑識キット、コスメセットからも検出されました。日本でも2020年12月以降、中国から輸入された珪藻土バスマットなどにアスベストが混入していたことが明らかになり、計390万個超の自主回収が続いています。日本だけで使用を禁止すれば解決するものではないのです。

世界で毎年25万人超がアスベストにより死亡していると推計されています。それほど多数の被害者を出しながら、なぜいまだに同じ悲劇が繰り返されるのでしょうか。どのようにしてアスベストの使用をなくし被害を減らすのか、世界における日本の役割も問われています。

三井三池炭じん爆発

森久　聡
（京都女子大学 現代社会学部 准教授）

公害資料館で学ぼう！ → ㉑（P198）

検索ワード　炭じん爆発、一酸化炭素中毒、エネルギー革命、スクラップ・アンド・ビルド政策、三池争議、負の記憶、
　　　　　労働災害、高次脳機能障害
場　所　三井鉱山、三池炭鉱三川坑、福岡県大牟田市、インド・ボパール

戦後最大の炭じん爆発とCO中毒事故

　三井三池炭じん爆発・CO中毒事故（以下、三池大災害）とは、1963年11月9日に三井鉱山が所有する三池炭鉱三川坑（福岡県大牟田市）で発生した炭じん爆発と一酸化炭素中毒（以下、CO中毒）の事故のことです。この事故で458人の炭鉱労働者が亡くなり、爆発時に生じた大量の一酸化炭素によって839人がCO中毒になりました。これは戦後の炭じん爆発事故としては世界最大の被害となっています。

　炭じん爆発とは、採炭・運搬の過程で生じる石炭の粉が空気中に一定の濃度で舞い上がったところに火が点くと爆発的に燃焼する現象のことです。三池大災害のケースでは、積炭車（トロッコ）を連結するボルトが老朽化していたのですが、それを点検・交換せずに放置していたため、傾斜した坑道を登っていた積炭車のボルトが外れ、積炭車が滑り落ちて事故が発生しました。制御を失って暴走した車両は脱線して激しく転倒し、ほこりのように積もっていた坑内の炭じんが舞い上がります。そして車両が転倒した際に

炭じん爆発直後、坑道より次々に遺体が運び出される
（1963年 写真提供／NPO法人労働者運動資料室）

電気ケーブルを引き裂き、そこで火花が発生して炭じんに着火したのでした。

　さらに炭じんが爆発的に燃焼する過程で不完全燃焼が起き、坑内に大量の一酸化炭素が発生しました（これを「跡ガス」という）。しかも事故の現場は坑内に空気を供給する入気坑であったため、有毒な跡ガスが坑内の奥に送り込まれ、さらに被害は拡大しました。そのため、炭じん爆発が原因で亡くなったのは20人で、それ以外はCO中毒が原因でした。

　これほどの大事故が発生した原因は、老朽化したボルトを見逃したずさんな保安管理という人的要因で、その責任は、保安管理を怠った労働者やそれを監督する経営者に帰属しています。けれど、この

事故の背景には、この時代の社会経済的な背景が大きく影響しています。また、会社側の事故対応や被害補償も大きな社会問題となっています。つまり、事故の原因と責任を問うだけではこの事故の教訓を活かしきれないのです。

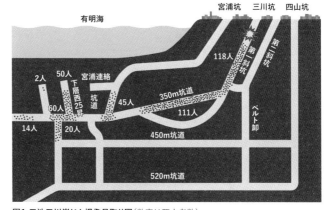

図1 三池三川炭じん爆発見取り図（数字は死亡者数）
（出所）「三池COと共闘の会」提供資料「三川炭塵爆発見取図」より作成

保安管理より経済効率を優先する経営

　石炭は西欧および日本の近代社会の成立に不可欠な鉱物資源のひとつでした。18世紀半ば〜19世紀の産業革命の時代に石炭は鉄を生み出す原料だけではなく、蒸気機関の燃料として用いられるようになりました。それ以降、1950年代まで石炭は近代社会の主要なエネルギー資源でした。

　第二次世界大戦の敗戦から復興を目指す日本社会にとっても、石炭はもっとも重要なエネルギー資源のひとつでした。そのため、炭鉱労働者は戦後復興に必要な石炭を産出する産業に従事しているということで、戦後の生活物資が不足する状況でも、彼らには優先して生活物資が配給されました。それほど石炭は重要なものと考えられていたのです。

　しかし、1950年代の世界的な「エネルギー革命」によって、石炭に代わって石油がエネルギー資源になると、石炭の需要が陰りを見せはじめます。日本政府は石炭から石油へエネルギー・シフトを進めました。石炭産業は敗戦直後こそ手厚い支援を受けましたが、エネルギー・シフトを機に「スクラップ・アンド・ビルド」政策という国策に直面します。この政策は、採算性の低い炭鉱には閉山を促す一方で、優良な炭鉱は積極的に支援して生産機能を高めるもので、安価な輸入炭や原油に対抗する意図がありました。三池炭鉱の炭層は傾斜が緩くメタンガスを含まないため、ガス突出や爆発事故などの可能性が低い「安全」な炭鉱です。また、三池炭鉱で採れる石炭は品質がよく、埋蔵量も豊富でした。そのため三池炭鉱はもっとも高く評価されました。

　このような社会変動と政策転換を三井鉱山は約1200人の指名解雇を含む大規模な合理化策で乗り越えようとしました。

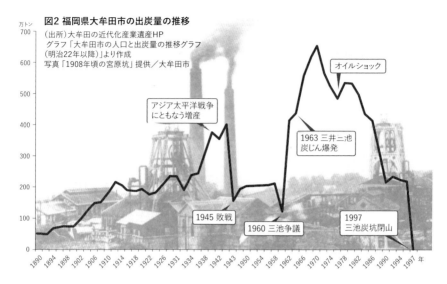

図2 福岡県大牟田市の出炭量の推移

（出所）大牟田の近代化産業遺産HP
　　　グラフ「大牟田市の人口と出炭量の推移グラフ
　　　（明治22年以降）」より作成
　　　写真「1908年頃の宮原坑」提供／大牟田市

万トン

アジア太平洋戦争
にともなう増産

オイルショック

1963 三井三池
炭じん爆発

1945 敗戦

1960 三池争議

1997
三池炭坑閉山

それに対し労働組合（以下、労組）は合理化策に反発して無期限ストを実施します（1959〜60年三池争議）。そこで会社側は三池労組の方針に不満をもつ労働者を集めて三池新労（第二組合）をつくり、新労を無期限ストから離脱させます。すると今度は三池労組は石炭の貯蔵施設であるポッパーを占拠し、実質的に採炭業務をストップさせました。このポッパー占拠をめぐって警官隊が強行突入する直前まで労使交渉は対立しましたが、最後は労組側が政府の関係機関による斡旋案（あっせん）を受け入れ、三池争議は三池労組の敗北で決着しました。その後、会社の合理化策を進めつつ、図2が示すように石炭の増産が続くと、しだいに生産優先と人員不足から保安業務の手抜き（保安サボタージュ）が増加しました。こうして組織的に保安意識も低下して積炭車の部品の老

朽化が見逃され、三池大災害に至ったのです。

医師の不十分な知見による誤った治療

　三池大災害の事故対応にも多くの問題点が指摘されています。炭鉱は暗く複雑なため、坑内の事故や災害に早急に対応する救護隊が鉱員によって構成されていますが、救護隊が坑口に集まったのは事故発生から3時間もたっていました。その間、労働者の中には酸素ボンベを使わずに救助活動を行いCO中毒になった者もいたのです。さらに中軽度のCO中毒は症状がすぐにあらわれないため、しっかりと歩けたり顔色がよくて健康に見えても血中のCOを体内に巡らせないように安静にすることが応急処置として必要です。しかし応急処置にあたった医師は、自力で坑内から脱出した者に、ビタミン

が効くと言ってミカン２個を渡して栄養剤を注射しただけで帰宅させてしまいました。その結果、あとになって重症化するケースが多発しているのです。このような事故対応が大量のCO中毒患者発生につながったといわれています。

CO中毒の主な症状は、植物状態、記憶障害、運動能力の低下、しびれ、体調不良、疲れやすい、記憶力の低下、性格の変化、子どものように癲癇（かんしゃく）を起こす、といったものです。医学者の原田正純氏によると、当時、治療にあたった医師は「CO中毒には後遺症はない」という誤った医学論文の知見に基づいて、後遺症に対する十分な治療やリハビリを行わなかったといいます。原田氏は、「これは医者の過失だ」と指摘しています。

さらに原因究明の局面では、三井鉱山は事故調査団をすぐに事故現場に入れず、炭じんなどを洗い流して証拠の隠滅工作をはかっています。また調査団長の荒木忍氏（鉱山学）が、炭じん爆発の防止策を怠ったことが事故の原因であると報告すると、三井鉱山は別の科学者を使って異なる説を主張して反論しました。そして結果的には、事故原因が科学的に立証できないことを理由に三井鉱山幹部は不起訴処分になっています。このように三井鉱山は、事故の原因究明を妨害し、責任逃れの原因説を主張したのです。

「去るも地獄、残るも地獄」

さらに原田氏は、医療費負担をめぐる

保存・公開されている三池炭鉱三川坑の第2坑口
（2015年 筆者撮影）

会社の姿勢も批判しています。三池大災害の被害補償は死亡者が50万円程度で、同年の同じ日に起きた国鉄鶴見脱線事故の最大500万円と比べても少額でした。さらに会社は、後遺症を抱えながらも現場復帰をした労働者に対し、ケガや中毒症状は完治したとみなして治療費の会社負担をやめました。それでも患者労働者は、出勤しなければ収入が減るため、労働現場に復帰しようとしました。もちろん、後遺症や障害を抱えて現場復帰した患者労働者にとって、坑内作業は以前よりも危険なものとなります。けれども、比較的安全な坑外の作業に対する賃金は低く設定されているため、患者労働者は自身の治療費や家族の生活費のために危険な坑内に下りていったのです。しかも事故から３年がたつと三井鉱山は、現場に復帰できないほどの重い後遺症を抱えた患者労働者を含む744人に、治癒認定書と就労命令書を送りつけました。一方的に完治したとみなして出勤するように迫ったのです。これでは後遺症を抱えたまま復帰するか、退職するしかありません。

三井三池炭じん爆発事故から57年後の2020年11月9日事故現場の三川坑跡に慰霊碑が建つ。除幕式には被害者、遺族、元炭鉱関係者等約200人が出席した（藤木雄二撮影／NPO法人 大牟田・荒尾炭鉱のまちファンクラブ）

後遺症を抱えた体では他の仕事に就くことは難しく、かといって炭鉱労働に従事することは危険ですし、生活と治療に必要な収入が得られるとは限りません。十分な被害補償がされない患者労働者達は「去るも地獄、残るも地獄」ともいうべき状況に陥ったのです。

　就労できない患者を抱えた家族は苦難の日々を送りました。大黒柱を失ったことによる経済的な困窮だけではなく、優しい性格であった夫がCO中毒によって些細なことで暴力を振るう性格に変わってしまい、必死に看病する妻には以前の夫と同一人物とは思えず苦悩するケースもありました。また父親が病院から自宅に帰ってくる月1回の外泊日が、子ども達にとっては怒りっぽい父親に脅える日となった家庭もあります。こうした苦しい生活に耐えかねた患者家族が三井鉱山を相手に損害賠償を請求する訴訟を起こすと、それを皮切りに三池労組の患者労働者達が続きました。そして1987年には

死亡者400万円で和解が成立、93年三井鉱山の責任が確定して終了します。その間、国内の石炭産業は斜陽産業として次々と閉山し、三池炭鉱は97年3月30日にその長い歴史に幕を下ろしたのです。

労災被害を伝えない「産業革命遺産」

　2015年、「明治日本の産業革命遺産 製鉄・製鋼、造船、石炭産業」が世界遺産に認定されました。三池炭鉱は明治期の日本社会の近代化を支えた産業として評価されていますが、炭鉱では多くの労働災害が発生し、多くの犠牲者を生んだ「負の記憶」も存在しています。しかし、世界遺産には三池大災害が発生した三川坑道は含まれていません。日本の近代化というスケールの大きさに比べて、炭鉱労働者とその家族が直面した厳しい労働の現場と労災被害と共に歩んだ苦しい人生は「些細な出来事」にされてしまうことがあるのです。しかも、事故から50年以上たち、存命する当事者は少なくなっています。私達は失われつつある「負の記憶」を受け継ぎ、どのように後世に継承していけばよいのでしょうか。

〈おすすめの関連図書〉
『炭坑（やま）の灯は消えても──三池鉱炭じん爆発によるCO中毒の33年』原田正純著 日本評論社 1997年
『ドキュメント 去るも地獄残るも地獄──三池炭鉱労働者の二十年』鎌田慧著 ちくま文庫 1986年
『三池炭鉱炭じん爆発事故に見る災害福祉の視座──生活問題と社会政策に残された課題』田中智子著 ミネルヴァ書房 2012年
『鬼哭啾啾──一九六三年三池鉱炭爆発ハ「原因不明」ニ非ズ』森弘太著 三一書房 1992年
『労働者と公害・環境問題』法政大学大原社会問題研究所・鈴木玲編著 法政大学出版局 2021年

労働災害と公害は連続している

森久 聡

三池大災害が私達に問いかけているのは、この労働災害は社会的災害でもあるということです。三井鉱山が保安管理よりも経済効率を優先する経営を行った背景には、世界的なエネルギー革命や政府のエネルギー政策、会社内での労働争議の影響など社会経済的な要因が存在しています。石炭需要が低下する中で安い輸入炭の増加に加え、政府は石炭から石油へとエネルギー・シフトを進めました。そこで会社は、優良炭鉱として支援を受けて生き残るために、人員整理を行って人件費を抑制しつつ、低コストで多くの石炭を産出しようとしました。その結果、生産コストになる保安管理が軽視されていったのです。

現代の日本では保安意識の高まりや技術開発によって、大きな事故は少なくなりました。また、炭鉱のような労働災害と隣り合わせの労働現場も減っています。しかし、海外では労働災害が公害に発展する事故も起きています。たとえば、インドのボパールにある化学工場で起きたガス漏れ事故（1984年）では、有毒ガスが工場の敷地を越えて周辺住民50万人が有毒ガスにさらされ、長期的には2万5000人が死亡する深刻な公害となりました。もし、事故による汚染が工場の敷地内にとどまり、被害者が労働者に限られていれば労働災害となったはずです。つまり、労働災害と公害は連続しているのです。

日本では労働災害が少なくなったとはいえ、ケガや死亡事故がなくなったわけでは

労働災害による死傷者数（2019年）
（死亡災害および休業4日以上の死傷災害）
（出所）厚生労働省「職場のあんぜんサイト」
https://anzeninfo.mhlw.go.jp/index.html

ありません。むしろ、低賃金で過酷な労働環境や長時間労働によるうつ病や過労死、自ら命を絶つ労働者のニュースは後を絶ちません。私達は以前とは異なるかたちで労働災害に直面しているのです。そうした現代の労働災害をはじめ、近年の事故や災害、公害において、被害者救済の責任を負うべき主体が消極的な姿勢を見せることもあります。その姿はかつての三井鉱山と重なって見えます。

また、CO中毒患者への医学的対処の問題も現代社会への教訓となります。CO中毒の後遺症で見られる症状は、最近では高次脳機能障害と呼ばれているもので、その治療に多くのCO中毒患者を長期的に治療した経験を活かすことが必要です。さらに現代のCOVID-19の症状の多様性や後遺症の実態が十分に解明されていないのと事故当時の状況は似ています。医学的な知見が十分に得られていない状況では、努めて慎重な対処と柔軟な救済制度の運用が求められるといえるでしょう。

福島原発事故

よけもとまさふみ
除本理史
（大阪市立大学 大学院経営学研究科 教授）

公害資料館で学ぼう！ ➡ ㉒（P198）

検索ワード 福島第一原子力発電所、東日本大震災、原子力村、放射能汚染、帰還困難区域、除染、不均等な復興、
原子力損害の賠償に関する法律、ふるさとの喪失、公害健康被害補償法、マイナー・サブシステンス

場所 三陸沖、宮城県、福島県、茨城県、栃木県、浜通り地方（福島県）

東日本大震災と原発事故

2011年3月11日14時46分、三陸沖を震源とする東北地方太平洋沖地震が発生しました。宮城県栗原市で震度7、宮城県・福島県・茨城県・栃木県の4県37市町村で震度6強、東日本を中心に北海道から九州地方の広い範囲で震度6弱〜1が観測されました。この地震により、東北地方から関東地方の太平洋沿岸が津波に見舞われ、各地で甚大な被害が発生しました。

津波は、福島第一原子力発電所（以下、福島第一原発）にも到達し、全電源喪失が起きて核燃料を冷やせなくなりました。これによって核燃料が溶け落ちるメルトダウンが起き、また放射性物質が広範囲に飛散して、深刻な環境汚染を引き起こしたのです。東北地方太平洋沖地震、およびそれにともなう原発事故による災害は、東日本大震災と呼ばれています。

公害としての福島原発事故

福島原発事故は、単なる自然災害ではなく、政府の規制権限不行使や電力会社の対策不備が引き起こした人災であり、公害事件です。

福島第一原発は、原子炉圧力容器などを運びやすくするために30mの高台を20m掘り下げて建てられており、もともと津波に弱い原発でした。2002年には、専門家を集めた国の機関（地震調査研究推進本部）が、地震の長期評価を公表し、福島県沖を含む三陸沖北部〜房総沖の海溝寄りの領域において、マグニチュード8.2前後の地震が発生する可能性があり、その確率が今後30年以内に20%程度だとしていました。しかし、東京電力（以下、東電）はこの予測に基づいてきちんとした対策をとらなかったため、大きな事故を引き起こしてしまったのです。また、国も原発政策を推進してきただけで、東電に対して本来なすべき規制を行いませんでした。

原発を推進してきた主体は、国、電力会社、関連業界などを含むいわゆる「原子力村」と呼ばれる利益複合体です。これを構成しているのは、原発をもつ電力会社9社、関連業界、電力関連の労働組合、中央官庁、一部の政治家（国・地方議員、自治体首長）、原子力工学出身の一

図1 日本の「原子力村」

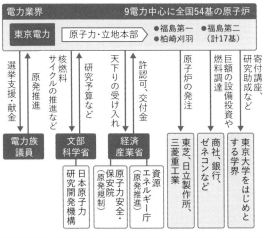

(注)2012年9月、原子力安全・保安院は廃止され、環境省の外局として原子力規制委員会が新設された
(出所)『日本はなぜ脱原発できないのか──「原子力村」という利権』小森敦司著 平凡社新書 2016年 P30の図より作成

部の学者・研究者などですが、中心部分は、やはり電力会社と国（中央官庁と政治家）です（図1）。

原発は都市部にはつくられません。しかし、電気の大半は都市で消費されます。福島第一原発の電気は、首都圏へ送られていました。その一方で、原発のリスクは、国からの交付金や補助金などと引き換えに、福島の地元へ押しつけられていたのです。そのリスクは、東日本大震災によって現実の被害となりました。

大規模な避難と住民の被害

原発事故によって、多くの人が住み慣れた土地を離れ、避難を余儀なくされました。国は原発周辺に避難等の指示を出し、それによって9つの町村が役場機能を他の自治体に移転するなど、地域まるごとの避難を強いられました。こうした大規模な避難は、地域社会に大きな打撃を与え、広い範囲で社会経済的機能が麻痺したのです。

また、国の避難等の指示は、放射能汚染が及んだ地域をすべて対象とするものではなく、一部に限定されていました。そのため、それらの区域外では、住民が避難するかとどまりつづけるかという意思決定を迫られ、汚染のリスクを避けるために「自主的」に避難をする人も多くあらわれました。福島県の避難者数は2012年5月のピーク時には16万人を超えています。避難をしなかった場合でも、子どもの外遊びを制限したり、食べ物に気を使ったりと生活のあり方が一変してしまいました。こうした状況は時間がたつにつれ変化してきていますが、完全に被害が解消されているわけではありません。

復興政策と被災者の生活再建

避難指示等が出された地域に対する政府の復興政策では、除染とインフラ復旧・整備を中心として、避難者を元の地に戻そうとする方針がとられてきました。これは「帰還政策」などと呼ばれています。2014年4月以降、帰還困難区域をのぞいて避難指示が順次解除されています。しか

図2 避難指示区域の概念図（2020年3月10日時点）
（出所）経済産業省HP https://www.meti.go.jp/
earthquake/nuclear/hinan_history.html

除染土壌等の「仮仮置場」（飯舘村 2015年6月26日 筆者撮影）

し、必ずしも住民の帰還は進んでいません。

　なぜ帰還が進まないのでしょうか。それは、政府の復興政策が「不均等な復興」（復興の不均等性）という結果をもたらしてきたからです。現在の復興政策では、個人に直接届く支援施策は遅れがちで、ハード面のインフラ整備などの公共事業が優先される傾向があります。特に福島では、除染という土木事業が大規模に実施されてきました。

　このような復興政策は様々なアンバランスをもたらしてきました。たとえば、復興政策の「恩恵」を受けやすい業種と、そうでない業種の格差があります。復興需要は建設業に偏り、雇用の面でも関連分野に求人が集中します。また、被災者の置かれた状況によっても違いが出てきます。避難指示が解除されても、医療や教育などの回復が遅れており、医療・介護ニーズが高い人や子育て世代の帰還が進んでいません。

　もちろん放射能汚染の問題もあります。若い世代、子育て世代は、汚染に敏感です。しかし、除染による線量低減効果には限界があり、山林の除染もほとんど行われていません。そのため、雇用や教育の問題ともあいまって、若年層の帰還率が低くなっています。

　さらに、避難指示区域などの「線引き」により、地域間の不均等性がつくりだされています。特に、後述する賠償格差とそれによる住民の分断は、この顕著な例です。

　復興政策のこうしたアンバランスを克服するためには、被災者それぞれの事情に応じたきめ細かな支援施策が不可欠です。しかし、現在の復興政策はこの点で弱点を抱えています。むしろ、時間の経過と共に様々な支援施策や賠償が打ち切られているのです。

原発事故賠償と集団訴訟

　原発事故の損害賠償は、「原子力損害の賠償に関する法律」（以下、原賠法）に基づいて行われてきました。原賠法は、原子力事業者が無過失責任を負うものとしています。これは、被害者の救済をはかるため、故意・過失の立証を不要とするしくみです。この制度によって、四大公害事件などとは異なり、訴訟が提起される前から東電の賠償が始まったのです（他方、これが津波対策の不備に関する責任解明を妨げている面もあります）。

　東電が賠償すべき損害の範囲については、原賠法に基づいて、文部科学省におかれる原子力損害賠償紛争審査会（以下、原賠審）が指針を出します。原賠審の指針は、賠償されるべき最低限の損害を示すガイドラインであり、明記されなかった損害がただちに賠償の範囲外になるわけではありません。しかし、現実にはそれが賠償の中身を大きく規定しています。

　原賠審の指針をもとに、東電が賠償基準を定め、被害者からの請求を受け付けます。東電はその請求内容を「査定」し、賠償金を支払うしくみです。しかし、現在の指針・基準の中身は、被害の実態を十分反映していません。

　避難者に対する賠償では、国の避難指示等の有無によって、その内容に大きな格差があります。たとえば住居や家財についても、賠償の有無が避難指示区域の内・外ではっきりと分かれています。しかし、この格差は住民の実感から乖離（かいり）し

ており、納得を得られていません。そのため、住民の間に深刻な分断を生み出してきました。

　避難指示区域内の被害も、過小評価されており、「ふるさとの喪失（そうしつ）」と呼ぶべき被害が慰謝料の対象から外れています。

　こうした賠償の問題点に対する被害者の異議申し立ては、裁判外の紛争解決機関である原子力損害賠償紛争解決センター（以下、原発ADR）や、司法の場でなされています。原発ADRに対しては、地域住民が集まって賠償格差の是正や被害実態に即した賠償を求める集団申し立てなどが行われてきました。

　また、2012年12月以降、原発事故被害者による集団訴訟が全国各地で起こされています。約30件にのぼる訴訟で、原告数は1万2000人を超えました。原告達は、国や東電の責任を追及すると共に、損害賠償や環境の原状回復を求めています。

　2017年3月以降、集団訴訟の判決が出されており、高裁レベルでも国の責任を認めた判決が出ています。損害については、多くの判決が現在の賠償指針・基準で十分とはせず、独自に判断して損害を認定しています。しかし賠償認容額は、指針・基準を大きく超える水準には至っていません。特に避難指示区域外の慰謝料は低額です。避難指示区域等に関しては「ふるさと喪失の慰謝料」が認められつつありますが、認容額は原告の請求に比べれば低い水準にとどまっています。

　とはいえ、指針でカバーされていない

勝訴を報告する「福島原発避難者訴訟」の原告団・弁護団
（宮城県 仙台高等裁判所前 2020年3月12日 筆者撮影）

損害について賠償を命じる司法判断が定着すれば、指針見直しの課題が浮上してきます。日本弁護士連合会は2019年7月、指針の再検討を求める意見書を出しています。

賠償と復興政策の見直しに向けて

　集団訴訟は、賠償だけでなく復興政策の問題点を問う取り組みでもあります。

　前述のように、福島原発事故は国の規制権限不行使による公害です。しかし政府は、そのことによる法的責任（国家賠償責任）を認めていません。政府は、自然災害において家屋など個人財産の補償は行われるべきではなく、自己責任が原則だという立場に立っています。そのため前述のように、個人に直接届く支援施策よりも、インフラ復旧・整備などが優先される傾向があるのです。こうしたアンバランスを克服するためには、被災者の事情に応じたきめ細かな支援策が不可欠です（東電の賠償はありますが、それにも多くの問題点があることはすでに述べた通りです）。

　復興政策を改善していくうえで、国と東電の責任解明が重要な意味をもっています。これは、戦後日本の公害問題を振り返れば明らかです。たとえば、四日市公害訴訟の原告はたった9人でした。裁判で加害企業の法的責任が明らかになったことから、1973年に公害健康被害補償法が作られ、10万人以上の大気汚染被害者の救済が実現したのです。

　このように、公害・環境訴訟は原告本人の救済にとどまらない政策形成機能をもっています。原発事故被害者の集団訴訟も、この経験を踏まえて、賠償と復興政策の見直しと、それを通じた幅広い被害者の救済を目指しています。

　福島原発事故の発生から10年以上が経過し、記憶の「風化」が懸念されています。事故の「風化」を防ぐためにも、私達はこうした被災当事者の取り組みに関心を寄せるべきでしょう。

〈おすすめの関連図書〉
『公害から福島を考える──地域の再生をめざして』除本理史著 岩波書店 2016年
『きみのまちに未来はあるか？──「根っこ」から地域をつくる』除本理史・佐無田光著 岩波ジュニア新書 2020年
『原発賠償を問う──曖昧な責任、翻弄される避難者』除本理史著 岩波ブックレット 2013年
『ふくしま復興 農と暮らしの復権』藤川賢・石井秀樹編著 東信堂 2021年
『原発事故被害回復の法と政策』吉村良一・下山憲治・大坂恵里・除本理史編 日本評論社 2018年

「ふるさとの再生」とは何か

除本理史

2014年4月以降、避難指示の解除が進み、帰還困難区域をのぞいて、住民は帰還できるようになりました。しかし、暮らしの回復は進んでいません。商業施設などもできて生活基盤が整ってきたように見えますが、住民同士のつながり（コミュニティ）など、目に見えにくい部分で回復が遅れています。

避難指示が出された福島県の浜通り地方は、自然が豊かな農業地域です。キノコや山菜採り、川魚釣り、狩猟など、自然の恵みを享受する「マイナー・サブシステンス」（副次的生業）が、暮らしの豊かさにとって重要な意味をもっていました。さらに、住民は行政区などのコミュニティに所属することにより、そこから各種の「地域生活利益」を得ていました。こうしたライフスタイルには、都市部の生活とは異なり、ただちには貨幣的価値として表れない暮らしの豊かさがあります。

原発事故による環境汚染と大規模な住民避難は、こうした地域のありようを破壊しました。人と人との結びつき、人と自然との関係性が解体され、人びとは元の生業と暮らしを支えていた諸条件を奪われたのです。これが「ふるさとの喪失」と呼ばれる被害です。

避難指示が解除されても、（地域差はあるものの）住民の帰還が進まない中では、以前より少ない人数で同じ面積の農地を管理しなければならないなど、課題が山積し

農地保全のために県外からもボランティアが参加して、毎年行われている「菜の花種まき会」（福島県南相馬市 2020年9月20日 筆者撮影）

ています。福島の復興には様々な新しい試みも必要でしょう。しかし、もともと被災地に根づいていた農的な営みや生活の価値を継承することを忘れてはなりません。過去の歴史を断ち切るのではなく、地域におけるこれまでの営みの延長線上に将来を描き出すことが必要です。

東電の賠償や政府の復興政策は、この点を見落としています。生活再建といっても住居など一部の条件に目が向けられがちです。「マイナー・サブシステンス」は、住民の暮らしに根づいた大事な活動であり、山林は生活圏でした。しかしそのことは重視されず、山林の除染はほぼ手つかずのままです。

「ふるさと」を再生するには、人びとがそれぞれの地域で培ってきた「地域の価値」を再確認することが不可欠です。伝統、文化、環境・景観、人びとのつながりなど、住民の暮らしの豊かさを支える諸条件を再評価し、それらをできるだけ取り戻すための方策を考えなくてはならないのです。原発の電気を使ってきた都市部の消費者にこそ、この重要性を理解してほしいと思います。

足尾鉱毒事件

髙橋若菜
（宇都宮大学 国際学部 教授）

公害資料館で学ぼう！ → ㉓ ㉔ （P198）

検索ワード 足尾銅山、古河市兵衛、企業城下町、田中正造、川俣事件、ラムサール条約
場 所 日光東照宮、足尾町、松木村、渡良瀬、谷中村、源五郎沢堆積場

足尾銅山の創業と繁栄

明治期から昭和にかけて、日本列島各地では近代化・工業化が進み、大規模な環境破壊が頻発しました。足尾鉱毒事件は、その象徴的な存在です。

鉱都・足尾の繁栄は、江戸期にさかのぼります。足尾銅は、日光東照宮などにも献上され、足尾千軒といわれる賑わいを見せていました。「坑夫6年、溶鉱夫8年、かかあばかりが50年」という古い歌は、坑内では落盤の危険と粉じんを吸い込んだ鉱夫達の健康被害があったことを彷彿とさせますが、この時期の鉱毒被害についてはほとんど記録がありません。

足尾が鉱毒事件の舞台として知られるようになるのは、19世紀後半、明治期に入って以降のことです。当時の明治政府は、欧米列強に追いつき追い越せと、「殖産興業」と「富国強兵」政策を強力に推し進めました。2大政策を、繊維産業や製鉄業などと共に支えたのが、鉱山業です。銅はその要で

した。銅は、外貨獲得の手段としても、銅鍋や銅線などの身の回りの様々な物品の材料としても、また戦争のための武器弾薬の材料としても、明治日本にとっては不可欠な、貴重な原料であったのです。

実業家の古河市兵衛が、明治政府所有後すっかりさびれていた足尾銅山を買収したのは、1877年のことでした。81年に新たな鉱脈を発見した古河は、84年には、銅増産にともなう精錬需要に応えるために、当時の最先端技術を搭載した製錬所の導入をはかり、自山鉱だけでなく他山鉱や、後には外国鉱も取り扱うようになりました。産銅・精錬を2本柱として、足尾は日本を代表する銅山に発展していきました。1917年には、日本の銅生

図1 足尾 自山鉱の産銅量

(出所)『改訂 田中正造と足尾鉱毒事件を歩く』布川了著 随想舎 2009年 P26および『銅山の町 足尾を歩く──足尾の産業遺産を訪ねて』村上安正著 わたらせ川協会 1998年 P146より作成（古河経営前の産銅は、『銅山の巻』『足尾銅山』記載の産銅量の平均値）

産全体の40％に達したとされます。経営が軌道に乗るにつれ、地元の街もまた繁栄しました。当時の足尾は、小東京といわれるほどでした。古河は、足尾町に迎賓館や学校、病院等を次々に建設しました。小学生の送迎にはガソリンカーが使われ、電気も水も無料で提供されました。04年の古河市兵衛の葬儀には、全町をあげて1万人ほどの人が押しかけ、故人の死を悼んだといいます。古河がいかに地元で敬意を集めていたか、強固な企業城下町としての構造をもっていたかがうかがえます。

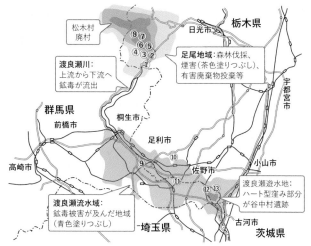

図2 足尾・渡良瀬地図 ①源五郎沢堆積場 ②足尾銅山観光（銅山跡）・足尾歴史館・中才浄水場 ③朝鮮人強制連行犠牲者慰霊碑 ④中国人殉難烈士慰霊塔 ⑤本山製錬所 ⑥有越沢堆積場 ⑦砂防ダム ⑧松木渓谷（松木村跡） ⑨毛里田祈念鉱毒根絶の碑 ⑩田中正造生家 ⑪田中正造終焉の地 ⑫旧谷中村合同慰霊碑 ⑬谷中村遺跡

（地図内のラベル）
松木村廃村
渡良瀬川：上流から下流へ鉱毒が流出
足尾地域：森林伐採、煙害（茶色塗りつぶし）、有害廃棄物投棄等
渡良瀬流水域：鉱毒被害が及んだ地域（青色塗りつぶし）
渡良瀬遊水地：ハート型窪み部分が谷中村遺跡
栃木県　日光市　宇都宮市　群馬県　前橋市　桐生市　足利市　小山市　佐野市　高崎市　古河市　茨城県　埼玉県

甚大で多面的な公害

足尾銅山の発展や繁栄は、一方で深刻な環境破壊や公害被害をもたらしました。足尾銅山には、約1200kmに及ぶ坑道があり、坑内には木材の支柱が張り巡らされています。動力源としての薪炭も必要です。じつに多くの木々が伐採されました。伐採され弱体化した山々を、銅製錬所から流れ出る亜硫酸ガスなどの有毒な煙が襲いました。木々は枯死し、豊かな森林ははげ山に姿を変えました。吸水機能を失った急斜面からは、表土がはぎ取

られ、河川は土砂に埋まりました。煙は山間をはい、牧歌的な生活が営まれていた農村にも到達します。足尾上流の松木村等の農村では、農作物が育たなくなり、生活の糧が奪われました。煙害が直撃した松木村は大火に遭い、1902年に廃村となりました。住民のほとんどは、古河が用意したわずかな見舞金を得て離散しました。

鉱毒は、下流域にも甚大な被害をもたらしました。足尾上流での森林破壊は、洪水の規模も激化させていました。足尾から流れ出た鉱毒水は、急峻な山間部を下り、数十km下ったところの渡良瀬川下流域の肥沃な大地に流れ込みました。豊かな生態系を誇り、農作物や魚介類に恵まれていた渡良瀬の地は、洪水がもたらす鉱毒により不毛の地へと化しました。稲や桑などの農産物は黒く立ち枯れ、魚

（地図）田中正造大学による地図をベースに、青木達也・永井護（2010）「足尾銅山における山林荒廃とその対策に関する歴史的変遷──松木地区の保存・復旧・活用に関する考察」『土木学会論文集D』66(2)、P192-216、他の汚染マップを重ねて作成

は突然死しました。老人や子どもは病に倒れ、流木や芦を燃やせば硫黄ガスの青い炎が上がったといいます。

田中正造と被害民達の闘い

国政の場において、公害被害で荒れ果てた渡良瀬を憂えたのは、地元の有力者で衆議院議員の田中正造でした。正造は、豊かな農地の回復と被害原因の除去を願い、議会で何度も、銅山の操業停止や対策を訴えました。明治政府の命令により、1897年から古河は鉱毒予防工事を施します。しかし、ほとんど効果はなく、明治政府は抜本的対策を講じることもなく、被害が止まることはありませんでした。当時、農商務大臣であった陸奥宗光の息子が古河市兵衛の養子に入っていたことなどから、官民癒着を指摘する先行研究もあります。

止まらぬ被害に住民達も、耐えられずに立ち上がります。被害民達は、足尾銅山の操業の停止と補償を求め、「押出し」といわれる大挙請願運動を重ねて行いました。若者を中心に数千人とも2万人を超える規模であったともいわれます。国へ請願（陳情）を行う権利は、大日本帝国憲法下でも国民に保障されていました。ところが、1900年、4度目の押出しで上京しようとした被害民達に、明治政府が送り込んだのは、憲兵達でした。非武装の住民達は、殴られ逮捕され弾圧を受けました。これを川俣事件といいます。

事件の直後、正造は国会質疑に立ち、「民を殺すは國（国）家を殺すなり。法を蔑にするは國家を蔑にするなり。皆自ら國を毀つなり。財用を濫り民を殺し法を亂（乱）して而して亡びざる國なし。之を奈何」と問いただしました。日本の憲政史上に残る大演説といわれます。しかし、時の山県有朋首相は、「質問の旨、趣その要領を得ず、よって答弁せず」と返しました。万策尽きた正造は、議員を辞し、1901年、天皇へ直訴を行いました。正造の行動は当時のメディアでも広く報道されるところとなりました。

1902年、政府は、足尾銅山操業停止の要求に応える代わりに、原因は洪水にあるとして、鉱毒を沈めるための貯水池を建設する計画を立てます。同時に江戸川に流れ込んでいた渡良瀬支流を大きく曲げて、茨城の利根川への「東遷」完結を目指しました。この2策は、被災地である渡良瀬流水域の救済というよりは、鉱毒水がさらに南下し東京へ届くのを阻止するのに効果的な施策でした。

最終的に鉱毒溜が立地されることになったのは、谷中村でした。1903年、栃木県議会において谷中村買収計画が採決されると、それまで一丸となって闘っていた渡良瀬地域の村々の団結も崩れていきます。谷中村民の多くは見舞金を得て離散しましたが、買収に応じない残留民もいました。田中正造も貯水池計画に抗い、谷中村に居を移します。07年、栃木県は土地収用法に基づき残留民に立ち退きを命じ、民家を強制破壊しました。残留民

左／中国人殉難烈士慰霊塔：強制連行された捕虜の257人中109人が死亡したとの記録がある
右／朝鮮人強制連行犠牲者慰霊碑：強制連行され足尾銅山で働いた朝鮮人労働者は2416人、終戦後は900人いた。逃亡者の数が多く839人といわれ、食糧難で餓死も73人いたという記録がある
（2019年12月13日 2点共、匂坂宏枝撮影）

達は、なお、仮小屋を作り住みつづけます。正造も残留民と共に抗議の姿勢を貫き、綿密な調査により地形や風土に合った治水対策の代替案を出しつづけながら、13年、清貧の中で71年の生涯を終えました。

政府が、谷中村貯水池工事を断行したのは、正造の死の直後のことです。結局、正造の訴えは、聞き入れられることはありませんでした。しかし、「真の文明は山を荒らさず川を荒らさず村を破らず人を殺さざるべし」という正造の晩年の言葉や思想は、今も語りつがれています。

明治、大正、昭和初期まで、足尾銅山では公害被害が可視化されないままに数十年稼働が続きます。第二次世界大戦期になると、労働力不足になり、労働の担い手として、多くの朝鮮人が強制移住させられました。中国人や白人の捕虜も強制労働させられました。多くの死者や行方不明者が出たことは、過酷な人権侵害があったことを物語っています。

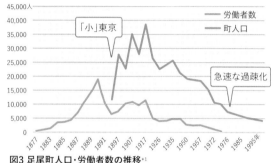

図3 足尾町人口・労働者数の推移[*1]

（凡例：労働者数、町人口、「小」東京、急速な過疎化）

公害被害からの再生、被害の継続、忘却

戦後、民主主義国家として再出発した日本では、公害からの再生が本格化しました。足尾地域では、1961年、古河鉱業がフィンランド発の自溶炉法を製錬所に導入し、亜硫酸ガスの排出抑制がはかられました。さらに、73年に産銅を停止し、88年には製錬工程も終了しました。これにより亜硫酸ガスや鉱毒の新たな排出は止まった一方、産業人口は急激に減少し、過疎化が進みました。現在、足尾地域の施設の多くは廃墟化し、あるいは取り壊されています。それでも、汚染され荒廃した自然は簡単には戻りません。足尾地域の砂防事業には、毎年多額の税金が投

*1（出所）『銅山の町 足尾を歩く──足尾の産業遺産を訪ねて』村上安正著 わたらせ川協会 1998年 P145・147より作成

松木渓谷に投棄されているカラミ（2017年6月17日）

入されています。NGO、市民、ボランティア等の協働により、緑化も進められ、いくらかの緑は回復途上にあります。一方、松木渓谷には、無名の墓石が点在するのみで、山の斜面一面にはカラミ（銅の精錬過程で生じる黒色のスラグ）が無造作に廃棄され堆積し、今なお不毛の地です。過去に蓄積された鉱毒の浄化や汚染排水の処理、足尾地域に散在する複数の鉱毒ごみ堆積場の維持管理は今も難題です。今後も膨大なコストがかかりつづけることでしょう。

渡良瀬地域においては、鉱毒被害からの再生が始まったのは、戦後さらに時代をへた高度経済成長期のことでした。1973年に、渡良瀬流水域の毛里田地区の農家出身で太田市議会議員となった板橋明治らは、渡良瀬川鉱毒根絶太田期成同盟会（以下、同盟会）を結成しました。折しも、水俣や四日市などの公害裁判において、原告が続々と勝訴しはじめた頃でした。板橋らは、古河鉱業を相手取って訴訟を起こしました。同盟会はカドミウム被害を証明し、企業の責任を認めさせ、74年に15億余円の損害賠償を調停で勝

ち取りました。賠償金は被害農家の救済にあてられたといいます。しかし、鉱毒はまだ終わった問題ではありません。2011年の東日本大震災時には、古河機械金属が管理する源五郎沢堆積場では、鉱床の表層崩壊が発生し、渡良瀬流域の重金属汚染をもたらしました。21年3月現在でも、有越沢堆積場も崩落の危機にあるといわれています。同盟会は、古河機械金属へ継続的な対策を要望しています。地震や豪雨などの自然災害も頻発する中、さらなる備えが必要とされています。

谷中村は、渡良瀬遊水地として行楽地となりました。二次的に再生された湿地は豊かな生態系ゆえに、湿地保全のためラムサール条約に登録されるまでになりました。しかし、休日にはサイクリングやウィンドサーフィンなどで賑わう人工湖の浄化や維持に多額の税金投入が続いていることは、あまり知られていません。谷中村の豊かな生活の営みがあった痕跡は、河川敷の対岸にひっそりと立地する合同慰霊碑と谷中村廃村後に住民が身を挺して守り抜いた谷中村遺跡に偲ばれるのみで、風化や忘却が進んでいるのです。

〈おすすめの関連図書〉
『田中正造──未来を紡ぐ思想人』小松裕著 岩波書店 2013年
『改訂 田中正造と足尾鉱毒事件を歩く』布川了著 随想舎 2009年
『銅山の町 足尾を歩く──足尾の産業遺産を訪ねて』村上安正著 わたらせ川協会 1998年
『谷中村滅亡史』荒畑寒村著 岩波文庫 1999年
『小野崎一徳写真帖 足尾銅山』小野崎敏編 新樹社 2006年
『田中正造と足尾鉱毒問題──土から生まれたリベラル・デモクラシー』三浦顕一郎著 有志舎 2017年
『真の文明は人を殺さず──田中正造の言葉に学ぶ明日の日本』小松裕著 小学館 2011年

田中正造の
文明観に学ぶ

髙橋若菜

19世紀後半に引き起こされた足尾鉱毒事件は、20世紀後半になってようやく、被害民の部分的救済や環境再生への試みが始まりました。それ以前の明治、大正、昭和初期に至るまで、鉱毒被害は続き、被害民達は救済されるどころか、声をあげると弾圧を受け、分断させられていきました。離散住民への賠償もわずかな見舞金にすぎませんでした。渡良瀬流域住民、松木村住民、そして足尾銅山内での健康被害民、強制連行された朝鮮人、中国人や白人捕虜など、多様な被害者が、多岐にわたる被害を受けました。

幾重にも及ぶ人権侵害が成立したのは、戦前日本が、基本的人権が認められる前の非民主国家であったから、と思われるかもしれません。しかし、残念ながら、民主主義国家として再出発したはずの戦後日本でも、同様のことが起きました。高度経済成長期に引き起こされた、イタイイタイ病、水俣病、新潟水俣病、四日市ぜんそくなどです。四大公害だけではありません。列島各地のコンビナートを中心に、大気汚染、水質汚濁、土壌汚染は各地で激化しました。公害の激甚化には、共通する構造がありました。国や企業において、経済優先、人命軽視の思想が共通して

田中正造の言葉（＊2）

いたことが、多くの先行研究において指摘されてきました。

そして2011年、東京電力福島第一原発事故が起きました。事故後10年たっても数万人が故郷を追われ、平穏な生活を奪われ、十分に補償も受けられず、差別や批判を恐れて被害を口に出すこともためらわれる状況が続いています。今なお過酷で危険な状況で事故処理にあたる人びとも多くいます。放射性廃棄物の処理も、廃炉の行方も先行きが見えません。このような惨事が繰り返されている状況に、「真の文明は山を荒さず川を荒さず村を破らず人を殺さざるべし」という正造の文明観への関心が、死後100年たった今、高まっています。正造の言葉には、国際的にみても、普遍性があります。「民 声叫べ」（1909：底辺の人民に学ぶ）は、環境問題は、それぞれのレベルで、関心のあるすべての市民が参加することによりもっとも適切に扱われるというリオ宣言（1992）の精神と通底します。「人民を救ふ学文を見ず」（1907）は、「科学技術は、人類の共通の利益のため環境の危険を見極め、回避し、制御すること、及び環境問題を解決することに利用されなければならない」というストックホルム人間環境宣言（1972）の戒めとなってあらわれています。「弱のまま」で「弱きを救ふ」（1901）は、「誰一人取り残さない」というSDGs（2015）の精神や、先住民の知識および伝統を尊重する立場とも通底します。近代文明に根源的な問いをぶつけ格闘しつづけた田中正造の思想に、今、学ぶ時期が来ているのです。

薬害スモン

清水善仁（中央大学 文学部 准教授）

公害資料館で学ぼう！ ➡ 26（P199）

検索ワード キノホルム、全国スモンの会、スモンの会全国連絡協議会、薬事二法、環境週間・全国公害被害者総行動デー

場 所 全国

薬害の原点

薬とは本来、病気を治し、健康な身体を取り戻すために服用するものです。私達も普段、体調がすぐれない時には薬局で薬を購入し、あるいは病院で診察を受けて薬を処方してもらいます。こうした、ごく日常の風景や行動の中で起きる、病気を治すはずの薬によって身体に重篤（じゅうとく）な被害がもたらされる事件 —— これが薬害です。

薬害エイズや薬害C型肝炎など、戦後の日本において多くの薬害が起こりましたが、なかでも「薬害の原点」とされるのが薬害スモンです。被害の発生が1950年代と戦後の比較的早い時期であったことや、1万人以上という被害者の規模の大きさなどが「原点」と呼ばれる理由としてあげられますが、今日では薬害スモンという名称を聞くことが少なくなりました。そこで、「薬害の原点」とされる薬害スモンの発生と被害の実態、さらにその後の裁判などのプロセスを知ることで、社会や私達一人ひとりが薬害というものをどのように受け止めるべきなのかを考えてみたいと思います。

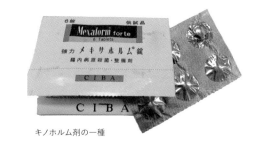

キノホルム剤の一種

スモン被害の発生

「スモン」という名称は、「亜急性視神経脊髄末梢神経症（せきずいまっしょう）」という主な病態・病変を英語で表記した際の頭文字（Subacute Myelo-Optico Neuropathy）からつけられました。具体的な症状としては、下痢や腹痛などが見られた後、足の感覚がなくなる、あるいは足がしびれるといった症状があらわれます。さらにその症状が進行すると、足が麻痺（まひ）して歩けなくなるというケースもあります。そのほかに、視力や自律神経の障害なども見られました。

こうした症状を引き起こした原因は、整腸剤キノホルムの副作用によるものでした。キノホルムは戦前に殺菌消毒用の外用薬として開発されたもので、その後、

アメーバ赤痢などに対する内服薬としても製造されました。日本では戦後の1953年からキノホルム剤の製造が開始され、製薬会社によって大量に生産および販売がなされました。そのキノホルム剤を病院で処方され、あるいは市販薬を服用した人びとに上記のような症状が見られるようになったのです。

1957年、山形市において最初のスモン被害者の集団発生が確認され、60年代には全国で被害者が急増するようになりました。当初、スモンの原因は特定されず「奇病」と呼ばれ、新聞でも「全国流行の奇病スモン病 伝染病とほぼ分る」(『朝日新聞』東京版 1966年1月22日付)と報じられるなど、感染説(伝染病)が有力視されていました。その後、京都大学の井上幸重助教授によりウイルス原因説が発表され、「スモン病 ウイルス感染説強まる」(同前、1970年2月6日付)と大々的に報道されたことで、スモンがウイルスを媒介とした感染症として広く認識されました。

これらにより、被害者はたいへんな偏見と差別に苦しめられたのです。1973年にスモン被害者を対象に行われた実態調査(回答数587)によると、「感染説のため差別されたか」という問いに対して、半数以上が差別の経験があったと回答しています。さらに、「生活上、どのようないやな思いを経験したか」という問いでは、「『怠け者』と言われた」や「失業した」「家庭不和に苦しんだ」などの回答がある

中、もっとも多かったのが「自殺まで思いつめた」というものでした。じつに回答者の約48%という割合をみる時、スモン被害者に対する偏見と差別の深刻さとそれに苦しむ被害者の姿をみてとることができます(実態調査の回答については、『グラフィック・ドキュメント スモン』実川悠太編 羽賀しげ子文 小林茂写真 日本評論社 1990年 P162-163より引用)。

スモンの原因に感染説やウイルス説が提起される中、東京大学ではスモン被害者に見られる緑色便や緑色舌苔の分析が行われていました。その結果、この緑色がキノホルムと三価鉄イオンとのキレート化合物であるという研究結果が報告され、さらに新潟大学の椿忠雄教授による疫学調査により、キノホルム使用量とスモンの発生率に相関関係が見られることがわかったのです。つまり、スモンの原因がウイルスではなくキノホルムであると指摘されるところとなり、1970年8月6日にこの報告を受けた厚生省(当時)はただちに省内で検討を進め、同年9月8日、キノホルム剤の販売中止の通達を出しました。これにより新たなスモン患者の発生は急激に減少したのです。

被害者達の団結と裁判

原因がキノホルムであると断定される以前から、共通の症状と偏見に苦しむスモン被害者達の間ではしだいにつながりが生まれるようになりました。1967年6月、最初の集団発生地である山形県で「米

「スモン被害者の恒久救済と薬害根絶をめざす全国実行委員会」
がスモン全面解決要求大行動として行った厚生省（当時）前での
座り込み（1979年5月）

被害者達によって作成・
配布されたビラ（1979年）

沢市スモン患者同盟」が結成されたこと
をはじめとして、各地に同様の被害者組
織が発足していったのです。

そうした中、1969年11月に初の全国
組織となる「全国スモンの会」が結成さ
れ、スモン被害者の救済を求める活動が
展開されました。しかし、裁判の方針な
どをめぐって「全国スモンの会」は分裂
し、被害者の全国組織と運動はその後も
多様な変遷をたどりました。

被害者達は、キノホルム剤を製造・販
売した製薬会社とこれを許可・承認した
国を相手取って、損害賠償請求の訴訟を
起こしました。裁判は東京をはじめ、各
地の被害者組織が地元の裁判所に提訴す
るなど全国的な規模で行われ、1975年5
月時点で18の地裁に及んだのです。各地
で審理が進む中、製薬会社は一貫してキ
ノホルムがスモンの原因であるというこ
とを認めませんでした。一方、被害者達
はビラの配布や座り込み、デモ行進など
により、スモン被害の実情や裁判への関
心を広く市民に周知するための運動を展
開しました。

全国初となる金沢地裁判決（1978年3月）は原告勝訴となったものの、キノホルムをスモンの原因のひとつとしてウイルス説も否定できないとしましたが、原告数最大の東京地裁判決（78年8月）ではキノホルムを唯一の原因物質とし、国や製薬会社の責任を明確に認定したのです。

　各地の裁判において原告の勝訴が続いたことを受けて、国および製薬会社は原告との和解を模索し、最大の被害者組織である「スモンの会全国連絡協議会」もそれに応じました。そして、1979年9月15日、3者間での和解確認書が調印されたのです。その概要は、和解一時金や毎月の健康管理手当の支払いをはじめ、スモンに関する継続的な調査研究といった恒久対策の実施などがあげられます。また時を同じくして、国会では薬品に関する国や企業の責任の明確化をはじめ、副作用の報告義務などを盛り込んだ薬事法の改正および医薬品副作用被害救済基金法（いわゆる薬事二法）が成立しました。スモン裁判がこれらの法律の成立に大きな影響を与えたことはいうまでもありません。

　ただ、この和解ではキノホルムの投薬が証明される被害者のみが対象となり、市販薬などによってスモン被害者になった人びとの救済は明確に規定されませんでした。そのため、和解確認書の調印以降は、「一人の切り捨ても許さない」として、投薬証明のないスモン被害者の救済という点がより強調されるようになり、

「一人の切り捨ても許さない！」と記された
集会ポスター

被害者達はその後も運動を継続して行ったのです。

　現在、各地の被害者組織は、薬害を二度と起こさない社会の確立のために、若い世代に対する語り部の活動など、様々な取り組みを続けています。しかし、被害者や支援者の高齢化などにともない、組織と運動の担い手が減少しつつある中、薬害スモンの記憶を将来にどう伝えていくかは大きな課題となっています。

〈公害としての薬害〉という視点

　毎年6月に行われている「全国公害被害者総行動」は各地の公害反対運動に関わってきた人びとが一堂に集うもので、1976年の第1回には82の参加団体と約1200名の参加者がありました。ここには、大気・土壌汚染、空港問題、基地問題、新幹線公害、水俣病などのほかに、薬

害スモンの被害者組織が加わっており、それぞれの公害被害の現状報告や団体間交流、さらに各省庁一斉要請行動などが行われました。

　薬害スモンの被害者組織のひとつである大阪スモンの会の関係者は、この集会に参加した時の感想を次のように述べています。

　我々大阪スモンの会からも顔なじみの八名参加したが、今迄（まで）の世帯感覚を越えて、何か、大きな仲間の中へ入って来たといった様な仲間意識が湧然とわき上ってくるのを覚えた。

　こうしたフン囲気の中で報告されていく、さまざまな形の公害被害者の話は、他人の話ではなく、本当に同じ仲間の苦闘の訴えとして、共感と連帯意識の中で、うけとめ合う事が出来た。

（『連帯して公害の根絶を──環境週間・全国公害被害者総行動デー』環境週間・全国公害被害者総行動デー実行委員会発行 1976年 P70-73）

　この言葉からは、スモン被害者の中に、他の公害被害者およびその被害者組織との交流によって連帯意識が芽生えていることがわかります。それは「薬品公害スモンが全国の公害被害団体と連帯したことを国民に示したことは、運動の発展を意味するもので、被告国、製薬会社にとって大きな脅威となったと思います」（同前）という別の参加者の感想からもみてとれます。「薬品公害」という言葉からもうかがえるように、〈公害としての薬害〉

第1回「環境週間・全国公害被害者総行動デー」の冊子（1976年発行）

という認識は被害者達の中ではすでに自明のことであったのかもしれません。しかし、〈薬害〉被害者の人びとが、心の中では自らの存在を、当時日本の大きな社会問題となっていた〈公害〉の被害者として位置づけていたことは、〈公害〉という言葉のもつ意味の拡がりを考えるうえでも重要なことといえるのではないでしょうか。

※P86・88・89・90掲載の写真（資料）はすべて法政大学大原社会問題研究所環境アーカイブズ所蔵

〈おすすめの関連図書〉
『薬害スモン全史』全4巻 スモンの会全国連絡協議会編 労働旬報社 1981年（第1〜3巻）、1986年（第4巻）
『グラフィック・ドキュメント スモン』
実川悠太編 羽賀しげ子文 小林茂写真 日本評論社 1990年
『戦後薬害問題の研究』高野哲夫著 文理閣 1981年
『増補改訂版 ノーモア薬害──薬害の歴史に学び、その根絶を』片平洌彦著 桐書房 1997年

薬害の記憶を
伝えるために

清水善仁

　環境基本法では大気汚染や振動などの公害の形態が明示されており、それらは「典型七公害」とも呼ばれています。しかし、「人の健康又は生活環境に係る被害が生ずること」（環境基本法第2条第3項）という点では、薬害もまた重大な公害のひとつであることに変わりありません。ただ、「典型七公害」にあげられる各種の公害と薬害とでは、その被害が局地的か全国的かという点で大きな違いがあります。

　たとえば、ある都市の工場群から排出された煙によって起こる大気汚染は、それらの工場が立地する都市の周辺地域を中心として被害が拡がりますが、それが全国に及ぶことはまずありません。水質汚濁や騒音などの公害も同様であり、だからこそ「新潟水俣病」や「四日市公害」のように、公害に地域の名称が付けられることが少なくないのです。しかし、薬害は違います。製薬会社によって製造された薬は、流通・販売網を通じて全国に行き渡り、誰もがその薬を簡単に手に取り服用することができるのです。そのため、薬害はある地域に限定されるものではなく、どこでも発生する可能性があります。全国に被害者組織が発足した薬害スモンの事例は、まさしくそのことの証左でもあるのです。

　その意味では、薬害が発生する可能性は常に私達の身近にあり、気づかないうちに自身が被害者になってしまう公害であるといっても決して過言ではないのです。で

厚生労働省が発行する教材『薬害を学ぼう』（2017年2月改訂版 https://www.mhlw.go.jp/bunya/iyakuhin/yakugai/index.html）

は、私達は薬害に対してどのような認識をもつことが大切なのでしょうか。

　厚生労働省が2010年から発行している中学生向けの教材に『薬害を学ぼう』があります。ここでは「薬害が起こらない社会にするために、どうすればいいのか」を考えるために、薬に関する情報の共有と関係者の役割、消費者としての情報の発信のあり方、そして現在の社会のしくみの改善という3つの論点があげられています。しかし、私にはそのほかにもうひとつ大切なことがあるように思います。それは過去に起こった薬害の歴史を学び、その経験を現在と将来に生かすための努力を続けるということです。いわば、〈薬害の記憶を伝える〉ための取り組みこそが重要となるのです。薬害にとどまらず、あらゆる公害に共通するこの課題について考え、その方法を実践することは、たいへん意義深いことであるといえます。薬害の記憶をどのように伝えてゆくか──今、私達に問われているのです。

公害健康被害補償法

除本理史
（大阪市立大学 大学院経営学研究科 教授）

● … 地域名 は第1種地域
● … 地域名 は第2種地域

成立としくみ

1970年代初頭に四大公害裁判の判決が出される中、73年に「公害健康被害補償法（以下、公健法）」が制定されました。これは公害病（大気汚染公害、水俣病、イタイイタイ病など）の患者に対して、補償給付を行う制度です。補償給付には、医療的ケア（現物給付が基本）や生活保障的給付（金銭的給付）などがあります。

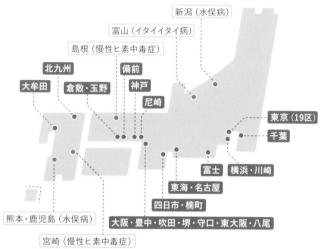

図 指定地域の位置（第1種、第2種）
（注）第1種地域：大気汚染系疾病（慢性気管支炎、気管支ぜん息、ぜん息性気管支炎、肺気腫、これらの続発症）／第2種地域：水俣病、イタイイタイ病、慢性ヒ素中毒症
（出所）環境再生保全機構HP https://www.erca.go.jp/fukakin/seido/gaiyo.html の図を参考に作成

大気汚染公害の場合、公健法の対象となる疾病（指定疾病）は、慢性気管支炎、気管支ぜん息、ぜん息性気管支炎、肺気腫、およびこれらの続発症です。①大気汚染が著しく、指定疾病が多発している地域（指定地域）に、②一定期間以上居住または通勤し、③指定疾病に罹患している人は、本人の申請により、行政から認定されれば、前述の補償給付を受けることができます。指定地域は1978年までに41地域に広がりました（図の第1種地域）。認定され制度の適用対象となった患者は、「認定患者」と呼ばれています。

大気汚染公害の原因となる主な汚染物質は、燃料転換などにより歴史的に変化してきています。日本では第二次世界大戦後、高度経済成長にともない石炭から石油への燃料転換が進み、工場・事業場から排出される硫黄酸化物（SOx）が主な大気汚染物質となりました。しかし、SOx対策が進展し、1970年代前半に自動車の普及が進んだため、しだいに窒素酸化物（NOx）と浮遊粒子状物質（SPM）による大気汚染が中心となりました。つ

まり、大気汚染の主な発生源が、工場・事業場（固定発生源）から自動車（移動発生源）へと変化してきたのです。

　公健法に基づく被害補償の費用は、大気汚染物質の排出者が汚染への寄与の程度に応じて負担するという考え方に基づいて、固定発生源と移動発生源から徴収されます。前者は、全国の工場・事業場が支払う汚染負荷量賦課金、後者は、自動車ユーザーが支払う自動車重量税からの引当金です。ただし、認定患者を対象に健康回復等を目的として実施される公害保健福祉事業、および事務的経費については、公費負担も導入されました（表）。

認定の打ち切りと救済の課題

　しかしその後、政府や経済界は"大気汚染は改善した"として、1987年に公健法が改正され、88年3月1日以降、患者の新たな認定申請が打ち切られてしまいました。当時、都市部を中心として自動車排出ガスが大気汚染の「主役」となっていましたが、大気汚染の改善はなかなか進まず、幹線道路沿道などで新たな患者が発生しつづけました。これらの患者は、公健制度による救済を受けられない「未認定」患者になります。

　認定患者と「未認定」患者との区別は、公健制度の認定を受けているか否かという制度上の区分ですから、同じ疾病に罹患しているという点ではまったく違いはありません。しかし、認定の有無は、患者の生活に大きな差をもたらします。認

表 公健法における費用負担のしくみ（大気汚染関係）

補償給付	賦課金80%、引当金20%
公害保健福祉事業	賦課金40%、引当金10%、国25%、(旧)指定地域を管轄する自治体25%
事務的経費	
給付事務費	国50%、(旧)指定地域を管轄する自治体50%
徴収事務費	賦課金、一部は国が負担

(注)「賦課金」は工場・事業場が支払う汚染負荷量賦課金、「引当金」は自動車ユーザーが支払う自動車重量税からの引当金をさす
(出所)『環境被害の責任と費用負担』除本理史著 有斐閣 2007年 P108表3-2を一部改変

定患者は、公害病の治療に要する費用は無料であり、また障害の程度に応じて、十分とはいえませんが生活保障的給付が得られます。これに対して、「未認定」患者は、自治体による独自の救済制度がなければ、医療費は自己負担で、生活保障的給付もありません。

　大気汚染の被害者救済に関しては、公健法は重要な役割を果たしてきました。しかし、水俣病の場合は、公健法に基づく認定制度が救済の範囲を狭め、被害者を切り捨てることにつながりました。これは、全国から補償費用を徴収する大気汚染と異なって、水俣病の場合には、特定の加害企業が費用を負担しなければならなかったという事情と深く関係しています。

〈おすすめの関連図書〉
『環境被害の責任と費用負担』除本理史著 有斐閣 2007年
『公害健康被害補償予防制度 40年のあゆみ』環境再生保全機構編 環境再生保全機構 2015年
『環境の政治経済学』除本理史・大島堅一・上園昌武著 ミネルヴァ書房 2010年
『環境政策の経済学――理論と現実』植田和弘・新澤秀則・岡敏弘編著 日本評論社 1997年

環境権 environmental rights

大久保規子

（大阪大学 大学院法学研究科 教授）

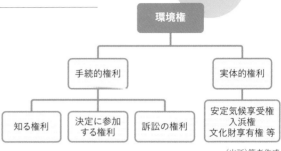

「環境権」とは
どのような権利?

環境権

手続的権利 　　 実体的権利

知る権利 　 決定に参加
する権利 　 訴訟の権利

安定気候享受権
入浜権
文化財享有権 等

（出所）筆者作成

公害を経験した日本で誕生

「環境権」は、20世紀に生まれた新しい人権です。気候変動や生物多様性の危機が深刻化するにつれて憲法や法律で環境権を保障する国が急増し、2019年の国連調査によれば、国連加盟国の80％以上（156カ国）が環境権を認めるに至っています。環境権には、安全な水、安定した気候、自然、文化財等、様々な環境を享受する権利が含まれていて、その内容は国によって多様ですが、参加の権利が重視されているという点では一致しています。参加をするためには、十分な情報を知る必要があり、また、公害をなくし、森や海を守るためには裁判で闘わなければならないこともあります。そのため、参加の権利は、①知る権利、②決定に参加する権利、③訴訟の権利の3つの手続的権利で構成されています。

環境権の考え方は、1992年の「環境と開発に関するリオ宣言」（第1原則）に示されていますが、これを保障する国際条約はまだありません。ただし、参加の権利は、「環境問題における情報へのアクセス、意思決定への市民参加及び司法へのアクセスに関する条約（オーフス条約）」（1998年採択）、「ラテンアメリカ・カリブ諸国における環境事項に係る情報、参加及び司法アクセスに関する地域協定（エスカズ協定）」（2018年採択）という国際条約によって、NGOを含む幅広い市民に保障されています。これらの条約は、NGOも含め、関心をもつ幅広い市民が、あらゆる選択肢が残されている早い段階から、十分な情報と時間を得て政策や決定に参加し、その意見が適切に検討・考慮され、その結果が公表されるようにすることを求めています。国連環境計画（UNEP）も2010年に「環境事項に関する情報アクセス、市民参加及び司法アクセスに係る国内立法の発展に関するガイドライン（バリガイドライン）」を採択し、その促進をはかっています。

じつは環境権は、もともと激甚な公害を経験した日本で誕生したともいわれています。1970年に国際社会科学評議会（ISSC）と日本学術会議が東京で開催した環境破壊に関する国際シンポジウムで、環境権の確立を求める東京宣言が採択されたからです。その後、1972年の国連

「人間環境宣言」に環境権の考え方が取り入れられたことを契機として、憲法の中に環境権を定める国があらわれるようになりました。

将来世代や生き物の権利も守る重要性

　先進国、途上国を問わず、現在では世界中で環境権が認められているのに対し、日本には、いまだに環境権を保障する法律がなく、オーフス条約も批准（ひじゅん）していません。1970年代には弁護士会がその理論化に力を入れ、環境権は、日本国憲法第13条の幸福追求権と第25条の生存権により保障されているとして、大阪空港事件をはじめ多くの公害訴訟で、環境権に基づく差止請求が行われましたが、現在まで環境権そのものを認めた判決はありません。ただし、日照利益や眺望・景観利益は裁判でも保護されており、「人格的利益に関する権利（人格権）」の一種としての平穏生活権を根拠に廃棄物処分場の差止めを認めた例もあります。その意味で、日本では、人格権が部分的に環境権と同様の機能を果たしているということができますが、自然（入浜権等）や文化財に関する権利（文化財享有権等）が認められていないという大きな課題があります。

　また、環境権は、本来現世代だけのものではなく、将来世代の権利を守ることも重要です。フィリピンでは、すでに1993年の「オポーザ判決」により、子どもが将来世代のために森林を守る訴訟が

エスカズ協定成立
（コスタリカ 2018年 筆者撮影）
1995年原告に立てられたが鹿児島地裁に門前払いされたアマミノクロウサギ（写真提供／PIXTA）

認められています。最近では、ドイツの若者が、現在の「気候保護法」は不十分で、将来の自分達の基本権を侵害していると訴えた事件で、連邦憲法裁判所の2021年4月29日決定は、後の世代に多大な負担を負わせることは許されないとして、現行法を一部違憲と判断しています。

　さらに、人間の開発行為により直接重大な影響を被る（こうむ）のはそこに生息する生き物です。そこで、最近では、人間だけではなく、自然の権利を認める国（エクアドル、ボリビア等）も登場し、市民やコミュニティが自然の権利の保護を公的機関に要求することもできます。このように、環境に関する権利は多様な広がりを見せています。

〈おすすめの関連図書〉
『環境権』大阪弁護士会環境権研究会編 日本評論社 1973年
『渚と日本人──入浜権の背景』高崎裕士・高桑守史著 NHKブックス 1976年
『環境権の法理と裁判』淡路剛久著 有斐閣ブックス 1980年（デジタルオンデマンド版として復刻2004年）
『戦後日本公害史論』宮本憲一著 岩波書店 2014年
『オーフス条約クイックガイド』オーフス条約事務局編 オーフス条約を日本で実現するNGOネットワーク訳 2014年（＊）

第2章

語られた公害

公害は、被害者はもちろん、事件を引き起こした加害者、取り締まる行政、被害者の治療にあたった医師、公害告発に立ち上がった市民など、多くの人達の仕事と生活を一変させます。チェルノブイリ原発事故によって移住を強いられたベラルーシのある女性は、「私の人生は事故に遭う前と後とで二分される」と言いましたが、それは公害と遭遇した人びとに共通する思いでしょう。本章では、様々な立場から公害に直面し、悶え、哀しみ、闘ってきた人びとの語りを通して、公害を生きることの意味を考えます。

水俣の漁村部落、湯堂の自宅で、後に水俣病の患者に認定された
娘の良子さんと母親のエイ子さんを1960年8月に撮影（写真／桑原史成）

患者の立場から

良子
死んでくれるな

上野エイ子

1927年生まれ。熊本県水俣市湯堂(ゆどう)出身。水俣病で先夫と娘・良子(2歳半)を亡くす。良子は死後に水俣病と認定され、本人も71年水俣病に認定される。99年より、水俣市立水俣病資料館で語り部として話をしている。

夫の発病
——1日目

　昭和33（1958）年8月の終わり頃の夕方でした。漁に行って網を引き上げている主人の手が急にふるえ出しました。私はひやっとして、もしかしたら、奇病じゃなかっだろうか、まさか、今まで元気だったんだけんと思いました。そして、「あんた、病気じゃなかっな」と聞きましたら、主人は、「違う、なんでもなか」と言いました。

　その時まで、主人は、はっきり話ができましたが、それが5分とたたないうちに、話す言葉がとぎれとぎれになりました。そして、夜になった時は、完全に私と話すことのできない状態になりました。

　その日から私達夫婦の苦しい生活が始まったのです。翌日、袋の市川病院に連れて行きました。主人を診察した医者は、「やはり、奇病のようです。私では、どうすることもできないので、会社病院（チッソ附属病院）に行ってください」と言われましたので、それからすぐバスで会社病院に連れて行きました。1日に2回も病院に行った主人は、それが体にこたえたらしく、ふるえ

がひどくなりました。病院に着いた私達は、1時間ぐらいたってから診察を受けました。いろいろ発病した時の様子を聞いた後、手の指を曲げたり寝台に寝かして、針で身体全体をつついて「ここは痛くないか、こちらはどうか」などと調べられました。

　それがすむと廊下で、一直線を引いた後を歩かせ、煙草を箱から出して火をつけさせてみたり、紙を出して筆で名前を書かせたり、洋服をぬがせたり着せたり何度も、何時間もかかって診察されたのが、病人にとってたいへんショックを受けたようでした。

　その時病院の中でつらい思いをしました。それは、まだ奇病といわれる時でしたので、たくさんの人が、おもしろそうに主人を眺めていました。その時はとってもくやしくて、主人も私も反発する言葉もなく、ただにらみ返してやるだけが精一杯でした。

　そして、診察して帰った夜から、主人の病気は悪くなりました。御飯を食べようとして茶碗をポトリと落としたり、ハシを持つことができず、ごはんを手でつかんで食べはじめました。思うようにご飯が口には入らず、顔いっぱい御飯つぶをつけて食べている姿を見て、私は思わず泣き出しました。

　そして、トイレに行く時が一番哀れでした。当時は外に便所がありましたので、大小便に行く時は、履物(はきもの)を履いて行かなければならないため、自分で履物を思うように履くことができず、腹を立て、はだしになって私につかまり、用便に行くのでした。途中、物につまずいてこけた時、じーっと私をうらめしそうに見上げて、起きることもできませんでした。

　その頃私は、妊娠9カ月でしたので、大

の男を起こすのに、歯を食いしばって支え、やっとのことで用便をすませたこともありました。

── 発病2、3日目

それから2日、3日した後に、病気はだんだんひどくなり、用便に行くにも自分では行けなくなり、庭に新聞を敷いて、私が着物のすそをまくってやり、用便がすむまで待っていました。

── 発病4、5日目

それから、4、5日たって、主人が立つことができず、私につかまって立とうとして転びました。それを起こそうとして、私も一緒に転んだこともありました。

こんなことを何度も繰り返しているうち、急に主人が苦しみ出しました。自由にできない自分の体と、言葉も思うようにできなくなって、くやしさに、カーッとなりました。びっくりした私は、隣の家の息子さんを頼んで、やっとで床に寝かせました。床についた主人の目から大粒の涙が、次から次と流れ落ちました。

そして、何か言いたそうに、じーっと私を見ながら涙を流しました。私も主人を見て涙でいっぱいでした。

── 発病6日目

その頃もまだ、「奇病」と呼ばれ、世間から恐れられ、「伝染病」だから近寄るとうつる、と噂されていました。

それで近所の人達から、嫌われていた私達夫婦には、医者も来てくれなかったこともありました。こうして6日目でした。夫の義父が田浦から心配して来てくれました。

そして、義父は主人の姿を見て、「貴女は忠市に何ば食べさせたつな、何も食べさせとらんから、こんな姿になってしまったっじゃろ」と叱りました。なんで大事な主人に、そんなことをするもんですか。自分は食べなくても、主人にはちゃんと食べさせていました。主人は、チッソ工場の下請け工場に勤めながら、私と一緒に、漁の手伝いもしていました。

そして、魚の好きな主人は、朝からでも魚はよいと言うほどの人でした。

一生懸命二人で働いて、家を建てることに望みをもって、頑張っていたのが無理だったのです。

── 発病7日目

そうして7日目でした。市役所の職員二人が来て、熊本大学病院（以下、熊大病院）に入院するようにすすめられましたが、主人は入院することを嫌がりました。「俺は絶対、病院には行かん。自分は、ここが一番よか、死ぬ時は、ここで死にたか。帰れ。もう二度と俺のところには来るな。来るならナタを持って追い払ってやるから」と、わめくような声で市役所の人を追い返しました。

義父も田浦に連れて行くからと説得しましたが、主人は行きませんでした。そして、義父が帰った夜、主人は男泣きに泣きました。それが主人と義父との一生の別れだったのです。

── 発病8日目

8日目です。主人の病気は前より苦しみがひどくなりました。急に起き出したり、立ち上がると倒れたり、ぐるぐる部屋を寝な

高熱の我が子を抱いて病院へ向かう。エイ子さん33歳、良子さん1歳（熊本県 水俣市内 1960年7月 写真／桑原史成）

から苦しみ回り壁板を突き破り、側にいた私も突き倒し、手も足も血だらけになりました。

それで、主人の頭に水枕をしてやりましたが、ぜんぜん効きませんでした。主人の側にいると暴れるので、私は妊娠9カ月でしたので、お腹が危ないから、主人は入院させた方がよいのでは、と周りからすすめられ、そこで初めて入院させることにしました。

── 発病9日目

そして、9日目です。市役所から車で熊大病院まで連れて行ってもらいました。熊大病院の病室には水俣から来た久美子ちゃん達5、6人が入院していました。

そして、先生の視察が始まりましたが、もうその時は、主人は何もわかりませんでした。それから3日目、静かになった主人はその夕方、とうとう息を引きとりました。

9月3日でした。

あんなに生まれてくる子どもの将来を、あれやこれやと話して喜び、友達の人には、もうお祝いをすると言って案内をしていたのでした。あと1カ月主人が生きていれば、親子3人楽しく暮らすことができたのでした。

水俣病は、永久に私達に親子の味を感じさせてくれなかったのです。どこまでも、恨みは消えません。私は夫の亡骸にすがって訴えました。

良子の誕生

病院で通夜をして、翌日火葬して白い骨箱を抱えて私達は熊大病院を発ちました。帰る汽車の中で、私には何も見えませんでした。また、何も聞こえませんでした。ただ、これから先どうして暮らしていこうか、

お腹の子どもをどうして養っていこうか、そのことばかりで私の頭の中はいっぱいでした。

無事葬式をすませ、落ち着く間もない6日目、私は女の子を早産しました。

その子が、水俣病に侵されて生まれてくると誰が考えたことでしょう。オギャーッと元気に生まれた子どもを見て、嬉し泣きに泣きました。元気に育ってくれるように、父の分まで長生きしてねと願う私でした。

そうして1カ月、2カ月、子どもは何の変化もなく育っているものと私にはそう見えていました。3カ月目でした。少し大きくなった子どもを抱いている時、姉が来て「良子ちゃん、良子ちゃん、こっち」と手をたたいて呼びましたが、良子は向かず、方角違いを向いてニッコリ笑っていました。それを見た姉が「良子ちゃんはおかしか。近所にもう一人いる子どもと同じじゃー。奇病じゃなかだろか」と、たいへんなことを言いました。

「違う、まだわかるもんね。小さかもん」と私は姉と口ゲンカをしました。

まだ3カ月ぐらいでは首もすわらないだろうし、手足も動いている。なぜ、この子が、そんな怖ろしい病気になるものかと、信じていました。

それから心配になり、深水小児科に連れて行きました。そしたら、先生は子どもの体を、よく見もしないで、「ダメですね、一生当たり前の姿にはならないでしょう。脳性小児麻痺ですよ」と冷たくはねられた私は、ガタガタ身体がふるえました。

そして、子どもを背中におんぶして、フラフラ何も見えず聞こえずの姿で家につきました。私達親子は、その晩一睡もしない

で抱き合って泣きました。そして翌日、市立病院に行きました。市立病院でもやはり小児麻痺の診断でした。

それから私達親子は、毎日病院との戦いでした。小さな身体で毎日打ってもらう注射に耐えている子どもを見ると、母としてそれはつらい毎日でした。

そして1年たち2年たつうち、熊大（熊本大学）から先生が見えられたのです。私の子ども同様、身体の不自由な子どもが次々いることがわかってきたのです。みんなで15人いるとのことでした。

その後、初めて保健所で調べられました。生まれた時からの様子から始まり、いつもの通りでした。

これを繰り返すことばかりでした。時には背中から水を採ると言って、ヒーヒー泣く子どもの泣き声に廊下で待っている私は「もう、止めてくれ。何回しても病名もわからずにおって、あんまりじゃなかですか」と涙ながら気をもむだけでした。水を採られた日は、もう死人同様、ぐったりなって顔色はぜんぜんありませんでした。同じ症状の子ども達15人を、同じ病室に寝かせて診察する先生達に私は抗議しました。「早く原因を突きとめてください」と。そんなことを言い合っていましたが、原因はわかりませんでした。

「15人の患者で、誰かが死んで初めてわかるんだけど」と、あいまいな返事ばかりでした。相変わらず子どもは、座ることもできず、目も見えません。でも背丈だけは4歳児と同じくらいの大きさになっていました。

子どもを育てていくうち、チッソに補償を求めて工場の正門前に座り込みが始まりました。寒い12月でした。とうとう水俣病互助会が立ち上がりました。我慢の緒が切れたのです。私も子どもをおぶってみなと一緒に参加しました。

世間の目も冷たかったです。寒風の中でムシロを敷いて役員の方達に望みをもって頑張ったのです。私は、2、3枚のおしめとミルクを持って座りつづけました。一日中寒さの中で、ミルクもおしめも冷たくなっていました。また、雪が降る中で、傘もさずに資金カンパをしたこともありました。忘れもしません、出水市米ノ津にカンパに行った時でした。道端に座っていた人が、突然叫び出しました。「なんや、おはん達は、帰れや。おはん達のお陰で、おいどんがボーナスも少なかっじゃ、ちった、おいどんがこつも考えてもらわにゃ」と、憎そうに、私達に食ってかかったこともありました。子どもをおぶって、おしめとミルク、そして弁当持って、遠い米ノ津まで誰が好きでこんなお願いをして回りたいもんですか。ただ、死んだ人達や二度とこの世に出ることのできない子ども達のために、見知らぬ土地まで出かけてカンパして回ったのです。

人間の幸福って、決して金じゃなか、健康な身体だということをその日からしみじみ感じました。

そうして子どもが生まれて2年目、会社との話し合いも解決して、無事座り込みも終わりました。

良子の急変

いく分、ほっとした昭和36（1961）年3月、夜中に子どもが急にけいれんを起こしたのです。ガタガタ歯を食いしばり目を白黒にして一生懸命力を入れている子どもに

びっくりして急いで抱きかかえ、暗くて淋しい夜道を1時過ぎ、袋の市川病院まで走りました。

「死んではダメ、死んじゃくれるな」と、聞こえぬ子どもに叱りつけるように叫びながら走りつづけて先生を起こしました。

先生もびっくりして早速手当してくださったので、その夜は、けいれんも収まりましたが、それから間もなくして、また、けいれんを起こしたので市内の小児科に行きました。

先生は、「これは、手遅れですね。このままじゃ危ないですから、早く市立病院に入院治療するように」と言われ、すぐ市立病院に電話してくださいました。そして、そのまま市立病院に入院しましたが、翌日、朝7時半頃、とうとう良子は死亡しました。生まれて何ひとつ見ることも、また触ることもなく死んでしまった良子、母を恨みもせず、2年半病気で苦しめられ、暗い小屋の中で二人抱き合って泣いたことがありました。ほんとうに可哀想でした。良子、許してくれ、許してくれ、一晩、二晩、私は泣きました。ガタガタ身体がふるえました。

「かいぼう」のこと

死んでから原因がわからないので、解剖させてくださいと頼まれましたので、仕方なく解剖を承知しました。死んでからでもいじめられるのかと思うと嫌でたまりませんでしたが、世のため、他の子どものために我慢して協力してくださいと、先生方の頼みでしたので、承知したのでした。

「解剖室」には、棺も置いて線香や、御飯も茶碗についで、準備は整っていました。お経をあげてもらいました。そして、私に良

子の死体を解剖する部屋まで連れて来てくれとのことでしたので、私は抱いて部屋まで行きました。部屋に入った途端、私は逃げ出したくなりました。炊事場のようなところで真ん中に流し台を置き、その中に血のついた「出刃包丁」や「刺身包丁」のようなものを、4、5本置いてありました。

「その上に乗せてください」と先生から言われ、ほんとうに人間じゃなか、このまま連れて逃げたいのを我慢して目をつむり、置いてきました。ガタガタふるえたのはその時からです。

解剖して4カ月目頃、解剖の結果がわかったのです。新聞で知りました。

死んで初めてわかった病名が、水俣病。なんでもう少し早くわかってもらえなかったのか。元気でいる頃、何度も入院をお願いしたが許してもらえませんでした。小児麻痺は入院しても同じだからとの冷たい言葉でした。

「いえ、この子は、父が水俣病だからきっと水俣病かもしれません」と、何度も何度もお願いしてきた3年間でしたが、ぜんぜん聞き入れてもらえなかったです。何もかも恨めしいです。一生、この恨みは忘れはしません。今でも、私は後に子どもを産めない身体になってしまったと、産婦人科の先生に言われました。ほんとうに水俣病はどんなに怖ろしいものか、身にしみてわかります。

このような結果を出した工場に対する憎しみは、決して忘れることはできません。

（出典）
『水俣病を伝える 豊饒の浜辺から 第五集』水俣病センター相思社編・発行 2008年3月 P25-33より転載

水俣事件を
「記録」しつづけて

写真と文
桑原史成（フォトジャーナリスト）

　僕が水俣病の取材（撮影）に関わったのは、1960年7月からで61年になろうとしている。水俣病の公式確認はそれより4年前の56年5月1日、2021年の今年は65年の節目ということになる。

　僕が水俣病という出来事を知ったのは、当時、発売された『週刊朝日』（1960年5月15日号）の「水俣を見よ」という十数ページに及ぶ特集記事に夜汽車の中で"遭遇"したことから始まる。当時、この水俣で起きている出来事は"奇病"ともいわれ、知っていたのは現地のほかは九州の一部の住民達、行政と医療関係者（熊本大学も）などであったと記述しても間違いではなかろう。

　当時、水俣市立病院には水俣病患者を収容する専用病棟の一棟があり、当時の記録で83名が発病し、うち33名がいわば悶絶状態で死亡していた。生存者50名中の32名は自宅に、残り18名がこの病棟に収容されていた。僕にとって、この事件の撮影は、入院患者の全員と水俣の漁村部落の自宅でひっそりと床に横たわる患者を記録することであった。とはいっても全員というわけにもいかず、典型的な患者や家業の状況を考慮して10家族をそれぞれ撮影、記録することにした。以降、1980年代まで一部の家族をのぞいて継続してほぼ撮影は一段落した。

　市立病院には"生ける人形"と地元のメディアが伝える小児性の女児がいて、父母は漁師で彼らの早朝の漁や生活ぶりにカメラを向けた。また、突然にけいれんを起こす女性の患者、指が硬直し変形した元網元の漁師を追った。僕が撮影を開始した頃は、「胎児性水俣病患者」という用語は使われていなかったが、漁村の自宅では魚介類を直接、食べることのない幼児が出生と共に水俣病に侵されていた。当時、その胎児性水俣病患者は十数名いたと記憶する。

　水俣病が公的に確認された1956年に生まれた胎児性水俣病の患者達が、77年の1月15日に"成人の日"を迎えて、僕は水俣事件のその後を取材した。世界で著名な写真家、米国人のユージン・スミスも70年代の初頭に撮影した胎児性の智子と家族を、僕は"成人の日"に撮影する。晴れ着を身につけ笑みをたたえる智子と父親を撮る。彼女はこの年の暮れに他界した。

　フォトジャーナリストという職分では、「水俣」以外のテーマをも追いかけなければならない。初期をのぞいて可能な限り、年に一度は水俣を訪れるように努めてきている。1970年代にベトナム戦争を取材していた頃から、写真は「伝える」ことと共に、「記録性」という要素があることに気づいた。僕の撮影した写真は細やかな記録だが、後世に残ってくれればありがたい。

成人の日に、晴れ着を身につけた上村智子さんを父が抱く（1977年1月15日撮影）

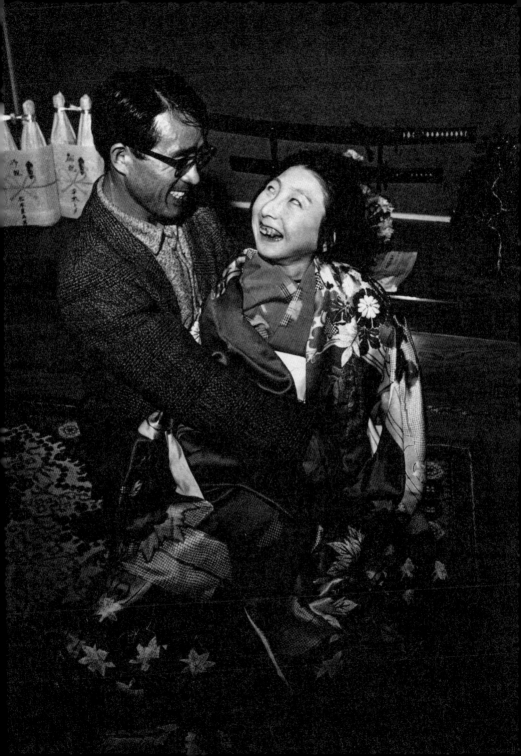

患者会の立場から

苦しみを分かち合い、共に闘う
全国の公害被害者

森脇君雄（全国公害被害者総行動代表委員）

1935年岡山県生まれ。高校卒業後、名古屋・東京・大阪で仕事をする。タクシー運転手をへて、大阪・淀川勤労者厚生協会に就職。西淀川区大和田の病院づくりを通してぜん息患者と出会い、公害反対運動に取り組む。西淀川公害患者と家族の会事務局長をへて会長。西淀川公害裁判原告団長。元全国公害患者の会連合会幹事長。

大阪の公害と四日市裁判

　大阪市の西淀川の公害は都市型の複合大気汚染（発生源が工場と自動車）です。戦前の大阪は工業の発展の象徴として「煙の都」を誇らしげに語る風潮があり、公害の発生が認識されにくい状況がありました。1961年頃に石炭から硫黄分を大量に含む重油にエネルギー源の切り替えがあり、ぜん息などの被害者が一気に増えました。

　大阪では1971年2月に「大阪から公害をなくす会」ができて、府内の公害反対運動の連携・協働が広がりました。とりわけ大阪市の南にある堺市のコンビナートからの公害が社会問題となっており、公害反対運動は政治を変える運動へとつながりました。左藤義詮知事は大阪万博を成功させた知事でしたが、「公害知事さんさようなら　憲法知事さんこんにちは」をスローガンにして府知事選が闘われ、黒田了一知事が誕生しました。同じ71年のことです。

　公害被害者（患者）を組織するのは、そ

れより少し遅くなります。公害被害者を組織するまでは、公害をなくす運動が中心でした。大気汚染は四日市だけではなく大阪もひどく、当時私はタクシーの運転手でしたが、真昼間に車で灯り（ヘッドライト）を点灯しても、光が届く範囲は3mから7mぐらいで、ひどいスモッグの中にずうっといるという状況でした。そして、私も家族も気管支ぜん息となり、公害患者となりました。

　四日市の公害裁判で原告が勝ち（1972年7月）、公害被害者が救済されることを知りました。そして、我々も被害者救済を勝ち取るために、「西淀川公害患者と家族の会」を結成（72年10月）しました。

　厚生省（当時）の公害課長だった橋本道夫さんが環境庁（当時）に移り、全国の7つの被害地域の患者を集めて被害者から話を聞き、「公害健康被害補償法（以下、公健法）」が作られました。この時に初めて全国の公害患者が集まりました。この被害者の集まりが、「全国公害患者の会連絡会」（1973年11月）につながって

いきます。この連絡会は、81年5月に「全国公害患者の会連合会」として職員をおく組織になっていきます。

被害者の全国組織をつくる

　全国公害患者の会連絡会は大気汚染の患者の集まりですが、それよりも広範囲の全国の公害被害者の集まりが「全国公害被害者総行動」です。

　大阪の豊中市で開催された青年法律家協会の全国公害研究集会（1973年7月）にて、私は全国の公害裁判に関わる弁護士集団に初めて出会いました。当時は豊中にある大阪国際空港の騒音問題が裁判となっていました。その中で私は「西淀川で裁判をしたい」と発言しました。振り返ってみると、これが西淀川公害裁判の出発点となります。

　私達は、被害者の全国組織をつくるため、被害者総行動を立ち上げました。公害問題を全国レベルで議論するために必要な組織でした。イタイイタイ病は小松義久さん、大阪空港裁判、名古屋新幹線（騒音）、予防接種で被害を被った人、水俣病や薬害スモンの人達も出てきて、第1回の全国公害被害者総行動（1976年6月）には82団体が集まりました。東京の文京区本郷にあったふたき旅館に患者が集結しました。それぞれの公害被害者が訴える中で、耐えがたい苦しさを感じました。特にカネミ油症の被害者の話は衝撃的でした。脇の下にぶつぶつが出てウミが弾け出ている様子を、脇を出して見

せてもらい、ショックを受けたことを覚えています。

　カネミ油症の原因となったPCBの製造をした鐘淵化学が大阪にあったので、企業交渉の部分で共闘していたし、薬害のスモンに関しても、原因となった整腸剤を製造していた田辺製薬と武田製薬の本社が大阪にあるので、総行動の前から企業交渉で共闘をしてきました。運動は一緒にしてきたけれど、被害者の声を聞いたことはありませんでした。私は岡山の田舎の出身なので、群馬県安中市で起きたカドミウムによる農作業の被害の安中鉱害やイタイイタイ病の被害は、農村地の被害としてよく理解できました。岡山の倉敷は水島のコンビナートによる大気汚染で、イ草が枯れてしまい、イ草で生計を立てていた人の生活が苦しくなってしまいました。同時に、田舎から水島の工業地域に就職をしていく様子も見ていました。総行動に関わる中で、様々な被害を聞くことができ、農業地域と工業地域の両方の苦しみがわかったように思いました。被害の苦しみをひとつずつしゃべることが、大切だと実感しました。

総行動は現在も続いており、毎年各省庁や企業団体と交渉します。総行動に参加するのに一人3万円はかかります。代表を東京に送るために、西淀川公害患者と家族の会の会員が1万円ずつ負担しました。そのうえ、会場費など分担金を被害者で賄っていくのはほんとうにたいへんでした。西淀川の公害反対運動は、弁護士主導でも学者主導でもなく、被害者が中心の運動でした。総行動は弁護士や学者との出会いの場所でもあり、大切だったのです。

　四日市の公害裁判の後、大気汚染の被害者は千葉（1975年）、西淀川（78年）、川崎（82年）、倉敷（83年）、尼崎（88年）、名古屋南部（89年）、東京（96年）と次々に声をあげて裁判を起こしました。

　橋本道夫さんは公健法を作ったけれど、大気保全局長として大気汚染物質である二酸化窒素の環境基準を、1978年に2～3倍も緩和してしまいました。ちょうど西淀川で裁判を起こした年です。裁判では環境基準以下にするようにと提訴（差止請求）したのに、その環境基準が変わってしまいました。同時に経団連（日本経済団体連合会）は、環境基準の緩和を受けて公健法をつぶす運動を本格的に展開しました。総行動は裁判だけでなく、環境庁や経団連と闘ったのです。

国際的な世論にふれて

　1992年に開催された、ブラジル・リオデジャネイロでの地球サミット（国連環境開発会議）に日本のNGOとして、全国公害患者の会連合会が参加したこともよい経験となりました。「公害は終わった」と主張する日本政府に対して、「公害は終わっていない」と公害患者として主張しました。日本のNGOブースの隣に経団連ブースがあり、その人達から「発言してくれてありがとう。日本として恥をかかずにすんだ」と言われ、経団連の中にも話ができる人がいるということを知りました。地球サミットでNGOの発言の力を見て、環境省との関係も見方も変わりました。NGOには政府と対等に接する力があることがわかりました。自分達、公害患者もそういう立場にあるということを認識し、考え方が変わりました。

公害地域再生の願い

　1972年に四日市を訪問した時、四日市の工場群が駅から見えました。判決後でも煙が出ていました。川には魚がいません。街中にあった企業住宅は引っ越して、四日市の街は過疎化している印象でした。

　1991年に西淀川で「地域再生プラン」の絵を描いたのは、公害裁判をしても街がさびれるのではなく、子孫が住みつづけたいと思うような街になってほしいと考えたからです。この地域再生プランを作ることや、公害地域の再生の考え方は、宮本憲一先生から学びました。西淀川は「手渡したいのは青い空」というスローガンを掲げて署名活動を行いました。「手渡したいのは青い空」には、子孫のための運

動という意味があります。

地域再生プランを見て企業も驚いたけれど、国も驚いていました。私は1993年4月19日にOECD（経済協力開発機構）のレビューのためのヒアリングや、同年6月11日に行われた環境基本法策定のための参議院環

大阪西淀川の「地域再生プラン」（出所）aozora.or.jp/nishiyodogawakougai/12.html

境委員会で、地域再生プランについて話しました。そうした場では、「なぜプランまで制作するのか、被害者組織は裁判をすれば終わりじゃないのか」と質問されました。裁判で企業と和解した後、経団連で「すばらしい和解だった、いいプランですね」と言われました。企業和解した95年に神戸の大地震があって、大阪も阪神地域も地震で壊れてしまいました。被告企業だった電力会社やガス会社も、この街をつくり直す必要がありました。だから被告企業にまちづくり案が受け入れられたのだと思います。

私達の要求である「手渡したいのは青い空」を実現するために、裁判の和解金を基金にして、全国で初めて公害患者によるまちづくりの集団（財団法人公害地域再生センター、愛称あおぞら財団）をつくることを提案できました。その後、各

地の大気汚染裁判が勝訴となり、様々なかたちで公害患者からのまちづくりが行われました。

私はあおぞら財団の初代の理事長となり、いろいろと試みましたが、企業と行政と住民のパートナーシップはまだ十分達成されておらず、広域の問題に取り組むには私達の力量が足りなかったと実感しています。1998年の国土交通省との和解で道路連絡会という話し合いの場を設けることになりました。その話し合いを続けてきたこと、環境省や大阪府・市とも粘り強く交渉を続けたことによって青い空は取り戻せたと思います。

まだ残っている課題、環境再生の夢である行政や企業と住民とのパートナーシップが、未来に実現してほしいと願っています。

（聞き書き・構成／林美帆）

医師の立場から

公害疾患イタイイタイ病は
今もなお続く

青島恵子（医療法人社団継和会 萩野病院 院長）

1950年生まれ、東京都出身。77年札幌医科大学卒業。79年から富山医科薬科大学医学部公衆衛生学助手となり、萩野病院非常勤医師としてイタイイタイ病の臨床研修に携わる。2004年に大学を退職し、萩野病院副院長に就任。07年より同病院院長に。医学博士。

イタイイタイ病とは

イタイイタイ病の名が世間に初めて登場したのは、1955年8月4日付富山新聞朝刊の「（富山県）婦中町熊野地区の奇病 いたい、いたい病にメス」という見出しの八田清信氏による記事です。「これまで医学界に報告されていない奇病が多発しているので、日本医学界の権威たちが十二日ごろ大挙来県、正体究明のメスを入れることになった」という書き出しで、「婦中町萩島、添島、蔵島（旧熊野村）に大正十二、三年ころから『イタイ、イタイ病』といわれる病気にかかる者が多く、すでに百人余りが死亡、現在は重症者四十二人、初期とみられるもの六十三人がこの奇病に悩まされており、どうしてもなおらぬところから『業病』とあきらめている人さえいた」と記されています。

また、「この病気を最初に研究したのは同地区唯一の病院である萩野病院長萩野昇博士で昭和21（1946）年、戦地から帰還後から（中略）研究を続け、（以後、略）」として萩野昇先生（当時39歳）の顔写真

が掲載されています。この記事からは、イタイイタイ病発生後、すでに30年以上が経過しているにもかかわらず、1955年まで社会問題とされなかったことがわかります。なぜ遅れたのか、その理由は現在まで明らかにされていません。

ようやく始まったイタイイタイ病の調査・研究は、その初期は、病像・病態、診断、治療に関する臨床医学的研究が中心であり、加齢、低栄養、多産、重労働などが病因とされました。鉱害が原因であるとの指摘もありましたが、具体的な調査・研究はなされませんでした。そのような中、農学・経済学博士である吉岡金市先生が、同地域に農業被害と共に、イタイイタイ病が多発していることを知り、萩野先生の協力を得て調査を実施しました。1961年6月に吉岡先生は「神通川水系鉱害研究報告書――農業鉱害と人間鉱害（イタイイタイ病）」を公表し、初めてカドミウム中毒の可能性を指摘しました。この発表を契機に、国・富山県など行政による調査・研究が62～63年から

開始され、それらの成果に基づき、厚生省（当時）は、「イタイイタイ病は、三井金属鉱業（以下、三井金属）神岡鉱業所から排出されたカドミウムによる慢性中毒であり、まず腎臓障害を起こし、次いで骨軟化症をきたす、公害疾患である」とする見解を、68年5月に発表しました。ここにようやく国・行政による対策が開始されることとなりました。

神通川上流の高原川沿いに存在する三井金属神岡鉱業所の生産活動により、イタイイタイ病が発生しましたが、企業自らはその責任を認めないため、イタイイタイ病患者・家族らは裁判を起こして、その責任を追及せざるを得ませんでした。1968年3月、イタイイタイ病患者・遺族・被害地域住民は、三井金属に対する損害賠償請求を行い、71年6月30日の判決（富山地方裁判所）では、患者・住民側が勝訴しました。三井金属は判決を不服として控訴しましたが、72年8月9日の控訴審判決（名古屋高等裁判所金沢支部）においても、住民側は勝訴しました。

住民と弁護団は、控訴審判決翌日の8月10日に、三井金属との直接交渉を東京本社にて行い、「イタイイタイ病の賠償に関する誓約書」、「土壌汚染問題に関する誓約書」、立入調査に関する「公害防止協定書」を締結しました。これらの3つの文書のうち、あとの2者の誓約書と協定に基づく住民の活動が、カドミウムに汚染された環境の再生・復元の出発点となっています。

私とイタイイタイ病

1979年4月、富山医科薬科大学（現富山大学）医学部公衆衛生学講座の助手として、初めて正規の職を得た私は、富山へ赴きました。イタイイタイ病発生地域を一望できる丘陵に建つ大学への出勤初日に、恩師である加須屋實教授より、萩野先生の依頼により、萩野病院へ毎週1回、半日、研修に行くことになっていると告げられました。それまで本やテレビを通してしか知りえなかった公害疾患であるイタイイタイ病に、直接携わることができると知り、感激しました。

数日後病院を訪れた私は、すぐに、萩野昇先生と診察机を挟み相対する位置での診療が始まりました。前に置かれた丸椅子に、次々と絶え間なく座る患者は、すべてイタイイタイ病の方でした。午前8時から11時近くまでの外来診療、その後入院患者の回診があり、休憩なしの忙しさでした。図1（P112）に、1965年から2015年の50年間の「萩野病院におけるイタイイタイ病患者の年度別受診者数」を示します。79年の受診者数は105人、1人の方が週1〜2回受診されていたことから、当時の多忙さがうなずけます。

患者の方々は、イタイイタイ病について何も知らない、初対面の医師に対して

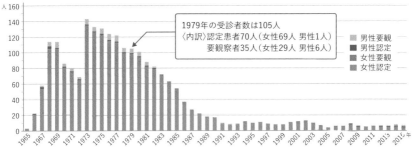

図1 萩野病院におけるイタイイタイ病患者受診者数の年次推移（1965〜2015年）（出所）図1・2は筆者作成、未発表

1979年の受診者数は105人
〈内訳〉認定患者70人（女性69人 男性1人）
要観察者35人（女性29人 男性6人）

男性要観
男性認定
女性要観
女性認定

やさしく接してくださいました。病名の
ように、「痛い、痛い」と訴えるとばかり
思い込んでいました。しかし、「痛くはあ
りませんか？」とたずねても、「耐えられ
ない痛みではない」とおっしゃる方がほ
とんどで、じっと耐え忍ぶその言葉から、
痛みのひどさ・つらさを痛感しました。

新しい患者との出会い

　1980年8月、右下肢のつけ根の痛みと
そのために歩けないと訴えて、萩野病院
を初めて受診した66歳の女性を診察す
る機会を得ました。カドミウム汚染地域
に住み、農業に従事し、50歳頃から下肢
に痛みがあり、鉱泉へ行ったり、アンマ
にかかっていました。働き過ぎか、神経
痛ぐらいに思っていましたが、だんだん
と痛みがひどくなり、2年半前ぐらいか
らは、胸の骨も痛くなり、くしゃみやせ
きはもちろん、深呼吸をしても痛みがあ
ります。そのために寝返りも不自由でし
た。痛みのために2〜3cmの段差も足を
上げることができず、歩行も困難でした。
X線写真を見ると、肋骨に9カ所、両大
腿骨に1カ所ずつ、合計11カ所に骨の亀

図2
イタイイタイ病の
自然史

裂（「偽骨折」といい、骨軟化症に特徴的
な所見）が見られました。尿にはタンパ
ク・糖・アミノ酸などが出ており、腎臓
の障害が認められました。このような症
状・所見は、これまでにイタイイタイ病
として報告されている症例と同じでした。
病名を告げると、「イタイイタイ病という
名前は聞いたことがあるが、どんな病気
か知らない。自分の住んでいる地域にイ
タイイタイ病という公害病があったらしい
が、もう昔のことで、そんな病気が今もあ
るとは思ってもいなかった」と語りました。
　イタイイタイ病は、きわめて長い時間
を経過して典型的な症状・所見を示しま
す（図2）。上記の66歳の女性の方も、51
歳の時に富山県による住民健康調査で尿
糖・尿タンパク陽性を指摘されています
が、当時は骨の痛みなどの症状はありま

せん。腎臓障害（近位尿細管障害）のみの段階では、口が渇く、あるいは尿量が多いという程度で、病気としての自覚症状はありません。腎臓の障害により、骨を形成するカルシウムやリンの代謝異常が起こり、X線写真において骨軟化症に特徴的な骨の亀裂を示すまでには、さらに長期間を要します。

イタイイタイ病患者は、たとえ主治医がイタイイタイ病と診断しても、補償を得ることはできません。公害健康被害補償法では、富山県知事によるイタイイタイ病患者としての認定が必要であり、認定審査会の諮問をへて認定されることにより、初めて医療費などの補償を受けることができます。前述の女性も、富山県知事に対して患者認定申請を行いましたが、その結果は却下でした。公害病とは何か、認定制度とは何か、という問題に直面させられることになりました。

21世紀のイタイイタイ病

イタイイタイ病は慢性カドミウム中毒症の最重症型（図2）であり、その早期に、腎臓の近位尿細管機能が障害され、尿中にブドウ糖、アミノ酸、リン酸、尿酸、尿 β 2-ミクログロブリンなどの低分子量タンパクの排泄増加が起こります。カドミウムは体内蓄積性が高く、現在でも汚染地域の80代以上の高齢住民には、男女を問わず、近位尿細管機能障害（カドミウム腎症）が多発・持続しています。しかし、国（環境省）が公害疾患として認

めているのはイタイイタイ病のみであり、カドミウム腎症を公害疾患として認めてはいません。私達の最近の研究では、カドミウム腎症の重い患者で、かつ血清中のリン濃度が低い状態が長期に持続する時、骨軟化症、すなわちイタイイタイ病の発症を男女において見出しています。活性型ビタミンDによる治療を行っている場合には、骨軟化症の発症は抑えられますが、腎機能の低下は進行し、慢性腎不全、腎性貧血を発症します（図2）。

1967年のイタイイタイ病認定制度開始から2021年1月までの認定患者数は200人（女195人、男5人）であり、同年3月末時点の生存者は1人（女）のみです。しかし、2000年以降においても29人（女26人、男3人）が患者認定申請を行い、そのうち17人（女15人、男2人）が認定されているように、イタイイタイ病は、21世紀の今もなお続く公害疾患です。

私は2004年3月に富山医科薬科大学を退職し、同年4月に萩野病院に転職しました。日常的に、また責任をもってイタイイタイ病ならびにカドミウム腎症の方々の治療、さらに予防活動を行いたいと思ったことが、転職した大きな理由でした。大多数の患者の方々は亡くなられました（図1）が、当院で保管するイタイイタイ病患者約300人の診療記録やX線フィルムをもとに、臨床諸データをまとめています。イタイイタイ病とはどのような病気であったのかを、後世に残すための大切な仕事と考えています。

支援者の立場から

新潟水俣病の地域で生きて
文化をつくる

旗野秀人（新潟水俣病安田患者の会 事務局長）

1950年、新潟県阿賀野市生まれ。71年水俣病と出会い、家業の大工を継ぎながら、新潟水俣病未認定患者の運動に取り組みはじめる。ドキュメンタリー映画『阿賀に生きる』制作発起人。映像『阿賀野川・昔も今も宝もん』、絵本『阿賀のお地蔵さん』等を制作。水俣と阿賀に地蔵建立。水俣病問題を文化運動として展開し、現在に至る。新潟県立環境と人間のふれあい館運営委員、冥土のみやげ企画、旗野住研代表取締役。

安田町からの初めての認定患者

　私が生まれ育った新潟県阿賀野市の旧安田町は阿賀野川河口から約30km上流で人口約1万人、首長が半世紀も変わらない保守地盤の土建屋大国でした。そんな旧態依然の土地柄や家業の建築大工が嫌になって1971年の暮れに21歳で上京、チッソ東京本社で直接交渉中の水俣病患者・川本輝夫さんと偶然にもめぐりあったのです。新潟の現状を問われたのですが、安田町にはまだ認定患者は出ておらず他人事でした。「ここにいるより地元に帰ったら」と言われ1週間ほどで帰宅、私の「阿賀に生きる物語」のはじまりです。

　1972年1月に初めて町内から認定患者が出て、恐る恐る川筋の集落を訪ねます。「水俣病の話なんかできねぇ」と門前払いされて泣きべそかいたら「普通のお茶飲み話なら寄りなせぇ」とキヨミさんが声をかけてくれました。そして、長女が中学の同級生とわかった途端に打ち解け、自ずと水俣病の話も出ました。子ども達への影響が心配で認定申請できないでい

ること、夫の栄作さんは砂利運搬船の船頭で申請したが棄却になったこと等。

　二人が暮らす千唐仁集落は約100戸、その8割方が川に何らかの関わりがあって栄作さんも船頭ひと筋で、その実直さは村の誰からも信頼されていました。おおよそ活動家のような性格ではなく、いつの間にか船頭仲間と共に行政不服や再申請運動を始めていたといいます。キヨミさんも肝っ玉オバサンで面倒見がよく、誰からも好かれ、一軒ずつ訪ねて「地元で集団検診を実現させる会」の要となります。新潟は四大公害の先駆的な闘いで広く知られていますが、この市川さん夫妻の素朴な「村の道路普請請願」のような運動もありました。

　当時の町長は栄作さんと同級生で「地元での集団検診」はいつも通りたやすく承諾すると思っていたのが、あっさりと断られます。町長は初めての認定患者が出ると、弁護士資格をもつ元新潟県知事を代理人に「明和会」という保守系の患者会を素早く設立。革新系の共闘会議の

再三にわたる患者組織の一本化をかたくなに拒み、昭和電工と直接交渉します。

　断られた栄作さん達は保健所長や県会議員にもあたりますが「本人申請制度があり集団検診の必要はない」とかないません。やむなく共闘会議の傘下にある病院に自主検診を依頼しますが、新たな問題も発生。新潟には前例がない行政不服は馴染まないと栄作さん達は除外され、検診する病院が「認定審査会」化し、100人余りの受診者の半分も申請できませんでした。結局、県の審査会でも全員が棄却となって1982年の第2次新潟水俣病訴訟へとつながります。

映画『阿賀に生きる』の誕生

　関わって5年目、忘れられない事件に遭遇します。親しく通っていた未検診のアキさんが42歳の若さで4人の子どもを残し自死。自分の無力さを知り愕然としました。それでも「いつも側にいてやることがお前の仕事だ」と、母のひと言に背中を押され泊まり込みで葬儀を手伝います。親戚以上と言ってくれた夫の晴雄さんは安田患者会の会長になり、進路に悩む次男は、わが社に弟子入りして大工になりました。

　負け続きの10年で、システム闘争の限界にも気づきます。行政不服の口頭審理で栄作さんが川筋暮らしの一生を語り、長老の七太郎さんはふるえる手で好物の川魚をカタカナで反論書にします。処分庁は「高度の学識と豊かな経験をもとに

阿賀野川は半農半漁の人びとの生活の一部、物資を運ぶ川船が行き交う交易路だった

水俣病とは認められない」と通達。このすくい取ってもらえない「宝もん話」を1981年に、ガリ版刷りの聞き書き集「あがの岸辺にて」に結実します。

　31歳で人生の師と仰ぐ、餅屋の作二ジィちゃんに「活動家はダメだ、とにかく所帯を持て」と急がされ金婚式と合同で式を挙げ、おまけに新婚旅行も一緒でした。

　1982年の第2次訴訟は弁護団、共闘会議が全面的に担い、私は安田患者会の事務局として地裁への送迎や使い走りを続けながら、裁判後を視野に運動は苦手でも阿賀大好き人間を巻き込む「それぞれの阿賀・流域展」に備えます。

　1984年、ドキュメンタリー映画『阿賀に生きる』の監督になる佐藤真さんと思いがけない出会いがありました。飛んで火に入る夏の虫。早速、聞き書き集「あがの岸辺にて」を酒の肴に初対面にもかかわらず呑み明かします。熊本は文学、映画、写真など表現者が大勢いるのに新潟は何もない。「宝もん話」が山ほどあって役者も揃っている。日常の暮らしをそのまんま撮れば映画になるはず、と挑発しました。89年、原告だった盛雄さんの空

き家を借りて「阿賀の家」と命名、始動します。全国からのカンパ3000万円で映画は3年後の92年に完成。題字は地元の高校教員で書家の小山素雲さんが書いてくださいました。町民体育館がほぼ満席の画期的な上映会となって日頃は補償金目当てのニセ患者扱いが、この日は映画スターの晴れ舞台でした。

　翌年、出演し一緒に完成を喜んだ患者さんが相次いで死去、「阿賀の岸辺にて」と題した追悼集会を始めます。全国からの参加者も多く毎年5月4日の連休に開催。午前は感謝を込めて『阿賀に生きる』を無料上映、午後は講演や歌舞音曲何でもあり。夜の大交流会は縁結びの場にもなってカップルが何組も誕生しました。

　完成から10年、再び佐藤真監督は小林茂カメラマンと『阿賀の記憶』を撮ります。20年の節目には『阿賀に生きる』のニュープリント版も完成、2本揃って国立フィルムセンターに永久保存されました。

冥土のみやげ話を作ってやろう

　提訴から13年半、第2次訴訟は政治決着し1996年に和解します。安田患者会は集団検診を求めた100人余りが、和解後には10人ほどになっていました。

　「やっと裁判、終わった」と、安堵の声。今後のことをたずねると「温泉に行って湯治をしたい、みんなでカラオケ歌いたい」とのこと。早速、初めての1泊温泉旅行に川向こうの咲花温泉へ。裁判の間はずっと我慢していたと、全員がカラオケを歌い温泉に浸かって楽しんだ朝、「旗野さんありがとうね、これでまた冥土のみやげができたよ」。患者さんの素朴な願いに初めて気づきました。裁判を勝つためには「悲惨で、救済してやらねばならないかわいそうな人達」という患者像を強いてきたのではないか。高齢の同志が次々と亡くなっていく不安の中で、残された時間はとにかく「水俣病にはなってしまったが、生きていてよかった」と喜んでもらえる「冥土のみやげ話」をいっぱい作ってやろうと思いたちます。定宿となる咲花温泉・柳水園でのお花見会やカラオケ大会に望年会。なかでも一番人気は、お参りするとコロリと逝ける「会津ころり三観音巡り」でした。ナミさんは唯一、認定となって会を抜けますが、あまりに楽しい未認定の会へ復縁するという、嬉しい事件もありました。

阿賀のお地蔵さん

文化活動を楽しく豊かに

映画『阿賀に生きる』は国内外で反響を呼び話題となりましたが、「お地蔵さん建立」も新しい物語を紡ぎます。1体目は1994年に川本輝夫さんの発案で、安田の石工の漆山昌志さんが阿賀の石で彫り、熊本の水俣湾埋立地入口に贈呈。2体目は1998年、裁判が終わっても認定未認定の軋轢（あつれき）は収まらず、事件発生前のお互い様の絆を願って千唐仁集落に建立。自治会長さんは「村のお祝い事だ」と言って、有料だった集会場の使用料を初めて集落の人と同等の無料にしてくれました。

水俣と阿賀、2体のお地蔵さんが向かい合っていることから兄弟地蔵とも呼ばれ、神戸のイラストレーターWAKKUNが震災と水俣病をテーマに、子ども達が読んで元気が出る絵本『阿賀のお地蔵さん』に仕上げます。

憧れの全国の書店に並んだのも束（つか）の間、大量の返本。しかし現場の先生方の協力で新潟県が県下の小学校に全校配布。公害教育から環境や人権教育に変わっても、絵本は大活躍中です。その後、留学生との縁もあってモンゴル語や中国語、韓国語版もできました。

2007年、足尾鉱毒事件で知られる渡良瀬川（わたらせ）沿いの雲龍寺に阿賀の石で地蔵を建立。12年には渡良瀬の石で足尾以前に古河鉱業が公害を起こした鹿瀬の草倉銅山（かのせ・くさくら）にも計画しますが、昭和電工の企業城下町ということもあって頓挫（とんざ）します。しかし、15年開催の新潟市「水と土の芸術祭」で佐藤真監督のように突然現れたアーティスト髙橋伸行さんが「旅地蔵」として河口から草倉銅山跡までリヤカーで行脚（あんぎゃ）、流域の評判を呼び一挙に好転し鹿瀬ダム脇の神社跡に16年に建立します。しかも地元の若い人達がお地蔵さんを囲んで盆踊りの復活まで演じました。

2018年には鹿瀬で唯一のお店の丹藤（たんどう）商店を舞台に『丹藤商店ものがたり』を、そして20年には定宿の咲花温泉・柳水園を舞台に『柳水園ものがたり』を出版。21年は103歳で亡くなった渡辺参治さんの『安田の唄の参ちゃん』増補版を制作。いずれも地元のエッセイスト里村洋子さんの著作で「冥土のみやげ企画」発行です。

参治さんは水俣病を大好きな民謡で克服した人。追悼集会では毎年トリを飾り、米寿にCDアルバムを制作、100歳記念には花火もあげました。二人三脚で行脚した「冥土のみやげ全国ツアー」は一生の宝もんです。参治さんの歌声、里村さんの著作、映画に絵本にお地蔵さん。どれもが新潟水俣病事件の文化運動を楽しく豊かにしてくれました。そして、若い人たちがおもしろがって「冥土連」（冥土のみやげ全国連合）を立ち上げてくれたことは何よりも嬉しいことです。

P115,116,117の写真提供／冥土のみやげ企画

行政の立場から

人に向き合う、歴史に向き合う、
いのちに向き合う

潮谷義子（前熊本県知事）

1939年佐賀県生まれ。10代半ばにキリスト教の洗礼を受ける。日本社会事業大学社会福祉学部卒業。佐賀県・大分県で社会福祉主事、静岡のねむの木学園、熊本の慈愛園乳児ホームに勤務、施設長を経て、99年民間登用の熊本県副知事に抜擢される。1年後、現職知事の急死を受け、知事選に立候補し当選。2000〜08年、熊本県知事を2期8年務め、川辺川ダム建設問題や水俣病問題などの難題解決に取り組む。前慈愛園理事長。

ふるさとを「水俣」とは語れない

　私が「水俣病」を意識したのは1970年代後半です。何らかの理由で親と暮らせない0〜2歳の乳幼児施設で働いていた時、熊本県から2カ所の保健所を担当し就学前の子どもの発育検診を手伝ってほしいと依頼されました。そのうちのひとつが水俣保健所でした。

　検診の日、水俣駅からのタクシーで、問いかけもしないのに運転手の方が「あそこの家は水俣病患者」と話しだしました。

　すでに1956年5月1日が公式に「水俣病」が確認された日であり、68年9月26日にはチッソの工場排水による公害の原点として「公害病」に認定されていることも知っていました。しかしじつは"知っている"にすぎず、実態を理解していないことに気づかされるのに、さして時間はかかりませんでした。あらためて「水俣病とは……」と自らに問うきっかけがこの検診だったといえます。

　チッソ水俣工場は1932年から有機水銀を含む産業廃棄物を水俣湾、不知火海

一帯にたれ流し、豊饒の海を汚染海に変貌させ、魚達は息絶えてポカリポカリと海に浮き、それを食べたカラスやアメドリは空を飛べず、猫はよだれを流し、くるくると回転したり、直進したり、絶えず動き回りやがて死んでいきました。食物連鎖による影響はやがて人にも異変が出ました。人びとは猫からの感染とか、「奇病」、「伝染病」、「遺伝病」と恐れていました。

　水俣病は大人にだけ出現したのではありません。水俣病研究の第一人者であり、常に水俣病の人びとに寄り添いつづけた医師の原田正純先生（1934〜2012年）の存在を私は忘れません。胎盤は毒性や異物を胎児には及ぼさないという従来の学説に、へその緒をもとに調査分析を進め、「胎児性水俣病」の存在を立証されました。また、板井八重子医師は濃厚感染地域における有機水銀による胎内汚染のむごさについて、科学者の良心にかけて実施した実態調査分析から、流産・死産の発生が多いことを明らかにしました。

自分のふるさとを「水俣」とは語れない。一日も早くこの地を去りほかの場所で就職したいと願う人びとの存在、「腹いっぱい食えるのは魚じゃった」と言う貧しさの中で生きてきた人びとの言葉が、私にはつらく哀しく響きました。私の働く施設の卒園者の中には、「園名の入った封筒やはがき、小包は出さんでよ」とか「もう忘れたいから連絡しないで」と伝える人もいます。

弱者の立場に立ってこそ中立

かつて私は高度経済成長まっただ中で、地方公務員として生活保護を担当していました。生活保護は最低限度の生活を守る権利ですが、当時の世相は生活保護を申請する人は「惰民」という見方があふれ受給者は肩身を狭くしていました。

結婚のため大分県へ異動し、再び生活保護を担当しました。ある時、上司から「生保（生活保護）の申請者は役所の敷居が高いと思いながら、やっとまたいだと思う。君は法に忠実、しかし生保を却下された人は、これからどう生きていくのだろうと考えたことはあるのか？」と静かにただされました。そして時間があると国東半島や宇佐神宮、臼杵の摩崖仏等に案内され、「歴史は地位や財産、名のある人だけが動かしてきたのではない。名もない者は名もないまま没し、あってはならない差別や人権侵害で呻吟するようなつらさで生きてきた人、病や障がいを背負い、その苦しみの中で耐え、生命を

失った人、そんな人の存在も共に歴史をつくってきたことを忘れてはならない」とさとされました。

生活保護法、水俣病と施設入所が同質であるとは思いませんが、いずれも戦後の経済優先と結びついた現象であると考えます。現実を直視しつつ一歩前に進まなければならない点は共通しています。私は水俣病と出会うことによって「水俣病」を発生させた社会環境に真剣に向き合うことになりました。同時に、水俣病の人びととの出会いは、今でも私にとりましては師であり鏡です。

原田先生は水俣病の人びとを支え愛され、私には「現場から学ぶ」「差別をしない」「弱者の側に立ってこそ中立」「権力側に立てば何も見えなくなる」と繰り返し話してくださいました。一人芝居の役者・砂田明さんは、胎児性水俣病の孫をもつ年老いた漁師を描いた石牟礼道子さんの作品「天の魚」を舞台化され、魚を天の恵み、海を至福の環境としみじみ語られました。

漁師の娘、杉本栄子さん（1939〜2008年）は母親の水俣病発症で「うつる」と差別と偏見にさらされ、今日食べるお米にも困り、崖から突き落とされるという悲惨な経験をしました。しかし父親は「いじめ返してはならない」とさとしつづけました。後に、水俣病患者として「語り部」の役割を担い、「水俣病はのさり」（天からのさずかりもの）と表現し、他者、自然への思いやり、地域の融和のための活

動は本人の死に至る日まで続きました。こうした交わりの中から、私の座右の銘「いのちに頭を垂れる」は生まれました。

圧倒的勝利で知事に

1999年2月、私は当時の熊本県知事から副知事就任の依頼を受けました。「青天の霹靂」とは、こういうことでしょうか。この年、国では男女共同参画社会基本法が制定されました。一人副知事の県。男尊女卑、"よそ者"排除の気風色濃い県の女性副知事誕生は、法と女性の熱気に包まれて実現しました。

副知事の仕事のひとつに「水俣病生活保障基金運営委員会」があります。不条理の中で死に至った方々に黙とうして会議を始めることを提案しました。

しかし2000年2月、現知事急逝で突然に知事選出馬を余儀なくされました。すでに政治のベテラン男性二人の立候補の中で出馬した結果、圧倒的な勝利でした。県政には川辺川ダム問題、ハンセン病、そして水俣病の課題があり、いずれも共通して偏見、差別、分断、人権侵害、対立と重い出来事が顕在化していました。

知事の責務は「県政は県民から、未来社会からの預かりもの、負荷を残すのではなく、付加価値をつけて戻すもの」であると考えていました。この目標を遂行する手段として、ノースカロライナ州立大のロナルド・メイス教授（1941〜98年）が提唱したユニバーサルデザインに求めました。最初からハード・ソフト両面にバリアをつくらない、誰も排除しない社会、人は生きているだけで価値があるという私の信念を旨とし、施策の中心に県民がいることが大事と考えて舵取りをスタートさせました。

しかし現実は水俣病に限定しても課題山積、解決を要する問題も多種多様でありました。

最高裁判決で国と県は敗訴

知事就任3カ月目、水俣病認定申請書の職業欄に本人は「無職」と記入したのに、わざわざ「ブラブラ」と書き換えられていることを申請者に指摘されました。あらためて調査をした結果、「ニヤニヤ」、「ゴロゴロ」、「ヨチヨチ歩き」、「ボサーッとしている」、「焼酎の飲み過ぎ」等々、人を見下し、優越心が感じられる公的書類の内容が7000件以上見つかりました。

申請者は知事に謝罪を要求し、マスコミは大々的に報道しました。当然です。ウソのような本当の話……、まず担当者が、次に課長、部長と申請者のところに謝罪に行っては拒絶され、今度は副知事の番になった時、ついに私は「私が知事です。人権意識の乏しい職員を放置した私の責任です、私が謝りに行きます」と水俣に出向き謝罪しました。

しかし後日、「知事が簡単に頭を下げるべきではない」とお叱りを受け、私とまったく異なる価値観をもつ多くの人びとの存在を知りました。

2004年10月15日、水俣病関西訴訟最

高裁判決で、国・県の敗訴、原告勝訴が決定されました。この瞬間、私は権力側ではないにしても「加害者」側にいる自分を認識しました。行政にできることの検討を全庁あげて取り組み、胎児性・小児性患者の自立支援、不知火海の環境調査、水俣近郊に居住歴をもつ人びとの健康調査と共に、裁判に

2004年5月1日 水俣病犠牲者慰霊式にて

よって指摘された認定基準の見直しを国に提出する項目としました。

しかし、上京し直接説明しても一顧だにされませんでした。どの対策も大事ですが、特に水俣病救済と全面解決のためには決して「健康調査」の旗を下ろしてはならないと今も考えています。

小学校で「現地に学ぶ」授業を

自分の病は何だろう？水俣病？いやそう診断されたら困る、子ども・孫の就職、結婚にさわる、人に嫌われる、と考えて申請を躊躇する人びと。その一方で家族、親類は水俣病と診断され、自分も毛髪水銀値は高く、熱や切り傷の痛さがわからない。水俣病と思うのにそれでも何回申請しても却下される。「なんで？」と考えた緒方正実さんは、ついに「公害健康被害補償不服審査会」に異議を申し立て、結果、認定のやり直しが県知事に任せられました。私は彼を、諸手続き、診断をへて、「水俣病」と認めました。

例年5月1日、水俣病犠牲者慰霊式が執り行われます。巡ってくるたびに水俣病解決に向けて具体的な成果が出せない自分自身がなさけなく、申し訳なさで立ちすくむ思いをします。その反面、被害者の方々は接すれば接するほど人間としてやさしさと人間の未来を案ずる生き方を多くの方が示されます。再び絆をしっかりと結び合い"共生社会"を目指す姿が始まっています。

原田先生が常に口にされていた「現地に学ぶ」ことの大事さを小学校の社会科の授業の中で実施することにしました。水俣病の語り部に学び、今は環境の市"水俣"に変貌した姿を明らかに示すゴミの23種分別の現場見学をすることをプログラム化しました。

2期8年で知事の役割を終える決心をした時、「私の遺言」と伝え、この現地授業の継続を教育委員会のメンバーに依頼しました。これは現在も、「水俣に学ぶ肥後っ子教室」として続いています。

企業の立場から

イタイイタイ病の加害企業として
信頼を取り戻すために

渋江隆雄(元三井金属鉱業 執行役員・元神岡鉱業 代表取締役社長)

1951年生まれ。横浜市出身。北海道大学工学部資源開発工学科を卒業し、75年三井金属鉱業に入社。Malaysia Copper Foil社長を経て、2007～11年三井金属鉱業執行役員・神岡鉱業社長に就任し、イタイイタイ病の解決に取り組む。11年定年退職。現在は北海道大学新渡戸カレッジ・フェロー。

南米で資源開発をやりたい

　「公害」という言葉に接したのは高等学校の教科書だったと思います。しかし、それは大学受験用の知識を増やしたにすぎず、深く考えることはありませんでした。大学進学はまだ学生運動の残り火が燃え残っている時代で、校舎が活動家に占拠されており入学式はありませんでした。当時、キャンパスには立看(たてかん)と呼ばれる巨大な看板があちこちにあり、「ベトナム戦争反対」「沖縄返還」「成田空港建設反対」などの大書きの文字が並んでいましたが、その中に「公害」と書いたものを見た記憶がありません。

　南米で資源開発をしようと考えて、1975年に三井金属(通称)という会社に就職しました。入社の面接でも「君は南米に赴任できるか」という質問があり、すっかりその気になりました。入社後の教育でイタイイタイ病は終わっていないことを知りましたが、頭の中は南米モードなので、「ふーん」という程度にしか捉えられなかったのです。最初の配属先はイタイイタイ病の発生源である神岡鉱業所(かみおか)でしたが、イタイイタイ病の被害者団体(以下、「被団協」と略)と直接関わるわけではないので、ずいぶん排水にウルサイ会社だなと感じていた程度でした。その間に労働運動にも参画し、人員合理化などつらいことをいろいろ経験し、社会的な目を養うことができたことは人生の財産になったと思っています。

　ここまでは技術屋として神岡鉱業所にいたのですが、その後よそに転勤し、さらに本社人事部に配属され技術屋が人事屋に転身しました。この理由はいまだハッキリしませんが、労働組合でやり過ぎたとの意見も耳にしたことがありました。7年間東京にいて、1993年に総務課長として神岡鉱業(86年に直轄事業所から独立会社に分離)に赴任しました。

課題は発生源対策

　ここでイタイイタイ病の課題を説明します。第一は患者の救済と補償、第二は汚染田の復元、第三は発生源対策です。こ

の中で神岡鉱業所が担当する課題は発生源対策です。カドミウムをはじめとする重金属の排出量（排水、排煙）の削減と地表からの流出防止のための植栽活動があります。

　総務課長としての私のミッションは三つあり、一つ目は人員削減計画を作成しそれを成し遂げること、二つ目は社員、労働組合をまとめ一丸となって会社再生に向かうこと、三つ目は社外（官庁、役所、地域社会そして被団協）の理解・協力を取りつけること。

　この当時、日本は為替レートがさらに円高に急伸し、構造改革や事業の方向転換も追いつかず、またもや合理化が避けられない事態となりました。もちろん企業としては工程の改善やコストダウンの努力もしました。これまで鉛の鉱石から鉛地金を作る鉛製錬をやめて、車のバッテリースクラップから鉛を再生するリサイクル事業に切り替えたり、亜鉛製錬の溶解残渣処理法を変更、また採掘作業の一部休止など努力はしたのですが、あまりにも経済環境の変化が早過ぎました。労働組合との連日連夜の協議、去りゆく社員の退職辞令の交付など気の休まる時はありませんでした。

　このような中でも環境改善の取り組みは手を抜けません。しかし、被団協の要求レベルと会社がおかれたその当時の経済環境では取り組むスピードに差が出ます。毎年行われる被団協との全体集会では総務課長が司会を務めますが、何とか

2010年8月「全体集会」で挨拶する渋江社長（当時）。被団協に「解決のための協議テーブルに着いてほしい」と訴えた

要求事項を減らす、または先延ばしできないかとのらりくらりと進行しました。誠意がないと言われればそれまでですが、社員の合理化、賃金カットをしている最中の大赤字企業としては環境課題だけに経営資源を集中するわけにはいかなかったのです。この時が会社人生で一番苦しかった時代でした。

　神岡鉱業を離れ、研究所に転勤する時に新幹線の中でこの4年間を振り返り気づいたことがありました。加害企業にとって鬼のように怖かった被団協ですが、「社員のボーナスを減らしてでも環境に金をかけろ」とは言われなかったということです。被団協のみなさんは会社の尻をたたきますが、会社の苦闘、社員の忍耐すべてを見ていて決して法外な要求はしなかったのです。その時、イタイイタイ病はいつか解決できると思いました。

社長として神岡鉱業へ

　その後、転勤を重ねマレーシア勤務時代に神岡鉱業社長の内示を受けました。昔を思い出しながら、さて何をすべきかを考えました。技術屋として、総務課長

として、そして社長として神岡鉱業に勤務するようなキャリアの者は二度とあらわれないだろう。あと数年で汚染田の復元工事は終了するはずです。この大きな区切りに社長としてイタイイタイ病解決の申し入れができるように最後の努力をしようと考えました。

神岡鉱業代表取締役社長という名称は地元では一目置かれる名士ですが、こと公害においては悪役の代表選手のようなものでした。総務課長時代の経験から、問題解決にはマスコミに正確な記事を書いてもらうことの必要性を感じていました。会社が努力してきたこと、つまり社員・協力会社が苦労して改善してきた努力・成果をきちんと世間に評価してもらうことが社長の仕事です。そう考えていた矢先に某新聞社からインタビューの申し出がありましたので、率直に意見を述べました。どのような反響があるのかビクビクしていましたが、耳に入った限りでは好評であったと思います。それまで加害企業のトップが紙面に登場することはほとんどなく、出れば袋だたきに遭うこと必定でした。これ以降マスコミは「加害企業＝悪」という単純化した記載ではなく、きちんと話を聞き正確に記載してくれるようになったと感じています。

2008年12月、イタイイタイ病提訴40周年記念に際し、被団協の高木勲寛会長から講演を依頼されました。これもどのような反響が出るのか不安一杯でしたが、講演内容は好意的に受け止められ大きな

拍手をいただきました。近藤忠孝弁護団長（故人）の後日のコメントに「40年の歴史はただ流れてはいない。不倶戴天の敵が、無公害産業実現の共同事業者に変わった発展がある」と評されています。また高木会長は全体集会で、被団協と会社の関係を「緊張感ある信頼関係」という言葉で表しました。ようやくここまで来たか、という喜びが胸に迫りました。

私が社長として神岡鉱業に赴任するまでに水質のレベルはほぼ自然界値まで下がっており、あとは水質レベルを安定させることです。また非常時の対応システム・設備はほぼ完成しておりました。これは坑内、各工場からの工程異常によるトラブルが発生した場合に敷地外に排水を漏洩させない予備設備を設けたものです。また、排水管理センターという、管理区域全体を総合的に監視する組織も設置し運用していました。あとは堆積場の貯水池の非常排水設備を設ければ、設備的にはほぼ完成します。

しかし、思うように事は運ばず不運が襲ってきます。リーマンショックです。社員の首切りだけは何とか避けることができましたが、カネがありません。非常排水路を新たに開削するにはコストがかかりますので、トンネルを掘ることはできません。そこで戦前に切替隧道を開削した時に設置した土砂吐き用（通気確保、土砂の排出）の坑道を何とか探し出せば、非常水路として活用できると考え、必死で探しました。しかし、掘っても掘っても発

(出所)「神岡鉱業の鉱害防止対策 2013年版」
(神岡鉱業作成)

図 下流河川のカドミウム濃度の推移

Cd濃度 0.25
(µg/ℓ)

河川の環境基準は3µg/ℓ=3ppb

北電水路湧水回収工事

バリア井戸包囲網

0.20
0.15
0.10
0.05
0.00

1981 1983 1985 1987 1989 1991 1993 1995 1997 1999 2001 2003 2005 2007 2009 2011 2013 (年)

見できず、断念寸前だったのですが、被団協に対していったん口にしたことは石にかじりついてでもやり抜かねば信用を失います。翌年は本社を説得し、カネを確保して新たにトンネルを掘削して非常用予備排水路を完成させました。

解決への道筋

イタイイタイ病の民事訴訟が終わり、協定書・誓約書締結以降に私は入社しました。そして、次の年は定年退職を迎えます。つまり、会社人生のスタートからフィニッシュまで神岡鉱業に携わっても解決できない問題はこれから誰がどうやって解決できるのだろう。私が去ったあと、残る社員は全員私より経験の浅い社員になります。みんなの記憶が色褪せないうちに具体的な解決への道筋をつけないと永遠に解決できないのではないかと思いました。2010年8月、全体集会の社長挨拶で被団協のみなさんに解決のための協議テーブルに着いてくれと訴えました（P123写真）。罵声を浴びるかと思いましたが、被団協の高木会長をはじめ、弁護団・科学者のみなさんは真剣に聞いて

くれました。そして13年、私の退任2年半後に全面解決に至りました。

約40年にわたる発生源対策の要点は下記の4点です。
①実績づくり（目に見える成果を出す）
➡河川のカドミウム濃度は自然界レベルを達成（P125図）。
②被団協と二人三脚で環境管理システムをまわす。計画➡実行➡被団協の評価➡改善、さらに前進。
③徹底的な情報公開 被団協の視察の受け入れ、定期協議、データをすべてオープンにして共有。
④社員・協力会社のマインドの切り替え。言われたからヤルのではなく、水質改善を喜びとする。

これによって、被害者はもとより世間からも信頼される基盤をつくり、解決に道筋をつけてきました。この長きの取り組みを通じて、一度損なった信頼を取り戻すことがいかにたいへんなことか、しみじみと思い知らされました。倉庫の壁に社外に向けて大きな赤い文字で「環境安全最優先」と書き、会社・社員の決意を表明しました。

農業者の立場から

土呂久から
未来の子ども達へ

佐藤マリ子

1963年熊本県生まれ。中学2年生の時、土呂久鉱害の支援活動をしていた父に連れられ初めて宮崎県・土呂久を訪れる。後に佐藤慎市さんと出会い、86年結婚して土呂久に暮らしはじめる。その時すでにヒ素中毒の認定患者であった義父母、叔母は亡くなっていた。現在、夫婦で農業、産直、土呂久研修の受け入れ等を行っている。フィールドワークや紙芝居「十連寺柿」の上演等により土呂久鉱害を伝える活動に取り組む。

土呂久に出会う

　山あいの小さな村、土呂久に嫁いで35年目に入りました。土呂久は熊本と大分の県境に近い宮崎県の山間にあり、世帯数27軒、人口60人足らずの過疎の村です（2021年3月現在）。土呂久は江戸時代から銀山として栄え、1920年には亜ヒ酸（ヒ素）の製造が開始されました。亜ヒ酸は致死量0.1gという猛毒で農薬や殺虫剤、戦争中は毒ガスの材料にもなりました。土呂久では亜ヒ焼きで出された毒煙や川に流された焼き殻によって大気や水、土などが汚染され自然界の動植物や農作物、家畜、そして人体にまで被害は及びました。住民は何度も行政や鉱山を訴えましたが「国のため、利益のため」とその声は抹消されました。

　1962年に鉱山は閉山となりそのままこの問題は埋もれてしまいましたが、71年地元の岩戸小学校の教師齋藤正健さんによって掘り起こされ、告発されました。この教師の告発がきっかけでマスコミに報道され、加害企業の住友金属鉱山と裁判で闘うことになります。地裁、高裁と住民側の勝訴となりますが、上告され、最終的には和解に終わりました。

　私の夫、佐藤慎市も原告の一人で、夫の父健蔵と叔母のアヤさんの遺族原告として闘っていました。叔母のアヤさんは子どもの頃から病弱で結婚することもできず、生まれ育った家でその生涯を終えました（晩年は寝たきりとなり病院で最期を迎えました）。夫の母は朝から晩まで農作業に追われ、アヤさんが母親代わりだったといいます。

　私は土呂久からは遠い福岡出身で、父は大学教師、母は看護師という農業とは縁のない家庭に育ちました。こんな私がなぜ土呂久に出会い、ひいては土呂久の住民になってしまったのか、この説明をするには50年前にさかのぼらなければなりません。

　土呂久鉱毒事件が報道されるようになった頃、私達家族は宮崎市に住んでいました。私が8歳の頃、父は直腸ガンを患い、人工肛門の装着を余儀なくされまし

た。術後の療養中、父は報道で土呂久鉱害を知り、支援活動を始めました。被害者の苦しみが自分の病気の苦しみと重なって突き動かされたと、父は後に語っていました。2年後、父は福岡に転勤となり、かつて土呂久鉱山で働いていた県外の鉱毒被害者の支援も始めました。

　私が中学2年生の夏休み、父に連れられ、初めて土呂久を訪れました。土呂久に行く前に、高千穂町立病院に入院しているアヤさんを見舞いました。後に夫となる人の叔母さんとは、想像もつきませんでした。父とアヤさんは深い交流があり、手紙のやりとりをしたり、アヤさんの手記を広める活動をしたりしていました。アヤさんのことはよく父から聞かされていたのですが、初めて会う寝たきりのアヤさんは細く痛々しく挨拶するのがやっとで、私はただ黙って立っているだけでした。病院を後にし、父の運転する車で土呂久に向かいました。初めて目にする土呂久の自然に、私は圧倒されました。深い山と壮大な谷、美しい川の流れ。ここが鉱毒に汚染された村なんて、想像すらつきませんでした。父は鉱山跡などを案内してくれましたが、14歳の私は学びより美しい自然や川遊びなど楽しいことばかりが心に残りました。

　土呂久鉱毒訴訟第一審判決が出た時、私は東京の大学に通っていました。原告に勝訴判決が出ましたが、住友金属鉱山にすぐに控訴されたため、控訴取り消しを求めて患者や支援者が会社の正門前に

夫・慎市さんと共にこの土地に生き土呂久鉱害を伝える

座り込みを決行しました。この時、後に夫となる佐藤慎市と出会います。鉱毒で亡くなった夫の父と叔母のアヤさん、二人の遺影を持っての座り込みでした。この出会いをきっかけに、2年後の1986年に私は彼と結婚し、同時に土呂久の住民となりました。

季節の営みを大切する暮らし

　土呂久の住民はほとんどがこの土地で生まれ育った人か、近隣の集落から嫁いで来られた方ばかりです。農業とは無縁の街で育った私が、村の人に迎えてもらえるか心配でしたが、まったくの取り越し苦労でした。

　お隣のおばあちゃんは、私のために小豆と大豆を植えてくれていました。慣れない農作業を手伝ってくれるおばちゃん。煮しめや団子を作ったからと持って来てくれたり、こんにゃく作りや漬物、味噌など保存食作りも教わりました。もちろ

ん野菜作りや田植えなど農業のことも。我が家は早くに両親を亡くし、夫婦二人で子育てをしながら農業をやらなければならなかったのですが、この方々のおかげで何とか乗り越えることができました。

土呂久に暮らす人びとの暮らしや農のやり方を見ていると、決して自然に逆らわず、春夏秋冬それぞれの季節の営みを大切にしているのです。たとえば春には山菜を採り保存食を作ったり、初夏には自給用のお茶を摘んだり、季節季節の野菜を栽培して食べきれない野菜は漬物や乾物などに加工したり。ここではあげきれませんが、まだまだたくさんの手仕事がなされています。私にこれらの仕事を教えてくれた方々はもうこの世にはいませんが、今でも私を育ててくれた大切な先生だと思っています。現在私達は産直で四季折々の農産物を加工して都会の消費者に送っていますが、この土呂久の人

びとの暮らし方が基本となっています。

毎年春になると、近所に住む佐藤ツルさんという女性と一緒に、わらび摘みに行きます。ツルさんは24歳年上の女性で土呂久で生まれ育ちました。もう何十年も土呂久で春を迎えているのにいつも春の山の美しさに感動し、足元の小さな野の花に話しかけ、山の神様に持参したお茶を感謝しながらお供えします。

ツルさんは鉱山の近くで生まれ育ち幼い頃、反射炉（スズの製錬炉）でよく遊んでいました。親からは近づくことを禁止されていましたが、反射炉の壁についている白くキラキラと輝く美しい白い粉は、子どもにとっては魅力的でした。親の目を盗んでは仲良しの女の子タケちゃんと一緒に反射炉に入り、その白い粉でままごとやおしろいにして遊んでいたそうです。ある日突然タケちゃんは亡くなります。まだ5歳でした。白い粉は、鉱石からスズを採り出した後の結晶でした。ツルさん自身も病弱で、生死をさ迷ったこともあったそうです。大切な家畜の牛も、次々と死んでいきました。12人の兄弟のうち5人が幼くして亡くなりました。

鉱山の煙によって草木は枯れ、農作物もまともに育たない。そんな少女時代を送ったツルさんにとって、毎年訪れる美しい山の春は大きな喜びなのでしょう。閉山から60年近くなろうとしています。その年の気候にもよりますが、きちんと手入れをすれば米も野菜も果実もちゃんと育ちます。昔の壮絶な被害など、まる

土呂久鉱山跡の桜。鉱山で働いていた人が
夫婦でコツコツと植え育てた。
何十年暮らしても春の山の美しさに感動するという

でなかったかのようです。現金収入が少なかった時代、農作物の被害は死活問題だったと思います。美しい自然の中で安心して農を営み、たくさんの山の恵みをいただくこと、そして両親が土地を守ってくれたことに心から感謝しています。昔の被害のことを忘れることなく、自然に逆らわず環境にやさしい農業をやっていきたいと思います。

未来の子ども達への贈り物

ここ数年、多くの若者や子ども達が土呂久を訪れます。夫が鉱山跡を案内し、私は「十連寺柿」という紙芝居を上演させていただいています。この紙芝居の題名である十連寺柿は、うちの田んぼの土手にある樹齢200年近い大きな柿の木で、土呂久鉱害の歴史を見てきました。この柿の木をテーマに土呂久の被害や鉱毒に苦しむ人びと、裁判にたどり着くまでの苦難など描かれています。夫の叔母アヤさんも多く登場します。

先日、土呂久フィールドワークに参加し、この紙芝居を見てくれた、教員を目指す大学生達から、寄せ書きをいただきました。

「自ら行動し、意志、信念を曲げずに伝える大切さを学びました」「鉱毒の恐ろしさや人びとの努力によって積み上げてきたものが、柿の木という自然に生きている植物にも生きていると感じました」「子ども達にもしっかり伝えていきたい」

隣町の中高生は、ツルさんの幼い頃の

土呂久を訪れる若者達の前で紙芝居「十連寺柿」を上演

体験を、小学生向けの絵本や紙芝居にしてくれました。

夫の父は飲料水の汚染が原因で健康被害が起きているのではないのかと疑い、村の人達と共に安全な水源を探し、水道施設を作りました。しかし、父は完成を待たず、肺ガンで亡くなりました。長年ヒ素汚染された水を摂取していたことが原因だと思われます。

父の妹アヤさんも同じ時代を生き、同じ水を飲んで育ちました。晩年は病院のベッドで過ごし、寝たきりの体で懸命に手記を書き、土呂久の被害を訴えました。

私が嫁いだ時、飲み水も環境のことも心配なく暮らすことができました。そして子育ても。私や子ども達は、父やアヤさんから何ものにも代えがたいすばらしいものをもらいました。安全な水、美しい環境はまだ見ぬ子ども達への最高の贈り物だと私は思います。今私達が行っている活動が、未来の子ども達へ届いていくだろうかと、自問自答しています。父やアヤさんからもらった贈り物を、未来の子ども達へ。

レイチェル・カーソンの遺言

上遠恵子
（エッセイスト、レイチェル・カーソン日本協会会長）

*1『失われた森 レイチェル・カーソン遺稿集』
（レイチェル・カーソン著 リンダ・リア編
古草秀子訳 集英社 2000年）より
*2『センス・オブ・ワンダー』
（レイチェル・カーソン著 上遠恵子訳
新潮社 1996年）より

　アメリカの海洋生物学者で作家のレイチェル・カーソン（1907～64年）は、私達の環境汚染への目を開かせてくれた『沈黙の春』（62年）の著者です。彼女は、亡くなる半年前の63年10月にサンフランシスコで「環境の汚染」という講演をしています。その頃、彼女の体はガンが進行し歩行もままならない状態でしたが、大きな影響力をもつ医学関係の聴衆に語りたいという強い思いから、ワシントンから西海岸まで出かけたのでした。前年に出版した『沈黙の春』は多くの人が関心をもっていましたが、講演では放射性廃棄物についてかなりの時間を割いて語っています。

写真提供／レイチェル・カーソン日本協会

　"放射性物質による環境汚染は、あきらかに原子力時代とは切り離せない一側面です。それは核兵器実験ばかりでなく、原子力のいわゆる「平和」利用とも、切っても切れない関係にあります。こうした汚染は、突発的な事故によっても生じますし、また廃棄物の投棄によって継続的に起こってもいるのです。

　私達が住む世界に汚染を持ち込むという、こうした問題の根底には道義的責任——自分の世代ばかりでなく、未来の世代に対しても責任をもつこと——についての問いがあります。当然ながら、私達は今現在生きている人びとの肉体的被害について考えます。ですが、まだ生まれていない世代にとっての脅威は、さらに計り知れないほど大きいのです。彼らは現代の私達が下す決断にまったく意見をさしはさめないのですから、私達に課せられた責任はきわめて重大です。"*1

　福島の原発事故を経験した私達にとって58年前のこの言葉は、今に生きる切実な遺言です。『沈黙の春』の中でも農薬の影響について、"放射性物質と同じように"という表現が30カ所ぐらい出てきます。彼女には、1954年ビキニ環礁で第五福竜丸に降り注いだ死の灰と農薬の白い粉が同じように、人間が作り出した危険な物質として映っていたのです。

　そして、もうひとつ次の言葉は、私に常にやさしく語りかけてくれています。

　"地球の美しさについて深く思いをめぐらせる人は、生命の終わりの瞬間まで、生き生きとした精神力をたもちつづけることができるでしょう。鳥の渡り、潮の満ち干、春を待つ固い蕾の中には、それ自体の美しさと同時に、象徴的な美と神秘が隠されています。自然が繰り返すリフレイン——夜の次に朝がきて、冬が去れば春になるという確かさ——の中には、限りなく私達を癒してくれる何かがあるのです。"*2

原発事故と向き合うろう者

廣瀬彩奈
（埼玉県立特別支援学校坂戸ろう学園 教諭）

有志でつくった手話表現「（放射性物質の）半減期」
イラスト／須藤はるか（環境に関する手話研究会）

　3.11から10年になりました。当時、私は埼玉県のろう学校で卒業生を送り出したばかりでした。私自身もろう者で、高等部の理科を担当しており、原発事故による災害について教える必要に迫られました。ろう者にとっては目に入る情報がすべてで、ネット情報とりわけSNSは多くの情報をリアルにもたらしてくれました。その反面、「奇形動物が生まれる」といったデマを信じる生徒もおり、原発事故の影響に対する恐怖が独り歩きしている状態でした。そこで、理系の研究者であるろう者をお呼びし、高校生対象に講演をしていただきました。ニュースでよく出ていた用語「放射能」、「放射線」、「放射性物質」の違いや、リスク概念についてのお話がありました。リスクという曖昧（あいまい）かつ自己判断が問われる考え方を理解できたのは、一部の生徒だけでした。

　ろう学校では日本語獲得のための学習に重点をおき、物事の真髄（しんずい）を理解して自分事として考える学習がなおざりになりがちです。原発事故に関する情報に混乱している生徒達を前に、文字情報を正しく理解するだけでなく普段からの手話での対話によって、科学に対する判断力を身につけることの必要性を痛感しました。

　大地震発生直後は、避難生活を送るろう者に手話での正確な情報を届けるべく、様々なろう者が手話動画をアップしました。14日後に東日本大震災聴覚障害者救援中央本部が『東北地方太平洋沖地震災害関連標準手話ハンドブック』を発行し、手話通訳者が活用しました。このハンドブックに

は、原発事故に関する手話表現が掲載されています。こうした活動は、緊急時に文字だけでなく手話による情報提供が必要であることや、手話で情報を得られることによる安心感を浮き彫りにしました。東日本大震災聴覚障害者救援福島県本部は、その年の6～10月に計7回の講演『放射能と私達の生活』を福島県内で開催しています。

　日常生活の中で科学の専門用語の手話表現を使う機会がないこと、ろう者同士で科学について語り合う場が欲しいということから、私は有志と共に2013年から「手話で楽しむサイエンスカフェ」の活動を始めました。この活動の一環で、原発と放射能の学習会を14年と19年に1回ずつ実施しました。

　3.11をきっかけに各地の聴覚障害者協会による防災講演・講座の開催がみられ、ろう者が防災知識を得られる機会は格段に増えました。一方で、原発に関する講演は、前述の活動をのぞくと、2012年以降の開催例が見受けられません。原発と放射能については、化学や物理で習う難解な用語が多く、主体的に情報を得るのにハードルとなりがちです。手話での対話を積み重ねることで科学用語の意味を理解し、科学と社会との関連性を考える力を深めること、それがろう者にとっての情報リテラシー獲得であり、そこにろう学校理科教員としての責任があるとあらためて思っています。

第2部

向き合う

第 **3** 章

公害を探究する学び

公害は、足尾鉱毒事件の時代から今日に至るまで、しばしば被害者自身にとってさえ、きわめて見えにくい、捉えにくいものとしてありつづけてきました。ですから公害に警鐘を鳴らしてきた人びとは、学びを通して人が公害を捉えることを常に求め、地域の中でも学校でも、様々な市民や教師が公害と向き合う学びの実践に取り組んできました。本章では、公害と向き合い、探究する学びとはどのような学びなのか、そうした学びをつくり出していくためにはいかなるアプローチが可能なのか、を考えます。

公害をどう学んでいくか？
公害を自分のこととする〈深い学び〉

原子栄一郎
（東京学芸大学 環境教育研究センター 教授）

持続不可能な社会を支える教育

今という時代は、誰一人取り残さない持続可能な世界の実現を目指して、SDGs達成のための取り組みが進められる一方で、19世紀に端を発する公害が今なお産み出されつづけています。

国連ESDの10年の根本的な課題は、持続不可能な社会を支えている教育を考え直し、その方向性を変えることでした。教育が持続不可能な社会を持続させ、公害を産み出しつづけることに加担していることに留意して、公害をどう学んでいくかを考えなければなりません。

〈浅い学び〉と〈深い学び〉

私のひとつの試みを紹介します。大学の授業で、ESDの根本課題に取り組みました。課題を「環境との様々な関わりを通してこの私のアイデンティティはどのように形作られてきたかを振り返り、私はどこから来たのか、私は何者か、私はどこへ行くのかを一人ひとりが考える」と設定し直し、自己を問い直す鏡、試金石として水俣病を取り上げました。①杉本栄子さん（水俣病患者）、②私のライフヒストリーを書く、③川本輝夫さん（水

俣病患者）、④チッソ水俣工場の技術者達、⑤細川一さん（チッソ水俣工場附属病院長）、⑥山内豊徳さん（環境庁官僚）、⑦緒方正人さん（水俣病患者）の順番で文書と映像の資料を提供し、学生のみなさんは個人ワークで課題に取り組み、レポートを作成しました。

彼らは、これまでにも学校で水俣病のことを習っていましたが、それは、試験のために教科書を暗記する、過去の教訓を学ぶ、加害者対被害者という一面的図式で理解するなど、〈浅い学び〉にとどまっていました。これに対して今回は、水俣病と向き合った固有の名前をもつ様々な立場の人達が、物質的豊かさを追求してシステム化した社会の錯綜する関係の中で、一人の人間として、組織の人間として、あるいは集団として抱いた考え、とった行動、その背後にある心情などを多角的・相互連関的に学びました。また、水俣病は経済的価値を優先する社会で引き起こされた事件ですが、その社会の地盤には自給自足の暮らしが営まれる生活世界があり、生命世界によって支えられ、さらには生命の連なりである魂の世界に開かれていることを知り、水俣病の世界の

広さ・高さ・深さ・奥行きを感じ取る〈深い学び〉となりました。

図1は、〈浅い学び〉と〈深い学び〉の違いをつかむためのツールです。横軸に内部と外部、縦軸に個人と社会を極とする直交座標を作ると、第1象限は個人の行動、第2象限は個人の心（思考、心情、意思など）、第3象限は集団の成員間で共有される文化（価値観、思潮、心性など）、第4象限は社会のシステムと社会的行為を表します。〈浅い学び〉は、主として第4象限の内容を静的に捉える学びであるのに対して、〈深い学び〉は、座標軸の交点に一人の人を据えて、その人を通して、4つの象限のそれぞれと動的な相互関連性を捉える学びといえます。図2は、〈深い学び〉の概観を示しています。

今回の〈深い学び〉のもうひとつの特徴は、水俣病を自分のこととして考えたということです。学生一人ひとりが、個別具体の一人の人の生きざまと積み重ねられた水俣病群像と向き合い、それぞれの感性で受け止め考えた学びの過程は、無味乾燥な知識を覚えることと違って学び手の琴線にふれ、心を動かし、学び手が感情移入する事態を引き起こしました。その時、水俣病は他人事ではなく自分のこととなり、「もしこの私がこの人だったら……」と自分を問うことが始まり、自己を省察し、さらには「これからは〜したい」という意思が喚起されるようになりました。〈深い学び〉は、自覚存在である人間の実存的学びといえます。

図1 個人―社会、内部―外部を軸とする学びの見取り

図2
水俣病の世界の射程

（出所）
図1・2は筆者作成

公害の〈深い学び〉の方へ

以上を踏まえて、公害をどう学んでいくかという問いに答えるならば、学びのハウ・ツーとしてではなく、持続不可能な社会を支え、公害の産出に加担している教育・学びに自分を馴染ませ、その教育・学び自体を持続させてしまっていないか自問し、個人の心の習慣と社会の心性のレベルで、〈浅い学び〉から〈深い学び〉へ転換することが重要であると考えます。公害と切実な関わりをもった一人の人と相対し交流することを通して、自分の心の消息をたずね、〈深い学び〉に感応することから始めてみませんか。

〈おすすめの関連図書〉
『証言 水俣病』栗原彬編 岩波新書 2000年
『ひとびとの精神史』全9巻 栗原彬他編 岩波書店
2015〜16年

公害の記録を読む
私が記録に問いかけると、記録も私に問いかける

平野 泉
（立教大学共生社会研究センター アーキビスト）

「アーカイブズ」としての公害記録

　公害について学ぶ方法は多様です。本や新聞を読んだり、被害者の話を聞いたり（インタビュー）、現地を訪ねたり（フィールドワーク）。なかでも何かを読むことは、もっとも身近な方法でしょう。

　私は「アーキビスト」という仕事をしています。仕事の内容は、文字をもつ社会で活動する個人や団体が日々の活動や業務の中で作成・受信し、活動のために保存するあらゆる記録とその集積である「アーカイブズ」を管理することです。

　私のようなアーキビストの目から見ると、公害に関連する資料は①図書や新聞・雑誌から映画・音楽まで、はじめから社会的に共有されるべく作成されるもの（ここでは「公害資料」）と、②公害という事象に関与した様々な主体が活動の中で生み出す記録（ここでは「公害記録」）とに大きく分かれます。

　ここでは、ふだん接する機会の少ない②公害記録について、それがどんなものか、そして、それを読むとはどんな経験なのかをお伝えしたいと思います。それが、公害を学ぶためにとても役に立つはずだからです。

公害記録はどんなもの？

　まず、「公害と関わるどんな主体がいるか？」から考えてみましょう（P137図）。公害といえば第一に思い浮かぶのは被害者です。でも被害者だけでなく、被害者を支援する市民社会組織、訴訟を支える弁護団なども公害記録を作ります。また加害者とされる企業や、その企業と取引する企業なども公害記録の作成者です。汚染物質の排出を規制する地方公共団体や国の行政・立法機関も、公害訴訟を審理する裁判所も公害を記録しています。医療専門職、訴訟に協力する研究者、ジャーナリストやメディア企業も公害記録の作成者です。公害という複雑な出来事に巻き込まれて活動するあらゆる人と組織が、公害記録を作成するのです。

　そうした記録は、作成する個人や組織の性格により、すぐに廃棄される場合もあれば長年保存されることもあります。被害者支援団体のビラのように多くの人に配布されるものもあれば、和解交渉のメモのように企業のオフィスで鍵つきのキャビネットに保管されているものもあるでしょう。そうしたすべてが公害記録に含まれます（P139図）。

その一方で、声をあげる力もないほど苦しんでいる人や、読み書きを学ぶ機会のなかった人の思いはなかなか記録されません。その意味で、公害記録の不在や空白もまた、公害という出来事について多くを語るのです。

公害記録を読むとは？

私達が公害記録を読むには、それが保存・公開されている必要があります。特に企業の業務文書や被害者の日記などは、誰でも読めるわけではありません。しかし文書館や資料館が所蔵している公害記録なら、誰にでも開かれています。

そんな公害記録を読むのは、新聞を読むのとは違うのでしょうか？——少し違う、と私は思います。なぜなら、記録を読む時にはあわてて内容を理解しようとするより、「誰が」「なぜ」その記録を作成したのかを、記録自身に問いかけてみる方がよいからです。問いの答えは、記録の形や文字の配置に隠されています。そして記録から答えを受け取ることができた時、読み手の中に生まれるのは、「この人はこうだったかもしれない。でもほかの人や組織はどうだったのか？」といった新たな問いです。記録もまた「私は

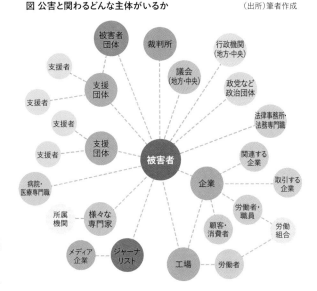

図 公害と関わるどんな主体がいるか　　(出所)筆者作成

こうした。あなたならどうする？」などの問いを投げ返してきます。このようにして読み手が記録に問いかけ、記録の向こうにいる主体と、その主体を取り巻く状況とに思いをめぐらせる時、記録は公害と関わった人びとが織り成すネットワークの結節点としての意味を帯びてきます。そして記録の読み手も、そのネットワークの一部となるのです。

このように考えると、公害記録を読むことは、記録を作った人と出会うことだともいえます。そうした出会いをつくるひとつの方法が、身近な文書館、あるいは公害資料館ネットワークのウェブサイトに掲載されている館に「ちょっと連絡してみる」ことです。公害を学ぶ中で、ぜひいろいろな記録に問いかけ、記録からの問いかけに耳を澄ましてください。

たくさんの「問い」を通して、記録を生み出す現場に迫ろう

平野　泉

（立教大学共生社会研究センター　アーキビスト）

　私がアーキビストとして働く立教大学共生社会研究センター＊（以下、センター）は、戦後社会運動のアーカイブズ機関としての機能と、研究・教育機関としての機能をあわせもっています。市民社会の貴重な財産である所蔵資料には、1960年代後半以降に発行された国内外のミニコミ（個人誌や機関誌など）27万点のほか、国内外の様々な反公害運動に関わった宇井純（1932〜2006年）のアーカイブズ（下写真）や、千葉川鉄公害訴訟資料などが含まれています。

　立教大学という教育機関内にあることから、センターでは所蔵資料を使った授業を企画したり、様々な学科のクラスに資料を出前したりしてきました。とはいえ学生の多くは、人びとが日々の活動の中で作成する「記録」、そしてその有機的蓄積である「アーカイブズ」について意識したことがありません。そのため「はい、読みましょう！」と言うだけでは、雑誌や本と同じ感覚で読むだけに終わってしまいます。困った末の私なりの工夫とは……。

①「私も記録の作成者だ！」と実感する

　記録は活動の中で生まれるものですから、たとえば自分のノートやメール、家族のアルバム、所属サークルの打ち合わせメモなどがすべて記録であり、その蓄積物がアーカイブズであるということを実感できるようなワークを最初に行います。それにより、そうしたものはすべて「特定の人の特定の活動のためのものであり、活動と無関係な人に読まれることを想定していない」ことが実感できます。その実感が、記録を読む時の大前提となるのです。

②記録をまとまりで捉える

　センター閲覧室（右写真）でクラスを実施でき、しかも時間が十分にある場合には、記録を箱ごと出して、中からファイルを1冊選んでもらったうえで、「なぜこんなふうにまとめられているのか？」を考えてもらいます。記録のまとまり方を決めるのが、具体的な活動とその状況であることを理解してもらうためです。たとえば、「入会申込書」のような決まった形式の記録は時系列でファイルされ、「未認定問題」のような件名ファイルには、関連する内容の雑多な書き物がどしどし放り込まれます。そうした違いも記録の解釈に影響を与えます。

　②と次の③については、学生の専門やクラスの目的に合わせたワークシートを用意し、ペアやグループで話し合いながら記入してもらうようにしています。

図 様々な記録
研究者・技術者として公害問題に取り組んだ宇井純さんのアーカイブズに含まれる記録

私に近い　　　　　　　　　　　　　　　　　　　　社会的に共有

日記
日誌
手帳
ノート・メモ
手紙
草稿
名刺
アドレス帳
写真
ビデオ
録音
切り抜き・コピー
名簿
報告書
機関誌
パンフレット
ビラ・チラシ
ポスター
ステッカー
行政文書
裁判資料
地図・図面
論文
新聞・雑誌
書籍

（出所）筆者作成

③記録の形式に注目する

　学生に②のファイルから自分として「気になる」記録を1点選んでもらい、いよいよ個々の記録の検討に入ります。とはいえ記録というものは、紙のサイズや文字の配置、作成者や宛先の名前や住所の位置、紙の質や印刷方法など形式的な部分からもたくさんの情報を読み取れるので、まずは「記録の大きさは？」「いつ、誰が書いた？」「その根拠となる情報は記録のどこにある？」というような質問が書かれたシートにどんどん答えを書き込んでもらいます。もれなく多様な要素に注目することができますし、二人以上

で取り組むと「何これ？」「そんなの書いてないよ〜」など、意外と盛り上がります。

　以前、日本の反アパルトヘイト運動の記録を使ったワークで、一人の学生があるイベントの打ち上げパーティーのお知らせ（少し書き込みあり）を選びました。よく見ると裏には、元のイベント関連と思われる申込書と切り取り式の受領書が、表と裏がさかさまに印刷されています。不思議に思った彼はその場にいた人を検討に巻き込みます。そして誰かが「…要するに、申込書の方が不要な紙として残っていて、その裏にお知らせをコピーして内部の打ち合わせで使ったのでは？」という意見を述べた時、運動体の事務所にあるコピー機と、その周囲でわいわいと作業する人びとのイメージがみんなの頭に浮かんだのでした！

　というわけで、形式からわかることをすべて明らかにしてから内容に踏み込んでもら

い、最後に読み取ったことをみんなで共有します。

　このように、ある程度時間をかけて記録に向き合う時、読み手は記録の作成者と出会い、記録を生み出した状況を想像し、その状況下で作成者が特定の形式を選んで選択的に書いたことを共感的かつ批判的に読むという経験をします。その経験は、1次資料リテラシー（primary source literacy）と呼ばれる力に育つ種となるでしょう。そして、じつはそうした力こそ、どんな学びにも役立つものなのではないでしょうか。

〈おすすめの関連図書〉
『アーカイヴズ──記録の保存・管理の歴史と実践』ブリュノ・ガラン著 大沼太兵衛訳 文庫クセジュ 白水社 2021年
『アーカイブズ論──記録のちからと現代社会』スー・マケミッシュ他編 安藤正人他訳 明石書店 2019年
『みな、やっとの思いで坂をのぼる──水俣病患者相談のいま』永野三智著 ころから 2018年

＊立教大学共生社会研究センター https://www.rikkyo.ac.jp/research/institute/rcccs/（詳しくはP199 ㉗をご覧ください）

視聴覚メディアを利用する
公害と〈私〉をつなぐ

古里貴士
（東海大学 教職資格センター 准教授）

『記録人 澤井余志郎』は四日市公害を記録した澤井の生きざまを描くが、彼自身も無数の記録写真を撮った。磯津直接交渉の緊迫した場面である（1972年 澤井余志郎撮影）

「視聴覚メディア」とは何か？

「メディア」とは、情報を伝達する媒体のことを意味しています。なかでも、写真や絵図、スライド、映画、テレビ番組、ラジオなど、主として映像や音声で表現され、視覚や聴覚によって情報が受け取られるメディアのことを、「視聴覚メディア」と呼んでいます。私達には、過去のことであったり、遠方のことであったりして、時間的・空間的な限界があり、直接的に見聞きできないことがあります。一方で、言葉で伝えようとしても、なかなかその内実が捉えにくく、伝わらないことや理解できないことがあります。視聴覚メディアは、具体的な「直接的な体験」と抽象的な「言葉での理解」との間で、視覚・聴覚を通じた豊かな経験を視聴者にもたらし、対象と〈私〉をつなぐ役割を果たしてくれます。

過去半世紀余りの間に、様々な視聴覚メディアによって、公害の実態が記録され、蓄積されてきました。たとえば、『水俣——患者さんとその世界』（土本典昭監督／1971年／水俣病）や『ニッポン国 VS 泉南石綿村』（原一男監督／2017年／アスベスト）のようなたくさんの記録映画があります。映画のほかにも、『記録人 澤井余志郎～四日市公害の半世紀』（東海テレビ／2010年／四日市公害）のようなテレビのドキュメンタリー番組、林えいだい著『これが公害だ』（北九州青年会議所 1968年）〔2017年に新評論から復刻〕などの写真集もあります。そこで取り扱われている内容も、公害による被害の実態を伝えるものや、公害反対運動の様子を伝えるものなど様々です。

「見えにくさ」を可視化する

公害のひとつの特徴として、その実態の「見えにくさ」があります。先ほどふれたように、時間的・空間的な限界によって、公害の実態が捉えにくく、見えに

くいものになります。しかし、公害の「見えにくさ」をもたらすものはそれだけにとどまりません。公害は、その被害の深刻さや社会的な影響の大きさゆえに、被害の実態を覆い隠そうとする（隠させる）力が働きます。また、公害をめぐってはひじょうに高度な科学的・技術的な論争が行われるため、そうした専門的な議論に終始してしまうことで、今まさに何が人びとに起きているのかということが、後景に退いてしまうこともあります。

　時間や空間といった物理的な「見えにくさ」だけではなく、社会的な「見えにくさ」によって、公害の実態がわかりにくいものとなっているのです。視聴覚メディアは、そうした時間的、空間的、政治的、言説的にもたらされる「見えにくさ」の中から、公害の実態を浮き彫りにして、可視化してくれます。

生きざまや感情が〈私〉を揺さぶる

　視聴覚メディアに映し出されたものは、誰かが現地に赴き、写真や映像のかたちで記録したものです。何度も現地を訪ね、そこで暮らす人びととの関係を築くことで、物理的・社会的に見えにくかった公害の実態が明らかにされ、記録化され、それが時間と空間を超えて、〈私〉のもとに届きます。そこには、たとえば、「煙に覆われ黒ずんだ空」、「枯れた朝顔」、「汚染された大気によって錆びてボロボロになった電気メーター」など、その地域の自然やモノの状態はもとより、「ぜん息に苦しむ苦悶の表情」、「大きくなった我が子を抱きかかえて歩く母親の後ろ姿」など、そこに生きる人びとの暮らしや生き方、感情などが映し出されます。

　水俣病の授業に先駆的に取り組んだ中学校教師の故田中裕一さんは、身近で、具体的で、喜怒哀楽の感情を刺激し、出会いが心ふるえるような感動的素材によって、心と認識が動かされることが勝負だと記しています。実際に、田中さんの授業では、フォトジャーナリストの桑原史成さんが撮影した12枚の写真が教室に展示されました。その写真には、患者の様子や患者家庭の貧しさ、漁民代表の沈うつな表情が記録されていましたが、田中さんは、この写真によって初めて、本授業は「生気を与えられ」たと書きとめています（『石の叫ぶとき』1990年）。

　視聴覚メディアは、視覚・聴覚を通じて感覚的に公害の事実を伝えるというだけでなく、そこに公害の中で生きる人びとの生きざまや感情が表出されることによって、それを視聴する〈私〉の心を揺り動かし、〈私〉の生き方を振り返りながら、公害について学ぶ契機となるものなのです。

〈おすすめの映像作品・関連図書〉
『青空どろぼう』阿武野勝彦・鈴木祐司監督 東海テレビ制作
2010年 94分（『記録人 澤井余志郎』の劇場版）
『ガリ切りの記――生活記録運動と四日市公害』
澤井余志郎著 影書房 2012年
写真集『水俣事件』桑原史成著 藤原書店 2013年
『《写真記録》これが公害だ』林えいだい著 新評論 2017年
『石の叫ぶとき』田中裕一著 未来を創る会出版局 1990年

※「おすすめ映像リスト」（P201）もご活用ください

公害の〈深い学び〉が交響する映画会

原子栄一郎
（東京学芸大学 環境教育研究センター 教授）

学びのメディアとしての映画

公害を学ぶための映像資料とその利用の仕方は多種多様です。ここでは、私がゼミや有志の学生と行ってきた自主上映会の経験を踏まえて、映画会を方法とする公害の学びについて述べます。

なぜ映画を観るのか。本章総論で述べたように、公害を学ぶうえで私はふたつのことを重視しています。ひとつは、公害の世界の広さ・高さ・深さ・奥行きにふれ、感じ取り、つかむことです。もうひとつは、公害と切実な関わりをもった具体的な人を介して公害と関わり、向き合い、自己を省みることです。公害にコミットした人の生きざまとその世界を映し撮った映像作品には、受け手を喚起し触発する力が秘められています。

自主上映会を開く

作品を選んで自主的に上映し、映像の特性をより広く活かす場が映画会です。映画作品の上映、監督のトーク、監督と参加者の交流の3部構成で行います。

原発震災があった年の夏、纐纈あやさんをお迎えして、

初監督作品『祝の島』（2010年）の映画会を開きました。舞台は瀬戸内海に浮かぶ小さな島、祝島。対岸4kmに原子力発電所計画が持ち上がってから28年間、毎週月曜日の夜に続けられているデモのシーンなども織り交ぜながら、決して暮らしやすいとはいえない環境条件下で自然と関わり、恵みを受け取り、互いに助け合って暮らす人びとの日常が描かれています。

映画『祝の島』撮影中の纐纈監督（左）

震災から3年後には、纐纈さんの師匠である本橋成一さんをお招きして、『ナージャの村』（1997年）と『アレクセイと泉』（2002年）の映画会を催しました。チェルノブイリ原発事故で汚染されたベラルーシ共和国の小さな村が舞台です。前者では、強制移住区域に指定された村に残る6家族の、汚染されてもなお季節がめぐり、実りをもたらす大地

を慈しんで営む暮らしが、8歳の女の子ナージャにスポットをあてて描かれています。後者では、高齢の両親と一緒に暮らす若者アレクセイと愛馬、そして、村中が汚染されたにもかかわらず放射能が検出されない泉にスポットがあてられ、村に残った人達が泉を守り、大地に密着して生活しつづける様子が描かれています。

監督のトークでは、映画制作にまつわるエピソードや、映画を作るようになった経緯や自分史、また今の社会に対

する思いなどが語られ、そのあと、参加者みんなで映画を観た感想を分かち合い、意見交換を行いました。

これが、映画会の概略です。本橋さんと纐纈さんとの出会いは、その後、本橋さんの写真集『屠場』(2011年)をきっかけとして「食といのち」の学びを招来し、纐纈さんの2作目『ある精肉店のはなし』(2013年)の映画会につながり、さらにはハンセン病の学びへと進展することになりました。私は、1回のイベントとしての映画会だけでなく、この一連の展開を〈公害の学びの方法としての映画会〉と捉えています。

映画会を方法とする公害の学び

このような私の経験を踏まえると、映画会という方法を用いた公害の学びは、本章総論の図2(P135)で示した公害の〈深い学び〉をもとにして、右上図のように示すことができます。それは、学び手と公害にコミットした具体的な人との間に映画監督を介在させ、その人の切実な関心から制作された映画を観て味わい、公害という出来事のダイナミズムとその世界を感じ取りながら、自己を問い、省察することといえます。言葉を換えていうと、公害にコミッ

図 映画会を方法とする公害の学び

魂の世界
生命世界
生活世界
システム社会
個人
内部　外部
社会

喚起・触発する
映画監督
学び手
想像する

(出所)筆者作成

トした人(達)と、その人(達)に照準を合わせて公害の映画制作にコミットした人の二重の生きざまと生きられた世界を介して、学び手が自己を省みることです。ナージャ(達)あるいはアレクセイ(達)と本橋さんを介して、また祝島の固有名で登場する島民と纐纈さんを介して、学び手は自己について考え、振り返ります。映画会での監督のトークは、二重の生きざまと生きられた世界をめぐる語りであり、監督の自己省察の言葉といってもよいでしょう。映画会で、学び手は映画を観るだけでなく、監督の語りや言葉を聴いて自己をたずねます。

冒頭で、映像作品の喚起し触発する力にふれましたが、『ナージャの村』、『アレクセイと泉』、『祝の島』は、いわゆる公害を正面からストレートに扱った作品ではなく、その地で連綿と続く暮らしの営みに焦点を合わせ、公害の背景や地盤にあるものを穏やかなトーンで描いています。そのような映画がもつ喚起し触発する力は、映画を観る学び手の想像する力と呼応して発動し、発揮されます。

映画というメディアと映画会という方法を活用して、公害の〈深い学び〉を体感してみてください。

〈おすすめの映像作品・関連図書〉
佐藤真監督『阿賀に生きる』(1992年 115分)・『阿賀の記憶』(2004年 55分)
『日常と不在を見つめて――ドキュメンタリー映画作家 佐藤真の哲学』里山社編 里山社 2016年

参加型学習を行う
人権の学びを創り、知識の意味を問い直す

高田 研
（都留文科大学 地域社会学科 特任教授）

「参加型学習（Participatory Learning）」とは、教科書の知識を教師が伝授する授業ではなく、文部科学省が現在すすめるアクティブラーニングなど学習者が学習過程に"参加"する教育方法をさす言葉です。それが日本で始まった1990年代、教育だけではなく、様々な分野でそれまで専門家に任されてきた領域への市民の"参加"が求められるようになってきました。"市民参加のまちづくり"は、それまで都市計画の専門家だけで企図されてきた"まち"を住民の眼差しから問い直していく場となりました。

そのように考えますと、教育における"参加"とは教科書に書かれた（正しい）知識を与えられるだけであったものが、学習者自身が参加することで、その知識の意味を問い直すことであるといえます。

ジョン・フィエンは、環境教育ではこれまでの世界を批判的に捉え直す必要があるといいます。つまり参加型への転換が重要なのです。

プログラム化された参加型学習

この参加型学習の元になっている考え方が、ジョン・デューイによる経験主義教育です。デューイは、情報を身体的活動によって具体化し、経験の中に織り込むことが「知識」としての意味をもつと考えました。失敗や挫折、発見によって感性が学びと豊かなつながりをもち、それが連続的に継承していく"プロセスから学ぶ教育"のあり方です。後にデイビッド・コルブらは4つのステップからなる学習方法のモデルを考えました。それは、①体験：具体的な経験をする。②指摘：経験をそれぞれの視点から振り返る。③分析：他の状況でも応用できるように一般化する。④仮説化：新しい体験を導くために試す。これが循環する"体験学習"のプロセスです。

このような循環型プロセスを骨格に考えられた国際理解教育などの海外で開発された人権教育のプログラムは、南米、アフリカ、アジアにおける抑圧的な社会の構造変革を目的としたパウロ・フレイレに始まる開発教育と共に、1990年代以後日本で紹介されました。日本でも人権教育の領域で、新たなプログラムが多数、産出されるようになりました。

そこで、読み物資料や映像を見て、決められた価値目標に誘導する人権教育か

ら脱皮し、今ここで感じ、考えたことを自分の言葉で語り、他者との議論をへて個々の価値観を明確化していきます。このような教育は人権教育の質を大きく変えることに貢献しました。そして、このようなプログラムのことを"参加型学習"であるとする認識が一般化しました。

徳島県立高校での人権教育ワークショップの授業風景（2007年 筆者撮影）

地域の課題に向き合う身近な学習を

　1960年代末から70年代の教師達によって取り組まれた人権教育は、部落問題も公害問題も、眼前の地域の悲惨な状況をどのように克服するのかという課題意識のもとで始まりました。子ども達が地域での聞き書きを行い、データを集めて考える。それはリアリティのある参加型学習だったといえます。

　2014年の公害資料館連携フォーラムにおいて報告された富山市立宮野小学校教諭、柳田和文先生のイタイイタイ病についての6年生の授業は、子ども達が資料館や病院で聞き取りを行い、疑問や憤りをもって原因企業の訪問をしました。そこで企業側の話を聞くことで、彼らの見方が複眼に変化していくという参加型学習でした。

　このような現地でのフィールドワークには多大な時間と労力が必要です。とりわけ加害／被害が渦巻く地域の中で聞き書きをすることは難しく、一般の学校で

は既成のプログラムで終わってしまうことが多いのが現実です。しかし公害は身近な地域にも存在しています。以前勤務していた大阪府豊中市には大気汚染や、大阪国際空港の騒音の被害地域がありました。山梨県都留市にある宝鉱山の廃坑跡からは、カドミウムを含む汚染水が今も流れ、その処理が続いています。大気、放射能、食品、自動車、河川、アスベストと、取り上げるべき問題は身近にも見つかるはずです。

　近年のインターネットの進歩は多くの情報にアクセスできるようになり、世界中の人びとと話し合うことも可能になりました。リアリティのある参加型の授業を通し、みなさんが共に豊かな学びを創っていかれることを期待しています。

〈おすすめの関連図書〉
『人権の学びを創る──参加型学習の思想』部落解放人権研究所編 解放出版社 2001年
『ワークショップ──新しい学びと創造の場』中野民夫著 岩波新書 2001年
『環境教育学──社会的公正と存在の豊かさを求めて』今村光章・井上有一編 法律文化社 2012年

西淀川公害の経験から考える市民力
『社会が変わる』のはどんな時？『社会を変える』とはどんなこと？

岩松真紀

（明治大学 文学部 非常勤講師）

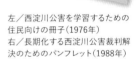

左／西淀川公害を学習するための
住民向けの冊子（1976年）
右／長期化する西淀川公害裁判解
決のためのパンフレット（1988年）

ロールプレイという学び方

学ぶ人すべてが現地に行けるとは限りません。疑似的に経験できる参加型学習のひとつに「ロールプレイ」があります。ロール（役割）をプレイ（演じる）する、参加者一人ひとりに役割が与えられ、決められた設定で、与えられた役の人として考え行動することが求められます。公害の起こってしまった地域で暮らす様々な人びとの生活を役（ロール）としてでも体験することには単なる知識獲得以上の学びがあり、実際に住民自ら問題を解決せねばならない状況を体感する機会にもなります。

話し合いの際に、他の人にどう思われるか心配で発言しづらい、こんなことを言っていいのか不安等々、自由に発言し議論することへの抵抗をもつことがあります。ロールプレイでは、役割を演じることがお互いの前提になるため、話すことへの抵抗感が薄れ、議論への参加が容易になります。また、用意する教材や実施の際の工夫によって、どのくらいの自由度をもたせるか

の調整も可能です。もし議論が白熱しても、あとに引きずらないでいられるのもよいところです。逆に、役になりきるための準備の過程やアイスブレイクが必要な場合もあるでしょう。

ここでは、ある大学での私自身のロールプレイの実践例*を通して公害学習について記します。

教材の4つのねらい

大阪・西淀川区では高度経済成長期に深刻な大気汚染公害に見舞われましたが、住民が中心となって様々な人達が解決のために努力しました。あおぞら財団が開発した「5つの家族」というこのロールプレイでは、西淀川公害における地域住民の経験と、その過程での学びや変化を追体験することを通して、以下の4つのことを習得することを目指します。
①公害が地域や人びとに及ぼす影響とはどのようなものかを理解する。
②市民として問題解決に参加

するとはどのようなことかを考える。
③社会問題の解決のプロセスの中で、市民の担う役割を考える。
④よりよい社会のために市民が行動することの価値を共有する。

時代の変遷と共に5家族を演じる

同じ時代同じ地域に住む5家族に分かれ、高度経済成長期の公害のきざしがあった状況から、徐々に地域で被害が拡大し、立ち上がった市民の運動から解決の方向に進んで

いく様子を、『家族カード』（「社会状況（各家族共通）」「家族の近況」「家族の心情」が記されている）の指示に従い演じていきます。5家族の役は、教師、工場経営者、工場労働者、被害に差がある2組の地域住民です。

1968年、73年、78年の3場面で切り取り、地域で情報を集め（交流会）、家族内で方針を決定する話し合い、地域で相談し（「西淀川公害患者と市民の会」への勧誘の集まり）、全体で語り合います（自治会全員参加の集まり）。設定カードは指示があるまで開けられず、与えられた状況に自らがどのように考え行動するか、が問われます。苦しい生活のこと、裁判のこと、公害病認定のこと、差別のこと、体験しつつ学んでいく知識も多くあります。一人で考え、家族と考え、地域で考え、プレイが進むと共に内容も深くなっていきます。また、場面ごとにファシリテーターの声かけによって全体で感想や状況を共有することで、他の参加者の視点も知ることができます。

最後に役を離れ、実際の「西

宮崎大生がロールプレイに挑戦。5人1組になってそれぞれの役を演じる（写真提供／宮崎県）

淀川公害裁判について」解説を聞き、第1次訴訟判決が出た1991年の各家族のその後を共有します。

疑似体験から
自分事への気づきに

終了後の感想では、「実際に公害の被害者家族という立場に立ってみると、公害、その原因となるものが心から憎く感じた」、「工場経営と環境問題の板挟みはしんどいと思いました」、「自分の住む町が公害で汚染される様子や家族や知り合いの健康被害が心配な気持ちに共感できた」等があがり、「自分が住む地域が公害に悩んでいたらどうするかなと深く考えてしまった」のように、他人事から自分事として捉える見方も出てきます。また「（公害が解決した）

現代に生まれてよかった」等の意見があがる場合もあります。

次の段階では、現在も続く他の公害裁判、終わらない地域の再生、続く被害者の苦しみ等を取り上げ、今は起こっていないのか、起こる可能性はないのか、と問いかけていきます。知識として知っていることから一歩踏み出すきっかけとして、ロールプレイという方法は優れていると感じています。みなさんも体験してみませんか。

〈おすすめの関連図書〉
『西淀川公害を語る──公害と闘い環境再生をめざして』西淀川公害患者と家族の会編 本の泉社 2008年
『開発教育実践ハンドブック──参加型学習で世界を感じる 改訂版』西あい・湯本浩之著 開発教育協会編 開発教育協会 2012年
『パーム油のはなし──「地球にやさしい」ってなんだろう? 改訂版』開発教育協会編 開発教育協会 2018年

*紹介したロールプレイについてのお問い合わせはあおぞら財団まで http://aozora.or.jp/

「東海第二原発再稼働の是非について
住民投票を実施すべきか否か?」

前嶋 匠
(茗溪学園中学校高等学校 社会科教諭)

自分事として考える

本授業実践は、2018年2月から3月にかけて、私が勤務する茗溪学園中学校高等学校(茨城県つくば市)の高校1年生の「現代社会」において行ったものです。同授業では、時事的なテーマや地域の問題を積極的に取り上げていますが、3.11以降、茨城県内では東海第二原発の再稼働の是非をめぐって議論が続いており、17年に行われた茨城県知事選挙の争点のひとつでもありました。

3.11の教訓のひとつは、原発事故がひとたび起これば子ども達を含めて地域住民が大きな被害を受けるという事実であり、また社会における論争的な問題を他人任せにするのではなく、自分事として捉えることの重要性であると考えます。そこで、原発の問題を単にエネルギー問題としてではなく、日本の民主主義のあり方や地方自治を考える題材として扱うこととしました。具体的には、「東海第二原発再稼働の是非について住民投票を実施すべきか否か?」を

テーマとした7時間構成のディベート授業を行いました。

白熱したディベート

第1時は、戦後日本の原子力政策や東海第二原発の歴史や現状、県知事選挙や世論調査などについて学習しました。

第2時は、東海第二原発再稼働に関する6つの新聞社(朝日、読売、毎日、産経、東京、茨城)の社説を比較し、再稼働の是非について自分の考えを書きました(結果は7〜8割の生徒が再稼働に反対でした)。

第3時は、原発をめぐって住民投票の直接請求がなされた大阪市・東京都・静岡県(2012年)、新潟県(2013年)の事例(いずれも議会で否決され実施に至っていない)について、朝日・読売新聞の記事を配布し、住民投票に肯定的／否定的な声や理由を調べ発表しました。感想では「住民が主権を行使して請求しているのに議会が否決するのは意味がないと思った」のように、住民投票を実施すべきであるという意見が多数をしめました。

第4時は、個人の考えとは関係なくランダムに1班5〜6名で肯定派／否定派に班分けして準備に取り組み、第5・6時に班対抗のディベートを行いました。肯定派の根拠としては、「事故が起これば被害を受けるのは県民なのだから、県民の声を聞くべき」、「住民投票は住民の権利であり、間接民主制を補完するもの」、「住民が原発について考えるよいきっかけになる」などがあがりました。一方、否定派の根拠としては、「住民投票には多額の費用がかかる」、「住民投票の結果には法的拘束力はなく、世論調査で十分」、「二者択一では、多様な意見が反映されない」などがあがりました。生徒達は互いに質問や反論をぶつけ合いながら、生き生きと活発な議論を行いました。

印象的だったのは、当初は住民投票に肯定的だったものの、住民投票にかかる費用として約12億円が見込まれることを知ると、否定的な考えに変わった人が少なくなかったことです。これまでの世論

調査である程度結果が見えているのに、法的拘束力がない住民投票に12億円のお金をかける必要はない、福祉などほかの事業にまわすべきだ、という理由からでした。

第７時は、今度は個人の考えに基づいて肯定派／否定派にクラスを分け、自由討論形式のディベートを行いました。その際、これまで再稼働がなされた川内、伊方、高浜原発と設置県における地元新聞社の世論調査の結果を資料として配布しました。これは、世論調査では再稼働反対が上回っているにもかかわらず再稼働が進んでいる実態を示すものですが、肯定派はこれをもとに「世論調査だけでは不十分だから住民投票を実施すべき」と主張し、否定派は逆に「世論調査の結果が反映されていないのだから、住民投票をやっても同じこと」と主張するなど、同じ事実であっても立場によって受け止め方が異なることが浮き彫りになりました。

自分の言葉で語る

自由討論形式では、より自由に自分達の言葉で発言し、その中では、肯定派の人が「住民投票は住民の税金を使って行う以上、投票結果を無視すれば住民が怒る。住民の税金を使うことに対する責任があ

「肯定派」「否定派」に分かれ住民投票の是非をめぐるディベートは白熱した（2018年3月12日付 茨城新聞）

る。社会的拘束力はある」（「社会的拘束力」という言葉は発言者の造語）と主張したり、また別の人が（その可否はさておき）「住民投票を実施すべきか否かで、住民投票をやったらどうでしょう」と発言するなど、民主的なプロセスのあり方について自分なりのアイデアを提案することができました。またディベート終了後には、「住民投票は議会選挙と一緒にできないんですか？」と質問してくる人もおり、自分なりの疑問をもってさらに追究を深めようとする姿勢が見られました。

今回のディベート授業を通して、茨城県に住んでいながらそもそも東海第二原発について知らない生徒も少なくなかった中、自分が住む地域の問題について関心を高めるこ

とができました。また、若者の政治的無関心や低投票率が指摘される昨今ですが、「住民投票が行われるなら、絶対に投票に行きたい」と書いた生徒の感想のように、主権者教育にもつながりました。未来を担う子ども達が、原発やそれに関わる民主的な意思決定のあり方を自分事として考える一契機になったと考えます。

〈おすすめの関連図書〉
『戦後日本の教育実践──リーディングス・田中裕一』和井田清司編著 学文社 2010年
『新版 死の川とたたかう イタイイタイ病を追って』八田清信著 偕成社文庫 2012年
『3・11を契機に子どもの教育を問う──理科教育・公害教育・環境教育・ESDから』大森享・小川潔・生源寺孝浩・大島英樹・安藤聡彦・佐原成典・宮前耕史著 創風社 2013年

公害を調査する
「学ぶこと」と「望ましい社会をつくること」

三谷高史
（仙台大学 体育学部 准教授）

一般的に「調査」とは世の中で起きている事象について、直接的あるいは間接的にデータを収集し、収集したデータを整理・分析し、報告（共有）する一連のプロセスをさします。公害学習において、調査は重要な活動でありつづけてきました。歴史的な事例になりますが、ここでは主に1960年代の事例を取り上げます。

対立した2つの公害調査

高度経済成長期まっただ中の1963年、静岡県は沼津市・三島市・駿東郡清水町にまたがって石油コンビナートや発電所等を誘致する大きな開発計画を発表しました。当時はすでに三重県四日市市のコンビナート周辺での公害被害が問題となっていたため、地域住民の一部は計画撤回を目指して住民運動を展開します。

同年には公害調査のために通商産業省（当時）の工業技術院長、黒川真武を団長とする黒川調査団が結成され、四日市市での公害調査が実施されました。そして翌年の1964年に沼津・三島地域で全国初の「総合的事前調査」が実施されました。後に公表された報告書は「対策をすれば公害は起きない」という結論になってい

て、開発計画を支持するものとなっていました。しかし、この報告書は公表後、徹底的に反論されることになります。反論したのは、三島市長から委嘱を受けた国立遺伝学研究所（三島市）の松村清二を団長とする松村調査団でした。

自然科学の博士を集めた黒川調査団に対し、松村調査団には地元の科学者、教師、住民が多く参加したのですが、その中に沼津工業高校の教師（気象学）、西岡昭夫がいました。ヘリコプターを使うなど大規模な調査を実施した黒川調査団に対し、西岡はユニークな発想で松村調査団の調査を展開します。たとえば、生徒と共に100以上の鯉のぼりを使って風向きの調査をしています（P151図）。西岡らは風になびく鯉のぼりの尾の向きを一日中可能な限り記録し、黒川調査団よりも多くの地点でデータを収集しました。また、市内の学校に蓄積されていた気象観測データの収集・分析もしています。

さらに西岡は温度計を持って地域住民の運転するバイクの後ろに乗り、沼津市内の香貫山を登り下りして高度と気温の関係を調査し、開発予定地では逆転層（高地の気温よりも低地の気温が低くなり、

大気の対流が阻害される現象）が発生することを突きとめています。逆転層は「高い煙突を設置すれば、排煙は上昇気流によって地表付近にはとどまらない」とした開発計画の主張をくつがえすものでしたが、それと同時に「香貫山周辺は霧が多い」という人びとの生活に基づく知識を科学的に説明するものでもありました。調査に加わった地域住民や生徒らは調査を手伝っただけではなく、生活に基づく知識と科学的知識を結びつけ、自分達の地域がコンビナート開発に不適当であることを確信していったのです。

　西岡が組織した調査の結果は中間報告としてまとめられ、松村調査団はそれをもとに黒川調査団の報告を徹底的に批判しました。そして、最終的に開発計画は撤回されることになったのです。

公害学習にとっての調査

　西岡は松村調査団に加わる以前から独自に調査を実施していて、開発計画の問題性を認識していました。沼津・三島の事例は事前調査でしたが、当時すでに公害被害が起きていた地域——三重県の四日市市や大阪府の大阪市西淀川地区（大気汚染）、宮崎県の土呂久地区（慢性ヒ素中毒症）など——でも、健康被害に苦しむ子ども達を目の当たりにした地元の教師達が調査を実施しています。

　被害の未然／已然の違いはありますが、1960年代のいずれの事例においても教師はまず自ら調査をすることで問題の所

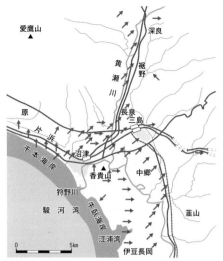

図 松村調査団の鯉のぼり調査による気流分布図*
（1964年5月5日12時実施）

在を明らかにし、公害のない社会をつくることを目的として学習活動（授業や研究会など）を実践しました。当時の公害学習にとって調査とは「学ぶこと」と「望ましい社会をつくること」をつなぐためのものだったといえるでしょう。

　読者のみなさんは、公害や環境問題の学習が知識を得て終わりなのではなく、「持続可能な開発」や「SDGs」に表現されるように、望ましい社会に向けての行動も大切であることを知っていると思います。「学ぶこと」と「望ましい社会をつくること」をみなさん自身の中でつなぐためにも、関連図書を読んだり、調査活動を含むスタディツアーに参加したりすることから始めてみてはいかがでしょうか。

〈おすすめの関連図書〉
『全書・国民教育6――公害と教育』国民教育研究所編 明治図書 1970年
『環境教育の成立と発展』福島達夫著 国土社 1993年

＊(出所)『全書・国民教育6――公害と教育』国民教育研究所編 明治図書 1970年 P195図より作成

暮らしの中の「公害」を認識する

丹野春香
（埼玉大学 教育学部 非常勤講師）

砂利道の「アスベスト」

これはどこにでもあるような砂利道です（写真右）。ここに立った私は「この砂利の中にアスベストがあります。探してみてください」と言われました。それは私が埼玉県さいたま市で開かれた「アスベストを知るワークショップと講演」（2019年実施、NPO法人東京労働安全衛生センター主催、「エタニットによるアスベスト被害を考える会」協賛）というアスベストについて調査をしながら学ぶ学習会に参加をした時に、問いかけられたひと言です。

この砂利は建築物の解体で出るコンクリートなどを再利用した再生砕石と呼ばれるものでできていますが、この中にアスベストを含む建材を粉砕してできた建材片が混入しているということでした。アスベストは日本で建築材などに多く利用されてきましたが、それを切断や破砕することによって飛散した細かな粉じんを吸い込むこと（ばく露）で高い発ガン性をもつ物質です。アスベストを含む再生砕石は全国各地で使用されているのですが、それほど危険なアス

市街地を流れる鴻沼川と両岸の住宅地の間に砂利道がある（さいたま市）

ベストが実際に「足元にある」と言われても、私には「ただの石」にしか見えませんでした。「アスベスト」という言葉は知っていても、アスベストであるかどうかをどうやって見分ければいいのか、その術をもっていなかったからです。

さいたま市では再生砕石によるアスベスト問題だけではなく、旧日本エタニットパイプ（現リソルホールディングス）大宮工場が1933〜82年にかけて製造していたアスベストセメント水道管（通称エタニットパイプ）を通して、アスベストによる公害が起きました。この工場で製造していた水道管は、クボタの水道管と同じクロシドライト（青

石綿）というアスベストの中でもっとも毒性が高いものでした。しかし、国や企業がアスベストの危険性を知らせておらず、従業員や近隣住民はそのことを知りませんでした。市民達が結成した「エタニットによるアスベスト被害を考える会」[*1] では、従業員や近隣の地域住民の家を訪ね歩いて被害者を探し、救済活動をするほか、健康調査実施を市や環境省に要請したりしながら、被害を明らかにするための活動を続けてきました。2021年5月現在、工場従業員で少なくとも70名、近隣の地域住民で被害が確認されている方がおよそ10名になります。残念ながらその10名

のうちすでに4名の方がお亡くなりになられたことがわかっています。

「公害がある」と認識する学び

　この学習会には、地域住民や被害者・家族・遺族の方、教員、市議会議員、子ども連れの市民などおおよそ34名が参加しました。まず街の中にあるアスベストを探し歩くフィールドワークを行い、次に公民館でアスベストのリスクや、さいたま市でのアスベスト問題や被害の現状について、アスベストの調査研究や被害者支援に携わってきた専門家や市民、被害者の方からうかがいました。最後に、顕微鏡などを使いアスベストの形状を目で見るワークショップも行いました。

　私は、この学習会に参加するまでさいたま市でのアスベスト被害についてほとんど知りませんでした。しかし、住宅地の中を歩いて行くと、公共施設の石像物や駐輪場の屋根にはアスベストが含まれており、かつて工場があった地域では庭先の鉢植えや木柵の土台にアスベストセメント水道管の切れ端が使われ、今もそのままになっていました。また、無人となっている民家にはアスベストセメント水道管がむき出しのまま置かれていましたが、そこは学校のほぼ

再生砕石が敷かれた砂利道でアスベストを含む建材片を探す学習会参加者

向かいで、通学路でもありました。知らなければ素通りしてしまうようなありふれた暮らしの風景の中にアスベストが多く残されていることに驚き、生活をしている中で知らず知らずのうちに被害に遭うことを想像すると恐怖心を抱かずにはいられませんでした。街の中にあるアスベストを発見していくことで、この地域でまさに公害が起きているということを実感としても理解することができました。

　またこの学習会では、アスベストを判別するための特徴を教えていただきながら、調査や観察を通じて実際に判別をする機会を得ました。砂利の中からアスベストを含む建材片を探し出すことは誰しもができるわけではありません。暮らしの至るところに現存しているアスベストを見極めるためには、それを観察し、判断することができるようになる学びが必要なのです。公害

無人となった民家に置かれたアスベストセメント水道管

調査は、被害を明らかにしたり、あるいはそのリスクを防いだりすることを手助けしてくれるものですが、調査は「ここに公害がある」ということを認識していく学びのプロセスそのものでもあるのだと思っています。

〈おすすめの関連図書〉
「市民のためのアスベスト対策ガイド」東京労働安全衛生センター（「アスベスト・リスクコミュニケーションプロジェクト」2019年度環境再生保全機構地球環境基金助成金成果物）2020年（*2）
『アスベストに奪われた花嫁の未来』北穂さゆり著　エタニットによるアスベスト被害を考える会編　アットワークス　2015年
『アスベスト──広がる被害』大島秀利著　岩波新書　2011年

*1 「エタニットによるアスベスト被害を考える会」代表 斎藤宏 https://www.facebook.com/riskofasbestos/
*2 「市民のためのアスベスト対策ガイド」http://metoshc.org/asbestos_rc/pg273.html

話を聴く
言葉にならない声を聴く想像力

池田理知子
（福岡女学院大学 人文学部 教授）

疑問から気づきへ

「話を聴く」という行為は、話者から聴者への一方的なコミュニケーションではありません。同じ話を聞いたとしても、年齢や経験の違いから受け取る意味が人によって異なるはずです。また語り手の話の内容も、相手が子どもなのか大人なのか、少人数のグループなのか団体なのかで変わる場合もあります。とはいえ、公害患者や患者家族、支援者の話を聞く機会は限られており、教育や研修の一環として公害資料館で聞いただけという人がほとんどではないでしょうか。そのような貴重な機会を活かすためには、語られた言葉をそのまま受け止めるだけではなく、言外の意味は何か、なぜそれが語られるのかを考えなければならないはずです。そして、そこで浮かんだ疑問への答えを模索する姿勢も大事になってきます。

たとえば、水俣市立水俣病資料館の語り部で、胎児性水俣病患者の永本賢二さんは、原因企業であるチッソに対する気持ちを「好きか嫌いかではなく、真ん中」と表現します。チッソの専用港がある梅戸（P155写真）に自宅があった彼は、そこから見えるクレーンに毎日話しかけな

がら子ども時代を過ごしました。彼の父親もチッソで働いていました。ところが、成長した彼が後に知ったのは、チッソが流した排水に含まれていたメチル水銀が原因で、自分が水俣病にかかったという事実でした。それでも憎みきれないチッソへの思いが、彼のこの言葉にあらわれています。なぜ「真ん中」なのか、被害者であれば加害企業を恨むはずだという疑問が、単純ではない水俣の人間関係への気づきにつながるかもしれません。今も同じ企業城下町に暮らす住民と被害者の間には、容易には理解しがたい複雑な関係があるのです。

次に、四日市公害と環境未来館の語り部である山本勝治さんがよく受ける質問から考えてみます。彼は、原因企業に勤めながら患者支援を長年行ってきました。その彼が聴衆からよく問われるのが、「会社で働きながらなぜ支援ができたのか」です。それに対し、「周りに仲間がいたから」と彼は答えます。なぜこうしたやりとりがあるのか、仲間とは誰なのかといった疑問が、今では忘れられている労働組合の存在に気づくきっかけを与えてくれるかもしれません。当時は、公害に反対

したり職場環境の改善要求をしたりと、時には会社と対峙する組合も少なからずありました。「加害企業＝悪者」という一面的な見方をいったん脇におくと、そこで働いていた人達の複雑な思いがみえてくるはずです。

終わらない「公害」

公害は、過去の話ではありません。いまだに病で苦しんでいる人もいます。また、いったん汚染された自然が元に戻るにはかなりの時間がかかります。汚染物質の処理も問題になっています。水俣では、メチル水銀をはじめとした汚染物質をドラム缶に詰めて埋め立てに使いましたが、地震などの災害が起きれば再び海に流出してしまうかもしれません。このように、今でも終わっていない公害だからこそ、現在もその問題に関わっている人の声に耳を傾けることが大切なのです。

1962年当時の水俣市にある梅戸港。永本さんは子ども時代、自宅から見えるクレーンに話しかけていた（熊本学園大学水俣学研究センター所蔵）

そうした人達の声が聞ける場の一例として、裁判所があげられます。水俣病の公式確認から65年たった現在でも水俣病および新潟水俣病の裁判は行われており、患者認定をめぐる問題が残されている実態がわかります。私が傍聴している水俣病の裁判でよく見かけるのが、学生と教員の姿です。裁判が始まる前の集会や公判終了後に行われる報告会で、原告となっている被害者やその支援者から詳しい話が直接聞けるためか、多くの学生

達の姿がそこで見られるのです。その時疑問に思った点を大学に戻ってからクラスやゼミの仲間、教員と話し合えるのは貴重な機会だといえます。話された内容を振り返る時間の重要性は、あらためていうまでもありません。

周りの人と話し合ってみても、それでも疑問が解決できない場合もあるでしょう。公害の被害を受けた地域の歴史や現状はそれぞれ異なります。関係する人達が語る経験も様々です。あまりにもひどい被害の実態や個人的なつらい経験などは簡単には語れないものなのです。そのような言葉にならない声を聴くためには、想像力を働かせ、それが何なのか、なぜ語れないのかを考えつづけなければならないでしょう。まずはその声に耳を澄まし、しっかりと聴いてほしいと思います。

〈おすすめの関連図書〉
『証言 水俣病』栗原彬編 岩波新書 2000年
『チッソは私であった――水俣病の思想』緒方正人著 河出文庫 2020年
『きく・しる・つなぐ――四日市公害を語り継ぐ』伊藤三男編 風媒社 2015年

胎児性水俣病患者の〈ことば〉を聴く授業

小玉敏也

（麻布大学 生命・環境科学部 教授）

等身大の出会い

　今、私達の周りにはたくさんの情報があふれています。ネット上での動画、音楽は瞬時に人の心を引きつけ、あっという間に忘れ去られていきます。あらゆるものが商品として消費される社会の中で、私の小学校教員時代の小学6年生対象の授業（総合的学習「夢は奪われたのか」）は、〈ことば〉について深く考える機会になりました。

　この授業は、水俣病を学ぶ3時間の授業でした。第1時は患者、永本賢二さんの子ども時代を学ぶ授業、第2時は映像や資料を活用してその成長過程を学ぶ授業です。そして第3時が3人の患者さんを招いて話を聴く授業でした。現在の公害教育といえば、5年生の社会科で四大公害病を知る授業が一般的ですが、この授業では患者さんの子ども時代と抱いていた夢の行方について聴き合うという設定にしました。3人共、胎児性の水俣病患者でしたが、小学生の子ども達には等身大の大人として出会ってほしいという思いがありました。

胎児性水俣病患者3人の方を教室に招いて話を聴く

〈ことば〉を聴き取る

　第3時の授業では、60人余りの子どもが、3人を緊張の面持ちで迎えました。その中には、第1時で学んだ永本さんもいます。

　その永本さんは、差別体験を語りながらも、ご自身の生い立ちについてユーモアを交えながらゆっくりと語ってくださいました。「子どもの頃は、港にあるクレーンを動かす人になりたくてね」との言葉に、頬をゆるめて聴く子もいました。事前に水俣病の悲惨さを学んでいた子ども達には、ほっとする話だったからでしょう。

　2人目の松永幸一郎さんは、症状が重いぶん話をするのがとてもつらそうでした。肉体的な苦痛や差別体験をぽつりぽつりと話してくださいましたが、子ども達はひと言も聴きもらすまいと身を屈めながら耳を傾けていました。

　3人目の金子雄二さんは、話すこと自体に苦労されていました。司会から自己紹介を求められたのですが、「あ、あ、、、、か、、、、」と、ひとつの音を発するのにとても時間がかかったのです。だから、いっそう子ども達は一生懸命に耳を澄まして聴き取ろうとしました。張りつめた静寂の中で、「この人の名前は？」「何を話したいの？」という声が、彼らの背中から聞こえてくる気がしました。結局、金子さ

んの一音一音は耳に届きましたが、意味をともなって伝わることはありませんでした。しかし私達には、金子さんの声が聴こえていたような気がしていました。うまく表現できませんが、身を振るように一音ずつ絞り出していた身体そのものが〈ことば〉になって、一人ひとりに異なるメッセージを響かせたのだと思います。

　授業終了後に、印象的な出来事がありました。会場に残っていた子が「チッソを恨んでいないのですか」と松永さんに話しかけたのです。その場に、緊張が走りました。その子には素朴な問いであっても、患者さんには心の奥に隠したい気持ちだってあるからです。すると松永さんは、「憎んでいます。工場の前を通ると、今でもその気持ちが出てきます」と、ぽつりと話しました。私は、この「憎む」という〈ことば〉に身ぶるいしました。なぜなら、学校はおろか日常生活の中でも、発せられなくなった重い〈ことば〉だったからです。

身体性をともなった学び

　この授業は、3人が語る水俣病の重さと差別のひどさから、夢が壊されていく過程を学ぶこととなりました。しかし、それぞれの圧倒的な存在感か

授業終了後の永本さんと子ども達

第2時の授業の板書

ら、教科書では得られない身体性をともなった学びを経験できました。それは、語られた〈ことば〉に三人三様の「痛み」「苦しみ」が我が身に伝わったという受動的な学びと、その中身を必死で聴き取るために身を傾ける能動的な学びから産み出されたのです。

　今後もどこかで、被害者／加害者を招いて話を聴く公害教育は行われるかもしれません。語られた内容に着目することはもちろんですが、それよりも大切なことは、当事者が語る〈ことば〉の背景を想像し、語られなかった〈ことば〉の重さを考えることだと思います。また、その話を聴いた子どものつぶやきも丁寧に掬い取り、思わず発する〈ことば〉の意味を信頼すること

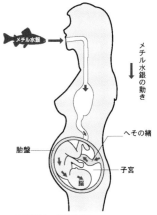

図 胎児の水銀摂取

メチル水銀化合物は血液胎盤関門を容易に通過するため、メチル水銀化合物を蓄積した魚介類を食した母親から胎盤を介して胎児の脳が障害を受け、その結果、生まれながらにして水俣病を発症することがあります。

（出所）『新潟水俣病のあらまし』新潟県福祉保健部生活衛生課編　新潟県 2019年 P17

です。その一つひとつに「身に染みてわかった」「腹にずしりとくる」「背筋が伸びる」といった身体性の発現を期待することが、公害「教育」として自律するひとつの鍵になるのではないでしょうか。

〈おすすめの関連図書〉
『公害のはなし——むしばまれゆく地球』松谷富彦著 ポプラ社 1971年
『石の叫ぶとき』田中裕一著 未来を創る会出版局 1990年
『授業案 原発事故のはなし』日本環境教育学会編 国土社 2014年
小玉敏也「東日本大震災・水俣病の経験から首都圏の子どもは何を学べるか？——総合的学習「東北の12歳は今」「夢は奪われたのか」の実践」『環境教育』Vol.22(2) 2013年
『田中正造——未来を紡ぐ思想人』小松裕著 岩波現代文庫 2013年

スタディツアーに参加する
参加、体験、交流から学び合う

西村仁志
（広島修道大学 人間環境学部 教授）

旅からの学び

旧くから「旅は人を成長させる」といわれてきました。生活圏から出て見知らぬ土地、風景や人、生活様式や言葉と出会うことは多様な見方や教養を身につけ、自らの常識や価値観を問い直すことにつながります。「スタディツアー」はこの要素に着目し、学びを主目的とし「偶然ではなく必然として」起こるように構成されたものです。

日本では学びのための旅は学校教育旅行、いわゆる修学旅行として明治以来の歴史をもっています。しかしこれらは旅そのものを体験することや集団行動に主眼がおかれてきました。一方「スタディツアー」はこれらとは異なる文脈から生まれています。1970〜80年代にかけて難民問題や南北問題が注目される中で民間の国際協力NGOがアジアの国々の開発に関連した諸問題をテーマに取り組みはじめたツアーやワークキャンプが起源です。これらは対象国や地域の実情、現地での取り組みについて学び、関係者や地域住民との草の根レベルの交流を通じて、帰国後も主催団体のサポーター、あるいは地域や学校など各自の現場での主

新潟水俣病の現場、阿賀野川を患者支援者の旗野秀人さんが案内（写真提供／あおぞら財団）

体的な活動者になることを目指しています。当時は持続可能性や社会的公正といった概念も未成熟でしたが、この営みは開発教育からESD、SDGsへ、またフェアトレードやエシカル消費といった現在の社会的動きへと展開、浸透してきました。近年は学校教育旅行においても学びのテーマを設定し、事前事後の学習や参加・体験・交流の要素を取り入れ、深い学びを促すケースも一般的になりました。

スタディツアーの構造

本書で取り上げている公害地域スタディツアーは、フィールドワーク（フィールド調査）によって現地と関係を築いていた大学研究者と大学生が合宿やフィールドワークを行ってきたものが起源だと考えられます。フィールドワークは文献

現地関係者に向け、参加者各自の気づきや学びを報告

からでは得られない第1次情報を、自身の目と耳を使い実体験して映像や文章に記録・記述し、そこから概念や理論を生成させていくものです。一方でスタディツアーはフィールドワークから得られた多様な要素を追体験することに主眼がおかれ、基本的には事前に行動予定を企画・構成します。主催者はカウンターパート（現地で受け入れを担当する人や団体）と協議、調整しつつ訪問先やインフォーマント（話題提供者）を依頼し、全体のスケジュールを組みます。このカウンターパートはゲートキーパー（門番）とも呼ばれ、主催者と現地双方の意向、事情を汲み取る重要な役割になります。一方、現地関係者が自らスタディツアーを主催するケースもあります。

またスタディツアーでは参加者相互に学び合う規範、関係性を醸成することが重要で、そのためにはファシリテーター（進行役、学びの促進役）の役割が欠かせません。ファシリテーターの進行のもと、ツアー開始時、終了時、そして毎夕食後などの節目に参加者各自の思い、体験や「今、ここ」での気づきや学びを分かち合う機会を組み込みます。

そして参加者にはツアー参加に先だって事前学習の機会を設定し、訪問地に関する基本的な情報や、問題の背景、概況についてあらかじめ理解を深めておくことや、事後に振り返りのレポートを提出してもらい、さらにそこからの学び合いの機会を設定することも大切でしょう。

公害地域へのスタディツアー

私は2009～11年に「公害地域の今を伝えるスタディツアー」（あおぞら財団主催）の企画・実施に参画しました。新潟、大阪の2回のツアーに参加したある大学生は「公害によって引き起こされる問題は、健康被害だけでなく、崩れた人と人の関係を修復することが、壊れた環境を元に戻すよりも時間がかかり難しいということを肌で感じた」と、今まで見落としていた社会の現実に気づく機会になったと振り返っています。このように公害地域へ足を運んで土地の光や空気を感じ、当事者や関係者と直接出会うこと自体、かけがえのない体験です。

さらにスタディツアーはこのように参加者一人ひとりから言葉を引き出し、相互の学び合いを通じて公害の経験から学びを紡いでいく大切な営みであるといえるでしょう。

〈おすすめの関連図書〉
『スタディ・ツアーのすすめ』市原芳夫著 岩波ジュニア新書 2004年
『フィールドワーク増訂版──書を持って街へ出よう』佐藤郁哉著 新曜社 2006年
『人類学者たちのフィールド教育──自己変容に向けた学びのデザイン』箕曲在弘他編 ナカニシヤ出版 2021年

「公害」への旅だから学べること

小川輝光
（神奈川学園中学高等学校 社会科教諭）

「海がきれいで自然豊かなこの水俣の地に水俣病が起こったことが信じられなかったです。これは、実際に現地に行ってすごく感じました」

ある生徒が水俣病を学習したレポートの最後に書いた文章です。彼女は、水俣で胎児性患者の坂本しのぶさんと出会い、横浜に帰ってから胎児性のことを調べ直しました。「胎児性水俣病を調べて、水俣病との違いを考えました。それは、胎児性水俣病は普通の出産と同じような気持ちであり、我が家の希望であったり、喜びや嬉しさなどの親の気持ちがものすごく強いなと感じました」と、つづります。そして、1年間の学習を終えた後も、胎児の病気について学んでいきたい、としめくくりました。

水俣フィールドワークの旅

水俣に行き、水俣病から学ぼうと考えるきっかけや、旅を通じて得た変化は、生徒それぞれです。医療や福祉を志す人、社会問題として学ぼうとする人、企業活動や科学と人間の関係を学ぼうとする人……。いろいろな関心に、水

柏木敏治さんから水俣を聴く

天の製茶園で無農薬茶葉摘み

患者家族・杉本家の船に乗せてもらう

坂本しのぶさんから証言をうかがう

俣の旅は応えてきました。ただ、共通するのは、様々なものの見方や、考え方を学び、自分の生き方と向き合う経験を得ることです。神奈川学園中学高等学校では、20年間水俣を訪れてきたので、経験した生徒の数は500人を超えます。

その水俣フィールドワークは、二つのコンセプトを旅においてきました。一つは「人間の尊厳を考える旅」。水俣で、多くの患者さんや支援者のみなさんに出会い、水俣病の受難を乗り越え人生を切り拓いてきた証言を受け取ります。もう一つは「豊かさを考える旅」。不知火海だけでな

く、水俣の山の生活も体験し、都会では味わえない「豊かさ」を感じます。

そして最近は、この旅に、もう一つ不可欠なものがあるように、思ってきています。それは、「旅する私」です。公害被害地に立つと、社会の歪みが、局所的に人と環境へあらわれることを、目の当たりにします。だから、それを体感する「私」の生活や環境も、旅に不可欠の要素となるのです。そのために、旅の前後でしっかりと学び、私と水俣との交差点に、旅を位置づけます。多くの生徒が、事前学習では「白黒」で特別だった水俣が、現地に来て「カラー」で

写真はすべて2018年度水俣フィールドワークより

2019年度神奈川学園高校1年生 水俣フィールドワークの現地行程

1日目	2日目	3日目	4日目
慰霊セレモニー 茂道にて乗船体験 板井八重子さん講演	〈グループ活動〉 ①ほっとはうす・吉永理巳子さん ②坂本しのぶさん・袋小学校訪問 ③チッソ見学・山下善寛さん 〈全員〉 水俣病資料館・湯堂・坪谷・百間排水口 杉本肇さん講演	〈グループ活動〉 ①天野茶屋 ③愛林館 〈全員〉 柏木敏治さんコンサート	永野三智さん 水俣病歴史考証館見学 福田農場

普通の水俣を発見し、その差に驚きます。旅から帰ったあとは、事後学習を通じて、私の日常の中に水俣（病）を感じられることを目指しています。

コロナ禍の旅

　ところが、2020年度の授業は、コロナ禍での学びでした。現地訪問は、2度延期をしています。そのため、オンラインで水俣と横浜をつなぎ、「きぼう・未来・水俣」の胎児性患者の方々と交流することにしました。生徒は、永本賢二さんが、「子どもの時、三輪車は遊び道具ではなく、移動の手段だった」と聴いて、同じ道具に対する自分の経験を比べます。さらに交流会のあと、同じように水俣学習に取り組んでいる埼玉大学の学生さんとオンラインで意見交換をする機会がありました。そこでは、「悔しい」という言葉を、生徒と患者さんが使う時の意味の違いについて、話しました。今は、オンラインでしかつながれませんが、パソコンの向こう側から聴こえてきた

言葉に反応して、「私の環境」を見直す生徒達です。その「私の環境」を取り巻くコロナ禍は、差別や情報の問題で水俣病とよく似ているとある生徒は言います。まだ「旅する私」にはなっていませんが、こういった視点をもったあとに水俣の地に立つと、何が見えるのか、楽しみです。

公害と旅

　かつて公害研究が始まった時に「公害の研究は旅である」（『世界の公害地図 上』都留重人編 岩波新書 1977年）といわれました。公害の実態は、現場に立たないとわからず、現場に行くと、公害の理解がよりいっそう深まったからです。そして旅の結果を地図においていくと、それぞれをつなぐ大きな社会のしくみが見えてきました。

　一方、私は、公害被害者自身も旅をして、公害のイメージを伝え、変えてきたと思っています。水俣病の患者達は、1972年にストックホルムで行われた史上初の国連人間環境会議に参加し、その後、カ

ナダやアジア各地を旅しました。この機動性は、水俣病を世界的な問題に押し上げる契機になり、「環境正義」や「公害輸出」といった問題へとつなぐことにもなりました。現在のエコツアーや、環境をめぐるスタディツアーの基底部分に、このような体験があるのではないかと思います。

　「公害」だから学べること。それは、戦争とかではなく、ごくありふれた普通の日常の生活の中に、じつは社会的な歪みや、加害と被害の関係が潜んでいることを、身をもって感じることです。その学びは、社会への感度を高めると同時に、自分という存在を見つめ直し、人間の可能性をも探究する、大切な体験になると、私は思っています。

〈おすすめの関連図書〉
『3・11後の水俣／MINAMATA』
小川輝光著 清水書院 2019年
『ガイドブック 水俣病を学ぶ、水俣の歩き方』熊本学園大学水俣学研究センター編 熊本日日新聞社 2019年
『証言 水俣病』栗原彬編 岩波新書 2000年
小川輝光「高校生の社会認識形成に関する質的研究」『社会科教育研究』121号 2014年 DOI: https://doi.org/10.18992/socialstudies.2014.121_1（電子文献）

公害資料館への招待
多様な学びが出会う場

公害資料館ネットワークウェブサイト
https://kougai.info
(詳しくはP192〜199をご覧ください)

清水万由子
(龍谷大学 政策学部 准教授)

公害資料館とは何か

公害資料館は、過去の公害経験を伝えようとしている施設や団体のことで、その地域で起こった公害に関する展示、語り部による講話、フィールドワークなど、様々な方法で公害を学ぶ場をつくっています。公害に関する資料を集めて、研究、展示・解説、講話などに使えるように整理し保存すること(アーカイブズ)に注力している公害資料館もあります。資料館ですから、当時使われていた生活用品や医療器具、新聞記事・出版物・文書、写真・映像など、公害に関する資料の現物があることが特徴です。公害資料館は、公害を学ぶ人の拠点となる場所で、基本的に誰でも利用することができます。

あなたは公害について、何を知りたいと思うでしょう。まず、いつ、どこで、何があったか。これは公害資料館へ行かなくても、書籍やインターネットで複数の情報源にあたればおおよそのことはわかるでしょう。公害資料館のウェブサイトも参考になるはずです。では、誰がどのようにして解決したのか。どうしたら公害を起こさないか。これらの疑問の答えは簡単に見つからないはずです。なぜな

らそれらは、唯一の正解がない問いだからです。

公害資料館は何を学ぶ場か

公害資料館がつくられる経緯は様々で、被害者と加害者による裁判後の取り決めに基づいてつくったものや、市町村長などの首長が主導してつくったもの、被害者や支援者が自主的につくったものなどがあります。

公害資料館は、政府や自治体が運営する公立資料館と、被害者や支援者の団体などが運営する民間資料館に大きく分けることができます。その機能はそれぞれに異なりますが、いずれも被害者達の「自分達が経験した苦しみを、次世代に繰り返さないでほしい」という願いを受けたものであることは共通しているといってよいでしょう。

じつは、同じ地域に複数の公害資料館があることがあります。たとえば、富山県のイタイイタイ病被害者達は、公害の根絶を目指して取り組んできた活動を後世に伝えるため、彼らの運動拠点である「清流会館」に展示室を設け、来館者の受け入れと解説を行ってきました。同時に、

イタイイタイ病を伝えつづけるには恒久的な施設が必要と考え「公立の公害資料館設立を」と富山県に要望してきました。被害者達は多くの資料を提供し、展示内容の検討過程にも参加するなど協力して、2012年4月に念願の「富山県立イタイイタイ病資料館」が開館しました。県立資料館

「あおぞら財団付属 西淀川・公害と環境資料館」で資料を読む利用者

は県内外の学校・団体の授業や研修、企業の新人研修等で利用され、展示内容を複数の外国語に翻訳するなど積極的な発信に取り組んでいます。しかし、清流会館は今も展示・解説と資料保存を続けています。

同様に、水俣病関連でも、水俣、熊本市に、「水俣市立水俣病資料館」、「環境省国立水俣病総合研究センター水俣病情報センター」、「一般財団法人水俣病センター相思社」の「水俣病歴史考証館」、「熊本学園大学水俣学研究センター／水俣学現地研究センター」、「熊本大学文書館」と複数の公害資料館があります。

それらの違いは、ぜひ現地を訪れて自分の目で確かめてほしいのですが、そこでの展示や資料を見ると、それぞれの公害資料館が伝えようとする内容に違いがあること、そして様々な立場の人が解決に向けて協力し、時には異なる思いを抱

きながら同じ時代を生きていたことを感じ取ることができるでしょう。

公害を伝え、学ぶ人が出会う場

すべての公害資料は人間が作り、人間が残してきたものです。公害資料を通して、我が身に被害を受けた人、彼らと共に苦しみ闘いぬいた人、原因企業で働いた人、公害発生地域の自治体で働いた人などに出会うことができます。彼らがそれぞれの立場で何をもって公害問題の解決だと考え、何に努力したのかを、彼らが残した資料から読み取り、想像する場が公害資料館です。

できれば友人や家族と一緒に訪れて、お互いに感じたことを伝え合うことができれば、あなたの学びは公害のない未来をつくる一歩となるでしょう。

〈おすすめの関連図書〉
『きく・しる・つなぐ──四日市公害を語り継ぐ』伊藤三男編 風媒社 2015年

この地で起きた公害を次世代へつなぐ

神長 唯
（都留文科大学 教養学部 教授）

2015年3月、「四日市公害と環境未来館*」が開館しました。四日市市立博物館のリニューアルを機に、建物1・2階部分に新たに生まれた公立の公害資料館です。大気汚染公害単体の展示ではなく、四日市という地域社会の成り立ちの歴史にしっかりと位置づけたのが特長です。開館年度より地元四日市大学との連携事業がスタートしました。

はじまりは「四日市公害論」

四日市大学で私が教えはじめた頃、故野田之一さん（四日市公害訴訟元原告、元漁師）や、故澤井余志郎さん（支援者）を語り部として授業にお招きしていました。ただ、いつもの見慣れた教室で話し手がゲスト講師に変わるだけでは本来伝えたい「公害を経験した当事者から次世代へのメッセージ」が弱まっていると感じました。同館の誕生で、学生は教室を飛び出し、地域に「学びの場」を手に入れたのです。公害・環境問題を自分事として捉えるには想像力が不可欠です。四日市大学にはベトナム、ネパールなど計6カ国の留学生がいます。彼

らの歴史的背景への理解や、言葉の壁も存在します。

地域の「学びの場」として

連携事業の本格化により①同館学芸員を複数授業にゲスト講師・対談者として招く、②同館に特化したフィールドワークの実施、③館内事業として大学教員・学生による子ども向け夏休み講座など同館を「学びの場」として幅広く活用できました。

「四日市学」の授業では、これからの4年間、四日市の地で学ぶ全新入生が同館を訪れるようになりました。3年目からは公害患者が多発した磯津に大型バスで出向くフィールドワークをやめ、その分じっくり館内で学ぶ方式に変更しました。自分達が住む街の公害資料館の場所を認識できるよう、現地集合も試みました。

窓のすぐ外が
石油化学コンビナート

見学前の視聴映像に、当時の塩浜小学校児童がハンカチで鼻や口を押さえながら授業を受ける様子が出てきます。塩浜小は、かつて四日市の公害被害地域としても象徴的な

磯津海岸で語り部の話を聞く（2015年）

場所です。展示見学後、語り部の話を聞く際に講座室（100名規模）を使うこともあれば、小グループに分け研修・実習室を使うこともありました。研修・実習室は机とイスこそ会議室仕様ですが、内装は当時の塩浜小の教室を再現しています。年配の人には懐かしい木製の窓枠外に広がるのは昭和四日市石油の石油タンクや工場群のカラー写真です。第1コンビナートと道ひとつ隔てた小学校の日常風景です。座って横を向けば、はめ込みですが当時のままの光景。そんな等身大の経験こそ、公害被害が深刻であった時代にタイムスリップし、追体験を可能とします。

当時の塩浜小の教室を再現した研修・実習室（1階）での夏休み工作講座（四日市大学連携事業 2018年 P164共に筆者撮影）

日々、漢字文化に苦戦している留学生も、真剣な表情で語り部の話に聞き入ります。我が子を公害ぜん息の発作で亡くしたお母さんの話ゆえに、国籍を超えて伝わるのかもしれません。海外への環境技術だけでなく、環境意識の輸出も重要です。

過去の経験を今に応用する

かつてこの地で起きた大気汚染公害をはじめとする環境問題と、地域住民の深刻な健康被害について学びます。単に、四日市公害の歴史や事実を知って終わり、ではなく四日市公害から何を学び取り、今に応用するのかが問われているのです。同館の特色のひとつ、ボランティア解説員による補足説明に熱心に耳を傾ける学生の姿がありました。毎年、地道な連携を積み重ねた結果、同館での学生インターンも実現し、解説補助役にも挑戦してもらいました。

駅チカの立地が強み

弱みでありながら強みなのが被害地域との距離です。臨海部の被害地域より7kmほど内陸部に建つため、現場感は薄れます。一方、三重県内乗降者数最多の近鉄四日市駅より徒歩3分、複合商業施設に隣接した公害資料館です。アクセスしにくい現地を訪れなくとも、ふらっと立ち寄れる立地が強みです。「四日市公害と環境未来館」が地域の学びの場・発信の場・集いの場として、これからも市民が足繁く通う先となることを願います。読者のみなさんも、もっとも多くの星を投映してギネス認定された5階のプラネタリウムを体験しがてら、博物館と融合した公害資料館をぜひ一度、訪れてみませんか。

〈おすすめの関連図書〉
『空の青さはひとつだけ──マンガがつなぐ四日市公害』池田理知子・伊藤三男他編著 矢田恵梨子マンガ くんぷる 2016年
『四日市公害のあらまし』四日市市環境部・四日市公害と環境未来館編・発行 2019年（公式サイトからダウンロード可）
神長唯『『四日市公害と環境未来館』の誕生と現場で学ぶ教育の実践」「四日市大学総合政策学部論集」16巻 2号2017年 DOI: https://doi.org/10.24584/jpmyu.16.2_1（電子文献）

*四日市公害と環境未来館 https://www.city.yokkaichi.mie.jp/yokkaichikougai-kankyoumiraikan/
（詳しくはP194②をご覧ください）

チェルノブイリの経験を世界へ

アンナ・コロレヴスカ
（ウクライナ国立チェルノブイリ博物館 副館長）

古澤　晃（翻訳）

チェルノブイリの悲劇を伝える
唯一の博物館

国立チェルノブイリ博物館*はウクライナの首都キエフにあります。現代における世界最大の原子力災害を引き起こしたチェルノブイリ原子力発電所4号炉から南へ100kmのところに位置しています。当博物館は1992年4月26日、原発事故からちょうど6年目の日に開館しました。キエフ州の消防隊員が主導し、直接的に関わって創設されたものです。キエフ州消防隊は事故直後、現場の消火活動にあたり、隊員56人が大量に被曝し放射線症候群を発症しました。そのうち、6人が命を落としました。

博物館の建物は1912年に建てられた古い火の見櫓のある建物で、消防隊の研修所だったものを改装したものです。開館当初は消防隊員の偉業を称える展示物が200点あるだけでした。しかし、博物館は学芸員の努力により展示物をより充実させ、発展を遂げてきました。開館から数年後には、チェルノブイリの悲劇を伝える唯一の博物館として、事故の記録を伝え、長く困難な事故処理にあたった様々な分野の人びとの多大な努力について語り伝えるようになりました。96年4月26日、ウクライナ大統領令により、本館は国立博物館となり世界に知られるようになりました。これまで120カ国から200万人以上の人びとが訪問しています。

私達の博物館の使命は、何千人にも及ぶ、事故に関わった人、その目撃者、犠牲者の運命について知ることで、人びとがチェルノブイリの悲劇の重大性を認識できるようにすることであり、生活のすべての分野における悲劇の教訓について深く考え、世界がそれを忘れないようにすることです。チェルノブイリの経験を単なる歴史上の出来事にしてはいけません。この経験は人類すべての人にとって、自然災害や人的災害、放射線事故などから人びとや土地を効果的に守るために不可欠なものであるからです。

博物館の主要なコンセプトは「人間の知恵の力は偉大だが、自らの行動に対する完全な責任もそれにともなわねばならない」です。展示物を見る前に、来館者を迎えるのは〈Est dolendi modus, non est timendi（悲しみには限りがあるが、不安には際限がない）〉という言葉です。

私達の目指す展示は、すぐにはできま

せんでした。その理由のひとつは原子力全般、ならびに事故やその理由、結果や事故処理の対策などの情報が極秘扱いだったことです。もうひとつの理由は私達が博物館に展示したいと思っていた遺物が放射能に汚染されていたことです。

　初期の目的を果たすために、私達は国や地域の機関、公共機関、個人所有の資料を探し出し、様々な分野の専門家や学者、事故処理作業員の話を聞き、強制移住区域やチェルノブイリ原発、ウクライナの各地を回りながら資料の収集に努めました。展示物は常に追加変更され、音声・映像機器やマルチメディア、コンピュータープログラム、模型やインスタレーションなどを充実させることで、展示の枠を広げ、よりリアルな展示を作り上げてきました。今もその作業は続けられており、極秘扱いだった資料が公開されるにつれて、証拠となる新しい資料も増えています。

子ども向け館内ツアーで原発作業員に扮し説明する学芸員

展示は移住を拒否し故郷に住みつづけた人びとのことを伝える（写真提供／ウクライナ国立チェルノブイリ博物館）

エコロジカルな文化と安全文化の教育の拠点として

　私達は博物館をエコロジカルな文化と生活の安全を守る文化の教育の拠点にすることを目指しています。安全に関する教育の欠如こそチェルノブイリの悲劇を生み出す主要な原因であったからです。そのため、私達は博物館に、様々な分野の専門家や研究者、教師、ウクライナや国際的機関の力を結集し、あらゆる分野の訪問者のために、多様な教育的・社会文化的なプログラムを作り上げてきました。さらに、私達は国際的な展示プロジェクトにも力を入れています。広島と長崎、そして「福島への祈り」の展示も私達にとって重要なものです。

　私達はチェルノブイリ博物館や公害資料館のような同種の博物館がエコロジーと安全の文化を形成するうえで、重要な役割を果たしていると確信しています。

〈おすすめの関連図書〉
『完全版 チェルノブイリの祈り──未来の物語』スヴェトラーナ・アレクシエーヴィチ著 松本妙子訳 岩波書店 2021年
『チェルノブイリ──アメリカ人医師の体験』R.P. ゲイル他著 吉本晋一郎訳 岩波現代文庫 2011年
『放射能汚染と災厄──終わりなきチェルノブイリ原発事故の記録』今中哲二著 明石書店 2013年
『チェルノブイリ・ダークツーリズム・ガイド──思想地図β vol.4-1』東浩紀編著 ゲンロン 2013年

アートが伝える公害

川尻剛士

（一橋大学 大学院社会学研究科 博士後期課程）

▌公害事件史の中のアート

公害事件史の傍らにはいつもアート作品がありました。アートの担い手はプロからアマチュアまで多様であり、作品制作に向き合う動機やその表現方法はいうまでもなくまた多様です。そして、終わることのない公害事件史と共に生きつづけるアートの担い手達によって、現在も様々な作品が生み出されています。

ここでは、埼玉県草加市を拠点に、明治時代以来の足尾鉱毒事件の舞台となった足尾銅山を今もなお描きつづける、画家・鈴木喜美子さんをご紹介します。

▌今もなお描きつづける「足尾銅山」

1943年に埼玉県草加市に生まれた鈴木さんは、幼少の頃から絵を描くことが好きでした。画家として生きていく決意をしたのは、大学入学浪人中のある恩師との出会いからです。以来、デッサンや油彩の手法はもとより、「ただエンプティーな絵を描くだけでなく、社会との関わりにも関心をもたなければならない」という「絵描きとしての基本」を学びました。

そして、「人を育てなさい」という恩師の言葉に導かれて、鈴木さんは自宅敷地

「足尾製錬所」(1987年 194.0×162.0cm 油彩)鈴木喜美子画
冬の足尾銅山と製錬所を描いたモノクローム時代の作品のひとつ。1980年代後半当時の様子をよく収めている

内にアトリエを構え、草加市内の美術専科ではない小中学校教員などに絵画を教えるようになります。また、近代絵画の礎を築いたフランスの画家ポール・セザンヌの「サント・ヴィクトワール山」に強く感動して、実際にパリに滞在したほどにセザンヌからも多大な影響を受けています。

こうして画家として着実に歩みはじめたかに見えた鈴木さんでしたが、1970年代半ばに一変します。背景には、鈴木さんを支えつづけていた両親の相次ぐ他界がありました。そのショックは相当なものでした。色彩豊かであった画調からは、たちまち色が消え、作品はモノクロームの世界へと閉ざされていきます。

そうした時、鈴木さんは足尾銅山と邂逅します。それは、アトリエに通う生徒

達と奥日光へ写生旅行に出かけた際、教え子に「この山の向こうには何があるのか」とたずね、それまでまったく知らなかった足尾銅山を訪問した時のこと。またそれは、足尾銅山の閉山（1973年）からわずか5年後のことでした。「ひと気のない引き込み線の真ん中に立った時、西日があたる山と工場が私に迫ってきたんです」。そして、鈴木さんは閉山後の足尾の歩みと自分の歩みを次第に重ねていきました。鈴木さんの足尾行きの日々はこうして始まります。

それでも当初はモノクロの「足尾銅山」が中心でしたが、足尾の人びととの出会いとぬくもりは徐々に画調を変化させました。特に1990年代以降は、様々な色が自然と使えるようになっていきます。また、近年は市民による植樹活動で足尾にも緑が戻りつつあり——「公害の歴史を逆に覆い隠しているのではないか」という指摘も鈴木さんは忘れません——、それは作品にもあらわれてきています。

このように、鈴木さんの「足尾銅山」は自身の歩みと変化していく足尾の風景とのその両者が結び合うところで像を結んでいるのです。しかし、鈴木さんは「まだ確証が得られていない」とも言います。これからも描きつづけていく以上、鈴木さんの「足尾銅山」は変わりつづけていくのでしょう。

他方で、鈴木さんは「足尾銅山」を通して「自然に対して愚かでちっぽけな人間」を一貫して描いてきたと言います。この描きつづけるという営みは、ともすれば忘却・不可視化されていく足尾銅山の有する歴史を可視化しつづけねばという鈴木さんの意志のあらわれでもあるのでしょう。また、それは同時に、鈴木さん自身の生の存在証明としての行為にも思えるのです。

問いが生まれる美術館

鈴木さんは、自宅を改築して私設美術館である「ミュゼ環 鈴木喜美子記念館」を2016年に開設しました。そこでは、全100点以上の「足尾銅山」を順次展示しており、私達はその軌跡の一端を感じ取ることができます。また、鈴木さんが「絵は説明するものじゃない」と言うように、私達は「足尾銅山」が提起する様々な問いに向き合うことができます。絵画はそれを観る者の自由なタイミングで、また自由に解釈できる余地が多く、それゆえに観る者の能動性を喚起しやすいことが特徴です。ある小学生は、「なんで山の中に工場があるの？」とつぶやいたそうです。足尾鉱毒事件史への入口は、いく通りにも開かれています。みなさんも「足尾銅山」の前にたたずんで、問いの生起に耳を澄ましてみませんか。

〈ミュゼ環 鈴木喜美子記念館〉
住所：　　〒340-0012 埼玉県草加市神明1-9-24
Tel/Fax：048-960-0388（金土日のみ）
入館料：　大人500円 高校生以下100円
アクセス：草加駅東口より徒歩7分
開館日：　金曜〜日曜
開館時間：11:00〜16:00
休館日：　年末年始
ホームページ：https://museekan.jimdofree.com

第4章

公害と生きる

公害は私達が克服してしまった過去の出来事ではありません。現代においても、私達は知らず知らずのうちに「生きることの危機」としての公害にさらされつづけています。そして未来においても、公害は、将来世代が知り、考え、対処し、記憶しつづけねばならない問題です。本章では、社会・環境と公害の関わりについて、今取り組んでいることや考えていることなどを、自由に語っていただきます。それは、これからの社会を築き担うみなさんへの公害と生きる多様な書き手達からのメッセージの束ということができるでしょう。

1999年9月30日JCO臨界事故発生。工場周辺の住民達はすぐに知らされることなく20時間にわたって中性子線を浴びつづけ、最終的には子どもから大人まで600人以上が被曝（ひばく）したという。この社会に生きる私達は、原発を手放さない限り、誰もが"見えない放射能への恐怖"を抱えつづけなければならない（写真／樋口健二）

被害者と加害者の
キャッチボール

林 美帆（みずしま財団 研究員、公害資料館ネットワーク 事務局）

　私は学生時代に大学の先生の紹介で被害者団体が所蔵していた公害資料の整理に携わり、現在まで公害資料館の仕事に従事しています。

　公害裁判の資料には、訴えた被害者（原告側）の資料だけでなく公害の加害者とされる企業や国の資料も含まれます。双方の主張は同じ時代を生きていても、まったく違うものでした。また、被害者の気持ちを伝える資料は裁判資料以外にもありますが、加害者側の資料は裁判資料として公開されたものに限られます。しかも、公害裁判では被害者が加害の証明をしなければならないのですが、被害者は加害者の内実を知る資料をもっていません。資料の不均等さに加えて、裁判資料だけでは加害者とされる人達の気持ちまではわかりにくいという問題もありました。

加害者側の声を聞く

　日本で公害が社会的な問題としてクローズアップされるのは、1960年代から70年代です。90年代には被害者や行政はパートナーシップを掲げて公害地域再生を謳いますが、信頼関係を築く段階には到達しておらず、一般的に加害者側の声を聞くことは難しい状態にありました。

　たとえば、「西淀川大気汚染公害訴訟」の被告は、企業10社と国・阪神高速道路公団（現在は株式会社）です。大気汚染の汚染源は複数あり、被告企業の操業をすべて停止しても、環境基準を達成するほど大気環境は改善しません。訴えられた被告側としては「うちだけが悪いわけではない」という気持ちを拭い去ることができなかったのです。企業も行政も国を豊かにするために一生懸命やってきたという思いがあります。被害者としては、大気汚染状況を改善するためには、汚染物質の排出量が多い企業や道路管理者を訴えるしか環境改善の道がなかったという背景があります。

2011年の「公害地域の今を伝えるスタディツアー」(大阪)にて西淀川公害訴訟の被告企業であった関西電力から話を聞いた
(写真提供／あおぞら財団)

裁判和解後は被告となった企業と協議する場は設けられないままとなっていました。また、国（国土交通省）とは道路連絡会という協議の場が設けられましたが、大気環境が思うように改善されない中で主張がぶつかり合う場面が多くありました。

企業や行政の声を聞くことが可能になったのは、2009年に行われた「公害地域の今を伝えるスタディツアー」でした（あおぞら財団主催）。このツアーは教育関係者からの「公害をめぐる様々な立場の人達の声を聞きたい」という要望からスタートした事業でした。被害者、企業、行政、街の人、ジャーナリスト、医療関係者などに話を聞く取り組みでした。公害に直面した人達の話を聞くと多様な背景があり、それぞれの持ち場で一生懸命だったことがわかります。資料だけでは見えなかった気持ちや、加害者とされた人達が声を発しづらい状況におかれていたことが見えてきました。

そして、このツアーでは最後に参加者から地域への提案をしました。聞き取りした内容は後に記録化され、お互いの思いを知ることになります。裁判が和解しても交わることのなかった思いが交差した瞬間でした。

公害は見えない

公害を伝える仕事を重ね、多様な主体の思いを聞き、交差させる取り組みを続ける中で、自分自身が「公害が見えていない」という現実に今も突きあたります。

私は公害指定地域に含まれている大阪市で生まれ育ちました。隣家に住んでいた叔父は長年ぜん息に苦しみ、肺気腫で亡くなりました。晩年に「主治医に公害病の認定を受けるようにすすめられたけれど、世間の偏見があり、認定を受けなかった」と告白されました。公害に関わる仕事をしている私でも、隣人が公害の被害者であることが見えなかったのです。過去だけでなく、現在も公害が見えていないことがたくさんあります。それは、立場の違う人のことは見えないということに通じていきます。

173

また、「あなた達は被害を受けている」と他者から公害の被害を指摘されても、受け入れがたいという事実があります。地域の課題を学び、その課題を受け止める難しさが公害問題にはあります。公害の被害は地域全体で受けていても、被害者として名乗り出られない人も多いのです。

対話をあきらめない

　このような困難な中で、なぜ被害者は声をあげるのでしょうか。私は全国公害被害者総行動など、公害患者と行政との交渉の場面に立ち会い、それらの交渉の記録を整理する機会に恵まれました。交渉では被害者が自分をさらけ出して問いかけます。被害と加害の間で対話が成立しにくい中で、生の声はどのような立場の人にも届いていました。この生の声があったから、少しずつ市民が参加できる社会へと変化しつつあります。声をあげた人達は、加害者と呼ばれる人達に声が届いていることを実感していました。行政や企業と交渉を重ねて、人権や環境を回復・改善する地道な取り組みはほとんど報道されないため見えにくいですが、活動の記録であるニュースレターや会議録などは公害資料として各地の公害資料館に保存されており、それらから読み取ることができます。問題が起きた時点では、社会は動かないように見えますが、時間軸でみると確実に変化しています。高い壁を越えて呼応してくれる人がきっといると信じることの大切さを公害の経験と資料は教えてくれました。被害者と加害者であっても、対話というキャッチボールは可能です。未来を共に生きる人として、対話を積み重ねていくことで社会は変化していくと、記録は示しています。公害をめぐる当事者は高齢化していきますが、記録を資料として保存し後世に残していくことは、様々な人達が懸命に生きて社会を変えてきたことを伝えることにつながります。

　共に被害者と加害者との対話を積み重ねていきましょう。不透明で先が見えない中でも対話をあきらめないことは、よりよい社会をつくっていくために、私達にできることではないでしょうか。

〈おすすめの関連図書〉
『西淀川公害の40年──維持可能な環境都市をめざして』除本理史・林美帆編著 ミネルヴァ書房 2013年
『軌道──福知山線脱線事故 JR西日本を変えた闘い』松本創著 東洋経済新報社 2018年
『対話する社会へ』暉峻淑子著 岩波新書 2017年

被告企業からみた
「西淀川公害訴訟」

山岸公夫
（元神戸製鋼所職員、あおぞら財団理事）

判決の日に横断幕「手渡したいのは青い空」を掲げ
6000人の患者・支援者が行進した（1991年3月29日）

　「西淀川公害訴訟」は、大阪市西淀川区の公害患者が提起した大気汚染公害訴訟です。大阪湾岸の無数の工場の煙が合体して、大気汚染被害を引き起こしていました。被害者はその改善をどこに訴えればよいのか、当初はわからず、一部の地元大企業に訴えても、当工場だけではないと突っぱねられる。行政に問題提起しても、当時は公害関係の法律も整備されておらず、行政の対応もまったく不十分でした。

　そこで、大阪湾岸の大企業、西淀川の地元有力企業10社を相手に1978年提起したのが、西淀川公害訴訟です（高速道路等も対象）。損害賠償だけでなく環境基準を超える排出の差止請求が付加されていることに、緊張しました。企業つぶしの意図も感じられたからです。高度経済成長志向の時代に、とんでもないことでした。訴訟提起を受け、他の要因もあり、大企業は法務部門を立ち上げ強化する機運となりました。神戸製鋼所も法務専門部署を作り、私も法学部出身ということで所属となりました。

　訴訟対応の論点整理、資料整備等はたいへんな作業量でした。さらに問題は、それまで交流のなかった10社の共同作業が必要になったことです。当時の法解釈では、複数の被告が原告に損害を賠償するには共同不法行為としての一体性が必要でした。ところが、被告にされて初めて一体性が生まれたのが実態です。この共同作業では、意見調整に困難をきたしたことも数々ありました。

　西淀川公害訴訟は訴訟提起から17年の歳月をへて、1995年企業が和解金を支払って和解しました。被告企業の訴訟担当として長年共同作業をしてきた"現場の兵隊"としては、納得のいかない思いもありましたが、経営判断によるものでした。

　その判断の要素を並べてみましょう。

　①原告患者の苦しみは、自社の責任かどうかは別としてわかっていました。原告は裁判のたびに集会を開き、その後被告企業に押しかけ行動をしていましたが、私はその方々のお相手をし、信州の片田舎の母や兄をいつも思い出していました。②長年の訴訟対応は費用も人も負担でした。これを企業として前向きな事業、業務に向けるべきという思いがありました。③そこに原告は、「手渡したいのは青い空」というスローガンを掲げてきました。ある意味、決定的に説得力をもちました。原告だけでなく企業にしても将来の子ども達に大気汚染のない青い空を残したいという思いは一緒です。そのために大金を支出するというのは、立派な大義名分になりうるでしょう。

　和解は法廷だけでできるものではありません。法廷外の折衝にあたる個性も重要です。

　世の中に紛争は絶えません。当事者の利害は鋭く対立します。しかし、同じ人間同士ですから話せばわかる、必ず落としどころは見つかります。相手に勝つのではなく一緒に新しい道を切り開く、そうした考えが重要だと、この訴訟を通じて感じたところです。

佐伯と土呂久
公害の学びが導く地域づくり

岩佐礼子 (あまべ文化研究所 代表)

　水俣病患者の生きざまから学び、内発的発
展論を提唱した社会学者の鶴見和子（1918 ～
2006 年）の著作に多大な影響を受け、私は大
学院で環境教育と「地域の内発的発展」に関
する研究をしていました。そして2014年に博
士課程を終え、故郷の大分県佐伯市に戻って
着手した研究が、佐伯から車で約2時間半の
距離にある宮崎県高千穂町土呂久のヒ素公害

佐伯と土呂久の位置
関係および県境周辺
の鉱山

でした。その際は、公害の加害者や被害者、土
呂久という地域自体に着眼して資料を集め、何度も土呂久に通いま
したが、ここでは自分が暮らす佐伯を土呂久というレンズを通して
大正時代や戦前の昭和時代という過去にさかのぼり再発見し、学ん
だことをお話しし、そこから土呂久における地域づくりの可能性を
考えていきたいと思います。

佐伯と土呂久の知られざるつながりをひもとく

　発端は私の調査のために土呂久のヒ素公害に関する貴重な資料や
情報を提供していただいた土呂久の記録作家である川原一之さんの
口から「土呂久鉱山で亜ヒ酸製造を始めたのは佐伯から来た宮城正
一という人」という事実を聞いたことでした。すすめられて佐伯市
立図書館に行って佐伯市史を確認したところ土呂久で亜ヒ酸製造を
始める前に、宮城は佐伯で亜ヒ酸精製工場を経営し、その工場が煙
毒公害を起こし、それが佐伯で初めて起こった公害として記載され
ていました。そこには1915年から19年にかけて、宮城は少なくと
も佐伯市内5カ所に工場を作り、その煙毒で農作物被害に遭った農
民から賠償金を請求され、工場移転を迫られた旨が記されていまし
た。そして、宮城が土呂久で亜ヒ酸製造を始めたのは20年6月とい

うかなり確実な事実が川原さんの土呂久住民への聞き取りから判明し、自ら起こした公害でいられなくなった佐伯を見捨て、宮城が次の亜ヒ酸製造のターゲットにしたのが土呂久だったと理解しました。さらに、まもなく土呂久を離れた宮城の後を引き継いで土呂久鉱山を経営したのも佐伯出身の川田平三郎でした。

　なぜ佐伯の人びとが土呂久鉱山に関わったのでしょうか。よくよく考えると、大分県と宮崎県の県境一帯には多くの鉱山があったのです。佐伯にも江戸時代からスズや鉛を産出していた木浦鉱山があり、戦後はスズやエメリー鉱などがほそぼそと採掘され、1999年に閉山していました。こうした鉱山から、亜ヒ酸が採れる硫砒鉱石で財を成そうと一獲千金を夢見た人達が佐伯にもいたわけです。

　このことがきっかけとなり、川原さんが2020年６月に実施した木浦鉱山や佐伯市内での調査にも同行した結果、これまでまったく想像もしていなかったかつての佐伯市の亜ヒ酸産業史が浮き彫りになってきたのです。結論からいいますと三つに集約されます。第一に土呂久や木浦など大分・宮崎県境一帯に点在する鉱山のいくつかが、大正から昭和初期にかけてある程度の量の亜ヒ酸を生産しており、それらが佐伯市に複数あった亜ヒ酸精製工場に集積されていたということ。第二に、佐伯で精製された亜ヒ酸は天然の良港をもつ佐伯から大阪や神戸方面に佐伯の海運会社によって運搬されていたということ。第三に、佐伯から船で運ばれた亜ヒ酸を綿花栽培用の農薬としてアメリカに輸出していた神戸の山本商店という貿易会社の設立者も佐伯出身だったということでした。

　土呂久、佐伯、大阪・神戸、アメリカと「亜ヒ酸」は人によって県外、海外まで運ばれ、農薬として売られ多くの人びとに富をもたらしていたのです。言い換えると、こうしたビジネスルートが発展していなければ、土呂久での亜ヒ酸製造は成り立ちませんでした。数えきれない人びとが土呂久から運ばれてきた亜ヒ酸の精製、運搬、販売に関わり、その多くが佐伯出身の人であったという事実を知った時、土呂久は私にとって、単なる研究対象地ではなく、研究を通して「縁」を得た地域という認識になりました。こうした過去を踏まえ、佐伯人として土呂久の地域や人びとのお役に立てることはないだろうか、という思いが生まれてきたのです。

まるごとの土呂久を学ぶ地域づくりに思いを馳せて

　内発的発展とは、ひと言でいえば「地域の人達が外からの知恵や技術を取り入れて伝統を再創造する」ことです。私は4年前、佐伯で「あまべ文化研究所」を立ち上げ、地域の内発的発展につなげようと様々な地域づくり活動を実施してきました。その活動のひとつとして2019年に、大学の留学生や地元の中学生と佐伯の海辺の集落のフットパス（イギリスを発祥とし、自然や古い街並みなど地域に昔からあるありのままの風景を楽しみながら歩くことができる小径のこと）地図作りを実施しました。その経験から、未来に視点

佐伯市西上浦、古江集落のフットパス調査をする地元の中学生達
（2019年 筆者撮影）

を据えた若い人びとが地元を再発見していく過程を含むフットパス地図作りが過疎化に苦しむ土呂久集落の地域づくりにも役に立つのでは、という思いが強くなり、その構想を19年の倉敷での公害資料館フォーラムの分科会で発表しました。

　分科会で私が強調したのは、自然や地域社会が被った公害の経験だけでなく、公害を乗り越えて蘇った豊かな自然と縄文時代からの歴史や文化を育み、公害被害者もそうでない住民も共に暮らす土呂久を、様々なフットパスコースを設定することで「まるごと」学ぶ場として捉えるという視点でした。

　フットパス地図作りを通し、公害の教訓を伝統として土台にしつつも、公害に偏らないまるごとの土呂久を新しい視点で捉え、再創造していくような地域づくりを支援できるのは、これからの未来を担う若い人達であると確信しています。そして、そこに佐伯の若者も貢献できるよう、今後の研究所の活動に彼らを巻き込んでいきたいと願っています。

〈おすすめの関連図書〉
『口伝亜砒焼き谷』川原一之著 岩波新書 1980年
『辺境の石文（いしぶみ）』川原一之著 径書房 1986年
『地域力の再発見──内発的発展論からの教育再考』岩佐礼子著 藤原書店 2015年

「前提」になっていることに疑問をもつ

纐纈あや
（はなぶさあや）
（映画監督）

瀬戸内海に浮かぶ山口県上関町（かみのせき）・祝島（いわい）と出会ってから20年がたちます。その中でも、島を舞台にしたドキュメンタリー映画『祝の島（ほうり）』（2010年）を制作してからは、自分の内側にも「祝島」が存在するようになり、いつもその島と対話してきたような感覚があります。

映像とは、ある特定の時間を封じ込め、永続的に再生することができるものです。でも実際は、そこに映し出される人も状況も、刻一刻と変化しつづけています。時間をへるごとに開いていく映像と現実とのギャップを見届けていくことが、ドキュメンタリー作品を世に出す者の責任ということを、初めて監督したこの作品を通して学びつづけています。

祝島の対岸4km先に上関原子力発電所建設計画が持ち上がったのは1982年のことです。上関町では原発推進が優勢の中、祝島の島民9割が「海はわたしらのいのち。金で海は売れん」と反対を表明し、約11億円の漁業補償金の受け取りを拒否しつづけています。福島原発が大事故を起こしてもなお、新規立地である上関原発計画は撤回されることなく、2021年現在も、祝島の住民は緊張状態を強いられています。映画では、原発計画以前から、何百年という時間をかけて大切にされてきた島人の暮らしとはどういうものなのか、2年にわたり撮影してまとめました。

とかく部外者は、上関町を原発問題の町として、賛成派・反対派の二項対立の構造で捉えます。メディアの取り上げ方も大概

島内を練り歩く週に一度の原発反対デモ。祝島で39年間続いている。映画『祝の島』より

同じです。でも、私が祝島に通いながら見てきたのは、企業、行政、地元有力者が資本力を使って原発ありきで計画を進め、地元住民の民主的「自治」が阻害されている、という事実でした。

上関町の人達から何度も聞いたのは「原発計画さえなければ……」という言葉でした。これは反対派だけでなく、推進派も大半が同じ気持ちだといいます。原発を上関町に建設したくて動いているのは、ごくごく一部の人間だというのです。でも、ひとたび計画が発表されれば、地元住民は、自動的に推進か反対か態度を迫られ、どんな言動も、その立場に紐（ひも）づけられてしまう。大切にしてきた人間関係、暮らし、文化、風土、時間、それらすべてに「原発」というレイヤーが強制的に被（かぶ）せられてしまうのです。その時点で、彼らはとてつもなく大きなものを失っています。

ここで私達が考えるべきことは、表向きの対立構造や建前上の法的プロセスだけで問題を理解しようとするのではなく、本質的な構造に目を凝らしていくこと、「前提」とされていることに疑問をもつことではないかと思います。近代になって、日本全土で起きてきた公害問題を通して学び、様々な立場の人と連携し合うことが、これからの時代を共に生き抜いていく力になるだろうと思います。

映画『祝の島』（纐纈あや監督 2010年 105分）https://www.hourinoshima.com/

「忘却の文化」から
「記憶・学びの文化」へ

後藤 忍（福島大学 大学院共生システム理工学研究科 准教授）

福島原発事故と「公害克服神話」の崩壊

　2011年3月に起きた東日本大震災および東京電力福島第一原発事故（以下、福島原発事故）から21年3月で10年が経過しました。安全と盛んに宣伝されてきた日本の原発で、国際原子力事象評価尺度（INES）において最悪のレベル7の過酷事故が起きたことにより、いわゆる「原発安全神話」は崩壊しましたが、福島原発事故による放射能汚染が公害であることを踏まえれば、「公害克服神話」が崩壊したとも表現できるでしょう。

　これまで日本の公害で指摘されてきた、加害者による被害の矮小化、予防原則の軽視、地域社会の分断など、同様の問題が福島でも繰り返されています。このような負の歴史を繰り返さないように、これまで起きた深刻な公害と真摯に向き合い、反省して、共通するような教訓を引き出し、学び、伝え、活かそうとする姿勢が求められています。

　ヨーロッパでは、欧州環境省が、様々な環境問題や公害問題から教訓を引き出し、予防的なアプローチに活かすため、「Late lessons from early warnings（早期警告からの遅ればせの教訓）」という報告書を2001年と13年に出しています。13年版では、水俣病と福島原発事故を含め、世界で起きた約20の環境問題・公害が取り上げられると共に、そこから導かれる教訓をまとめています。これらの事例からは、いかに早期警告が無視され、対応が遅れ、事業者や政府が被害の矮小化を画策し、「誤った否定」（問題の原因物質について、実際には影響があるのに「影響なし」と判定する）に陥って、結果として被害が拡大していったのかについて、事実と教訓がまとめられています。

　福島原発事故をはじめ多くの公害を引き起こしてきた日本でこそ、このような真摯な反省や教訓からの学びが必要といえます。

"減思力"の教訓と批判的思考力の育成

　福島原発事故後、私は、それまで「原発安全神話」や「公害克服神話」が広められ、自分自身もどこかで信じてしまっていたことへの反省を踏まえて、研究、教育、社会活動に取り組んできました。日本の国策として原子力を推進するために、偏重した教育や広報により国民の公正な判断力を低下させるような、いわば"減思力（げんしりょく）"の問題を教訓として重視してきました。主なキーワードは「公平性」、「判断力」、「批判力（批判的思考力）」です。

　福島原発事故の前、2010年2月に文部科学省と経済産業省資源エネルギー庁が発行した原子力副読本では、「（原発は）大きな地震や津波にも耐えられるよう設計されている」などと書かれており、福島原発事故後に「事実と異なる記述がある」などの理由から11年5月に回収されました。第二次世界大戦後の「墨塗り教科書」のように、不都合な真実が不可視化されました。その後、11年10月に内容を絞った放射線副読本が発行されましたが、福島原発事故にほとんどふれず、放射線の利用側面を強調し、放射線被曝（ひばく）の危険性を伝えないなど、事実や教訓を十分反映したものではありませんでした。

　このような教材の内容に強い危機感を覚えた私は、同僚と共に、これに対抗する独自の副読本「放射線と被ばくの問題を考えるための副読本〜"減思力（げんしりょく）"を防ぎ、判断力・批判力（はくりょく）を育むために〜」[*1]を作

成して2012年3月に公開しました（改訂版を同年6月、一般書籍版を13年3月に発行）。私達の副読本を作る際は、公平性の確保や判断力・批判力の育成に配慮して作られたドイツ環境省の原子力副読本などからの学びが役に立ちました。また、原発の過酷事故や放射線被曝のように、不確実な問題に関する意思決定のあり方を考えるうえでは、先述した欧州環境省の報告書や、環境リスクと合理的意思決定について論じたクリスティン・シュレーダー＝フレチェットの書籍なども参考になりました。

継承の「拠点」としての公害資料館

　公害の事実と教訓を伝えるため、各地で公害資料館の整備が行われてきました。福島原発事故についても同様の動きがあります。福

---

*1 福島大学放射線副読本研究会の副読本（改訂版）のURL（自由にダウンロードできます）
https://www.ad.ipc.fukushima-u.ac.jp/~a067/SRR/FukushimaUniv_RadiationText_2nd_version.pdf

島県環境創造センター交流棟「コミュタン福島」
（2016年7月開館）や「東日本大震災・原子
力災害伝承館」（20年9月開館）などです。
私は、これらの伝承施設の展示内容に
ついて、テキスト・マイニングによる
分析結果などをもとに、事実や教訓に
関する情報が不十分な点を指摘して
きました。*2 そのような批判的分析の
際に、日本での公害資料館や現地での
スタディツアー、ウクライナ国立チェル
ノブイリ博物館、ドイツの「記憶の文化
（想起の文化）」（Erinnerungskultur）など
の先行事例からの学びが役に立ちました。悲惨な
事件や事故の事実と真摯に向き合い、失敗したことを教
訓として記録・継承し、それらを礎(いしずえ)として将来を展望していくこと
の大切さや、多様なアプローチを再認識しました。

　私を含む市民からの様々な要望や批判を受けて、放射線副読本の
記述や伝承施設の展示内容が改善された例もありました。福島原発
事故に関する事実や記憶、教訓を継承していくには、「拠点」とな
る伝承施設の展示を改善していくと共に、現場の分散型記念碑や学
校などの「点」的要素を含めて、施設間の連携やスタディツアーな
どの「線」で結び、人びとの学びや認識の共有を「面」として広げ
ていくことが必要と考えます。

　日本では、被害に向き合わない、加害者が責任をとらない、不都
合な真実を不可視化するといった、「負の記憶」を忘れ去る、いわ
ば「忘却の文化」がみられます。福島原発事故について、公害の教
訓を踏まえて学びつづけることは、「忘却の文化」から「記憶・学
びの文化」への転換を実現するうえで鍵になるといえるでしょう。

〈おすすめの関連図書〉
『みんなで学ぶ放射線副読本──科学的・倫理的態度と論理を理解する』福島大学放射線副読本研
究会監修 後藤忍編著 合同出版 2013年
『「コミュタン福島」は3.11以降の福島をどう伝えているか』フクシマ・アクション・プロジェクト著 フク
シマ・アクション・プロジェクト事務局（後藤忍「チェルノブイリ博物館とコミュタン福島の展示を比較し
て」(P7-68)を所収）2018年
『「ホロコーストの記憶」を歩く──過去をみつめ未来へ向かう旅ガイド』石岡史子・岡裕人著 子ども
の未来社 2016年

**コミュタン福島の展示
説明文における頻出語
の共起ネットワーク図**
（出所）筆者作成
*2 テキスト・マイニング
の結果によれば、出現
回数がもっとも多い「放
射線」と関連して一番
多く出現するのは中立
的な「量」で、否定語の
「事故」などとの共起
関係は弱く、チェルノブ
イリ博物館とは対照的
な特徴が見られます

"声なき声"を伝える
民間伝承施設の挑戦

力丸祥子
（朝日新聞福島総局 記者）

原子力災害考証館 furusato

　歴史は勝者がつくる――。この言葉は教科書や公的な施設で語られる歴史が一面的にすぎないことを教えてくれます。公害などの社会問題を学び、教訓を得ようとする時こそ、そこに暮らす「普通の人びと」の体験や思いの多様性に目を向けることが重要だと思います。

　2011年3月11日に発生した東日本大震災と東京電力福島第一原発事故についても同じです。福島県は20年9月、「東日本大震災・原子力災害伝承館」を設けました。そこで伝えられない声や事実をなかったものにはできないと、福島県内では民間の伝承施設が相次いで開館しました。

　たとえば、第一原発から約50km離れたいわき市の温泉旅館「古滝屋」にオープンした「原子力災害考証館 furusato」。旅館の当主でもある里見喜生館長は「声なき声を集め、きちんと考証し、未来へつないでいきたい」と語ります。

　展示室の一角にある流木に紛れた水色のランドセルやキャラクターのマフラー。第一原発が立地する大熊町で津波に遭った当時小学1年生の少女の遺品です。消防団が周辺で声を聞いていましたが、津波の翌朝、原発事故で住民に避難が命じられました。少女の遺骨の一部がマフラーから見つかったのは、5年9カ月後。解説員は「がれきの中から骨が見つかったことで、娘が津波で亡くなったのか、避難で置き去りにしたことで亡くなったのかがわからなくなった」という父親の無念を代弁します。生前の少女の笑顔の写真に、涙する来館者もい

ます。避難指示が出た津波被災地で、大切な人の捜索すら阻まれたのは、この家族だけではなかったことも想像してみてください。ほかに、原発事故の責任を問う裁判で闘う主婦らの活動を記録した写真や被災者自身が聞き取った証言集の展示もあります。多様な被害を伝えようと、テーマや地域ごとに展示の入れ替えも予定しています。

　楢葉町の宝鏡寺にも「伝言館」ができました。半世紀に及ぶ反原発運動に取り組んできた住職の早川篤雄館長が開きました。1970年代に掲げられた「原発建設を促進し 豊かな町づくりを進めよう」と書かれたポスターのパネル展示などを通し、地元で原発の安全神話がどのように形づくられたのかを伝えています。

　震災や原発事故を直接知らない世代が増える中、「普通の人びと」の様々な体験や思いを残し、伝える場はより一層、重要になるでしょう。

　今も続く原発事故や公害などの根本的な解決には、多くの人が問題を「自分事」として捉え、当事者として考え、対話に参加することが大切です。被害者でなくとも当事者にはなれる。すでに「考証館」の運営には東京の大学生も参加しています。今この本を手にし、学びはじめた読者のみなさんは当事者への一歩を踏み出しました。ぜひ今後も関わりを深めてください。

原子力災害考証館 furusato https://furusatondm.mystrikingly.com/

公害は「問い」である

友澤悠季（長崎大学 環境科学部 准教授）

「私達人類」という物語

「環境問題」といわれたら、みなさんはまずどんな問題を思い浮かべるでしょうか。地球温暖化による深刻な気象災害によるリスクの高まり（気候危機）、海洋プラスチックゴミ問題、生物多様性損失。環境省が毎年まとめている『環境・循環型社会・生物多様性白書』（いわゆる環境白書）2020年版は、こうした例をあげ、「私達人類やすべての生き物にとって」生存基盤を揺るがしかねない問題であり、社会変革が必要であると訴えていますから、学校などで調べた経験をもっている人も多いでしょう。

JCO臨界事故直後、東海村中央公民館で放射線被曝検査を受ける不安そうな少女
（茨城県 1999年10月1日 写真／樋口健二）

環境に関わる諸問題の議論に共通するのは、そのほとんどが「私達人類」を主語として語っていることです。現代の便利で快適な生活は、グローバルな大量生産・大量消費・大量廃棄システムを前提としてきた。その恩恵を享受している「私達人類」は、環境に悪影響を及ぼす加害者であり、同時に環境変化の脅威にさらされる被害者でもある。だから世界全体で協力して、事態に立ち向かおう——こうした決まり文句は、世界人口78億人が一丸となって地球を維持するために努力すれば、状況を改善できるかのような錯覚をもたらします。

しかし、現実の姿はこれとはまったく違っています。水道、ガス、電気が常に使えて、様々な用事をワンクリックですませられるような「便利で快適な生活」を謳歌する層（「私達」）は、世界全体でごくひと握りです。他方、気候変動の影響とされる海面上昇や災害により、住む家も耕す土地も飲み水も失って難民化する人びとは、気候変動の主原因とされる資源・エネルギーの浪費に、ほぼ関与して

いないのです。環境破壊の影響は人類に等しく及ぶのではなく、複雑に絡み合った不均衡な社会システムのもと、一部の人びとにまとめて押しつけられてきました。均質な「私達人類」を主語にして語られる環境問題は、空疎な物語にすぎません。

経済戦争で損なわれた人命と健康

この不均衡なシステムは、国家間だけでなく、国の内部にも存在します。公害被害地や原発労働を長年取材してきた報道写真家の樋口健二さんによる数々のルポルタージュは、日本の高度経済成長が、形を変えた戦争であったことをまざまざと伝えます。原発を例にとりましょう。2021年現在、日本の商業用原発の運転開始から50年以上が経過していますが、原発の宿命は、人間の手作業なくしては一日たりとも動かないことです。稼働・定期点検・廃炉等の労働現場で働く人びとの多くが、下請け・孫請け・ひ孫請けといわれる不安定な雇用形態のもとにおかれてきました。「豊かな社会の平和な日常」の見えないところで、都市部に電力を送るために被曝し、働けなくなったら使い捨てられる。ある男性は自らを「まるで原発特攻隊」とたとえたそうです。樋口さんは1970年から2015年まで下請け労働で被曝した人数を約60万人強と見積もっています。

2011年3月11日16時36分、東京電力福島第一原発事故の発生により、日本の内閣府は原子力緊急事態宣言を発令し、その状態は現在も継続中ですが、誰の目にも明らかな国内の過酷事故だけを振り返っても、1999年の茨城県東海村・JCOウラン加工工場での臨界事故（作業員3名が直接被曝、うち2名死亡、周辺住民も被曝）、あるいは04年の福井県・関西電力美浜原発での配管破裂による事故（高温蒸気により4名死亡、重体2名、重軽傷5名、重体の1名は後に死亡）など複数あります。しかし私達の社会は、渦中に巻き込まれた人を置き去りにして、これらの出来事を「突発的事件」とみなし、忘れてきました。

「する側」と「される側」

本書をお読みいただいたみなさんはもう、公害は、単なる病気の代名詞ではないと理解されたことと思います。では公害とはどうい

う問題なのか。

　公害とは、経済・産業活動を媒介として、人間と人間が、「殺す側（する側）」と「殺される側（される側）」とに分断される経験です。にもかかわらず、総じて加害者は社会システムに守られ、被害者はがまんと沈黙を強いられるような事態が繰り返されてきました。したがって、公害は差別の問題ともいえます。「他人の足を踏んで立っている人間には踏まれている足の痛みは絶対にわからない」という言葉がありますが、この認識の断絶は、さあ今から差別をやめましょう、というスローガンではまったく解消できません。

　学校で環境問題を勉強したあとの私達は、公害はもう知っているよ、という気持ちになりがちです。ですが、環境という概念だけでは、「する側」と「される側」の間に横たわる溝、「される側」から見た時の社会システムの驚くべき冷たさ、その根底にある格差・差別構造まではなかなか見えません。そこで視座としての公害が必要になってくるのです。

公害は「問い」の塊

　環境という概念は、人間同士の差異と不均衡を覆い隠しますが、公害という概念は、人間と人間の間に存在する格差・差別のしくみをあらわにします。両概念にはそれぞれ強み・弱みがありますが、1970年代以降、「公害から環境へ」という認識の転換が叫ばれ、公害は環境問題のごく一部分であるかのように矮小化されてしまいました。

　公害は、人間社会に出口の見えないまま保留されているたくさんの課題（矛盾）に目を開かせてくれる、「問い」の塊です。その凝縮された塊の中に、人間の尊厳や権利について深く問いかけてくる声が響いています。公害はひとつの例であって、学ぶ対象は公害でなくてもいいのです。ほんとうの意味での社会変革を構想するためには、何らかの糸口をつかみ、ふだんは見えなくなっている矛盾にふれ、考えるプロセスが大切なのだと思います。

〈おすすめの関連図書〉
『増補新版 樋口健二報道写真集成 日本列島1966–2012』樋口健二著 こぶし書房 2012年
『キミよ歩いて考えろ──ぼくの学問ができるまで』宇井純著 ポプラ社 1997（初版1979）年
『環境問題の社会史』飯島伸子著 有斐閣アルマ 2000年
『「問い」としての公害──環境社会学者・飯島伸子の思索』友澤悠季著 勁草書房 2014年

反原発の「市民科学者」
高木仁三郎が目指したもの

菅波 完
（高木仁三郎市民科学基金 事務局長）

1993年1月、科学技術庁前でプルトニウム政策の転換を求めてハンストを決行した高木仁三郎

　2011年3月の東日本大震災・福島第一原発事故を経験して、日本でも多くの人が、原発は危険であり、原発に頼るべきではないと意思表示をするようになりました。しかし、日本の各地で原発建設が本格的に進められていった1970年代以降、原発が危険だと考えたり、原発に反対したりする声は、核を制御する最先端の科学技術を理解しない、素人の情緒的なものだと切り捨てられ、多くの科学者や専門家がそれを容認してきました。わずか10年前まで、その状況は大きく変わっていませんでした。

　高木仁三郎（1938〜2000年）は、東京大学で核化学を学び、東芝系の企業で、放射性元素に関わる基礎研究にも携わった第一線の研究者でしたが、研究すればするほど、核物質の反応の複雑さや安全に制御することの難しさに直面しました。さらに、核に関わる技術は、軍事利用と切り離すことはできず、民主的な社会とは根本的に相容れないものだと考えるに至り、自分は科学者として、どのような立場に立つべきかという選択を迫られました。高木仁三郎は、1973年に東京都立大学助教授の職を辞して「市民科学者」としてのあり方を模索する道を選び、その後は「原子力資料情報室」の代表として、原子力に関わる最新の研究成果などを含め、市民が本当に必要としている正確な情報をわかりやすく伝えること、特に、原発の使用済み燃料を「再処理」し、取り出したプルトニウムを再利用するという「核燃料サイクル」政策の批判に力を尽くしました。

　多くの公害問題の現場では、被害者、あるいは将来の被害を恐れる人が、行政や企業や権威ある人達から、被害のリスクや因果関係を「科学的に示せ」と迫られます。原発についても同様で、過去には、東海地震の想定震源域である静岡県御前崎市に立地する浜岡原発の安全性が問われた裁判で、裁判所が、住民側の訴えた原発事故の危険性は、「抽象的に想定可能」なものにすぎないとして、却下したこともありました。しかし、その判決から3年半後に、福島原発事故が発生し、原発事故のリスクこそがリアルであり、多くの専門家や裁判所までもが認めてきたものが「安全神話」にすぎなかったことが明らかになりました。

　原発問題でも、公害問題でも、利益を享受する人と、被害に直面する人の間には、住む地域、社会的な立場、入手できる情報などに大きな格差があります。高木仁三郎が「市民科学者」という言葉に込めた思いには、原発問題に限らず、これまで多くの科学者が、自らは安全なところに身を置きながら、弱い立場の人の声や将来世代のリスクに目をつぶってきたことへの深い反省と痛烈な批判があるのです。

認定NPO法人 高木仁三郎市民科学基金 http://www.takagifund.org

共に生きることのできる
社会を目指して

丹野春香（埼玉大学 教育学部 非常勤講師）

公害を通して近代社会を問い直す

　熊本県水俣市に所在する水俣病センター相
思社において、1974年の設立時から89年ま
で世話人（代表）を務めた柳田耕一さん（1950
年〜）という方がいらっしゃいます。柳田さ

水俣病の舞台は魚湧く
豊饒の海と呼ばれた
（不知火海 2009年
安藤聡彦撮影）

んは、水俣病問題に関わっていく中で、水俣病を公害病や社会的事
件として捉えるだけではなく、水俣病を通して近代社会のあり方を
問い直す視座を形成していきました。水俣病の原因企業であるチッ
ソは電力と化学産業を軸に近代日本の発展に大きな影響を与える一
方、水俣病を引き起こしました。水俣病を近代社会の裂け目である
と考えた柳田さんは、公害を生み出した近代社会のあり方を問題と
して捉えていく中で暮らしの中の産業化に注目していきます。たと
えば水俣病の被害ゆえに農家に転身せざるを得なかった漁師達は、
生産の方法がわからないため農協の指示通りに農薬や化学肥料を使
用していました。柳田さんは近代社会では資本や市場、国家などに
よって私達の暮らしに対する自主管理や自給、自治といった自律性
が奪われてきていることを強く認識していきました。

　さらに、柳田さんの視座は社会のあり方へと広がっていきます。柳
田さんは、チェルノブイリ原発事故（1986年）による放射能汚染問
題など、人と自然、人と人の関係が分断され、また今を生きる私達
だけでなく次世代のいのちまで奪われるような事態を通し、世代と
国境を越えて共生できない社会になってきていると考えていました。
柳田さんは、近代社会を生きる私達が自らの生き方を問い直してい
くことを通して、新たな社会のあり方をつくりあげていくことがで
きると考えました。そのために、水俣病を通して暮らしの中に浸透
している産業化を問い直しながら新たな社会のあり方を考え、実践
するための場をひらいていったのです。

リプロダクティブ・ヘルス／ライツの問題

　栁田さんの問題提起にある世代を超えた共生の問題を考えるうえ
で、母胎内で胎児が水銀ばく（曝）露することによって生まれてきた
胎児性水俣病の子ども達の誕生は、重要な問いを投げかけてくれて
います。水俣病は、チッソ水俣工場による排水に含まれていたメチ
ル水銀による海の汚染が原因ですが、女性達が精をつけようと食べ
ていた魚介類は、残酷なことにすでに汚染されたものでした。人工
的に生成された汚染物質によって、女性達自身も水俣病の被害に遭
い、また多くの方が死産と流産を経験しました。

　胎児性水俣病の子ども達の誕生は、当時の医学における「胎盤は
完全なバリア」であるという定説をくつがえすことになりました。こ
うした環境汚染がいのちの連鎖そのものを断ち切ることによって私
達の生存が脅かされる問題は、「リプロダクティブ・ヘルス／ライツ
（Reproductive health/rights）」の問題として捉え返されてきま
した。それは「人びとが安全で満ち足りた性生活を営むことができ、
生殖能力をもち、子どもを産むか産まないか、いつ産むか、何人産
むかを決める自由をもつこと」に関わる性と生殖の健康／権利のこ
とです（カイロ国際人口開発会議行動計画 1994年 第7章）。近代社
会が生み出した人工化学物質は、人間の外側の生態系のみならず、内
なる生態系としての身体や生殖機能に被害を与えました。公害によ
る環境汚染は、人びとの良好な状態における性と生殖の営みとその
自由な決定を行う権利を阻むというリプロダクティブ・ヘルス／ラ
イツへの脅威をもたらしたのです。

いのちの排除を乗り越える

　環境汚染を通じたリプロダクティブ・ヘルス／ライツの問題は、水
俣病だけではなく、ダイオキシンに起因するカネミ油症や枯葉剤の
問題、原発事故等の放射能汚染問題など今も国内外で発生しつづけ
ています。しかし、このいのちの連鎖への危機は、時に公害によっ
て病や障がいをもつ可能性があることを理由に、公害の予防や反対
を主張する声へと転じ、病や障がいをもつことの否定や差別につな
がる事態がたびたび生じてきました。

　たとえば、新潟水俣病では胎児性水俣病患者は公的には「1名」と

いわれていますが、それは胎児性水俣病患者が誕生することを危惧した新潟県が、新潟水俣病が公式確認された1965年に女性に対して受胎調節等の訪問指導と健康管理を実施したことに起因しています。実質的には妊娠規制が行われていたとされ、その結果女性達は子どもを授かることをあきらめたり人工中絶の道を選ばなければならなくなったりしました。

　この問題を考える時、私は近代社会が病や障がいを理由にいのちをコントロールする思想を形成し、またそれに基づき国家がいのちをコントロールする力を行使してきたことをどのように考えていくのかが重要だと思っています。その原動力となってきた不良な子孫の抑制と優良な子孫の創出を目指す優生思想は、19世紀末に登場した後世界に広まり、ナチス政権下におけるドイツではホロコーストの問題を引き起こしました。日本でも優生思想に基づく優生保護法などの法が存在し、ハンセン病では断種や人工中絶などが強制的に行われ、多くの方が社会的な排除や深刻な差別に遭ってきました。

　大学の授業で学生さん達とこの話をすると、いのちの判断をする権利主体や科学技術のあり方、また障がいをもつ子を産むことなどに対し様々な応答があります。同時に、多くの学生さんがたとえば遺伝子的に優れている・劣っているというような何気ない言葉が日常の会話やSNSの世界にあふれており、意識をすると優生思想に連なる言説が渦巻いていることに気づいていきます。

　公害が突きつけているいのちの連鎖の危機は、私達にどう生きるのか、どのような社会を目指すのかを問いかけています。この問題を「共に」考えていくことで、私達は公害からいのちを守る権利を軸に公害を引き起こさない社会のあり方を目指しながら、公害によって病や障がいをもつ方達を排除せず、「共に」生きることのできる社会のあり方の糸口を見出すことができるのではないでしょうか。

〈おすすめの関連図書〉
『放射能汚染が未来世代に及ぼすもの──「科学」を問い、脱原発の思想を紡ぐ』綿貫礼子編 新評論 2012年
『いのちの旅──「水俣学」への軌跡』原田正純著 岩波現代文庫 2016年
『胎児からのメッセージ──水俣・ヒロシマ・ベトナムから』原田正純著 実教出版 1996年
『福島原発事故と女たち──出会いをつなぐ』近藤和子・大橋由香子編 梨の木舎 2012年
『女たちのミナマタ──証言 愛のかがやき、生命の叫び』丸山和彦・板井八重子編著 新日本出版社 1988年
『水俣そしてチェルノブイリ──わたしの同時代ノート』柳田耕一著 径書房 1988年

四日市公害マンガで関心の「イト」を紡ぐ

矢田恵梨子
（マンガ家）

　「過去の歴史を今さら学んだところで、私には関係ない」。自分の地元で四日市公害が発生したにもかかわらず、かつての私はこう考えていました。しかし、人は未知なものにふれた時、何を感じ、どんな行動を起こすのでしょうか。たとえば福島原発事故や新型コロナウイルスでは、わからないからこそ恐れ、差別や偏見、デマが生まれました。そして天秤にもかけられます。経済優先か、人命優先か……。これまで発生した公害でも、人びとが向き合ってきた根本的な感情は同じでした。

　今後もまったく同じ出来事は起きないとしても、新たな問題は生まれます。世の中のあらゆる問題は人の感情が引き起こしているからこそ、「出来事の羅列としての歴史」ではなく、その時代に生きた人びとの「感情の連鎖」を学ぶ。つまり歴史を学ぶとは、人の感情を学ぶことであり、今を生き抜くヒントを自分で見出すことなのです。

　私は2015年に四日市公害マンガの『ソラノイト──少女をおそった灰色の空』を制作し、国際基督教大学でこのマンガを英訳する授業が行われました。どう解釈するかによって訳し方が変わるため、学生達は社会的背景も学びました。そして16年には、私と同じように当時の公害を知らない若者を対象にした「よっかいちこうがい未来カフェ」を開催し、『ソラノイト』を活用した対話形式のワークショップを行いました。また、様々な小学校でも『ソラノイト』を使用した授業が行われています。

『空の青さはひとつだけ──マンガがつなぐ四日市公害』池田理知子・伊藤三男編著矢田恵梨子マンガ くんぷる 2016年

　マンガは娯楽やメディアとしての役割だけでなく、対話を促すコミュニケーションツールにもなります。登場人物の声だけでなく、作者や読者自身、そして誰かと感想を共有することによって、他者の声も聴くことができます。難しい社会問題であっても、ハードルをぐっと下げ、気軽に楽しく学ぶことができる。ここにマンガの意味があると思います。しかし、マンガは学びのきっかけにすぎません。公害資料館の訪問や語り部の話を直接うかがったりすることで、より深い学びを得ることができるのです。

　人は自分と何らかの接点を見つけた時、目に見えない細い「関心のイト」がつながります。自分の手や心を動かしながら地道に学びつづけることで、何本も何本もイトを紡ぎだし、他者とつながることで様々なイトが編み重なっていく。そしていつしか、自分自身がやりたいことを、目に見える形で自由に、鮮やかな色で生み出すことができるのだと思います。

公害資料館を学びの入口に

公害を学ぶ入口になるのが「公害資料館」です。展示やホームページから
それぞれの公害について学んだり、知りたいことについての
資料や人を紹介してもらったりすることもできます。
まずは全国各地の公害資料館にアクセスしてみてください。

公害資料館を育てよう
広げようネットワークの輪

林　美帆（公害資料館ネットワーク 事務局）

利用者と双方向のやりとりを

　公害は様々な立場があり、それぞれに
視点が異なり、語り口が違います。被害
者、加害者といわれる人や組織、研究者、
マスコミ、支援者、街の人など立場は多
種多様です。入口はたくさんあります。た
だ、マルチに「全部が簡単にわかる」と
いうことは難しいかもしれません。その
複雑さが公害を学ぶおもしろさであり、
味です。地域によっても違います。

　自分が求めている情報は、公害資料館
に用意されているメニューにまだないか
もしれません。メニューにないものは、要
望として、ぜひ公害資料館に伝えてくだ
さい。新規メニューを作っていくアイデ
アになるからです。利用者が情報を得る
という一方通行の関係ではなく、双方向
のやりとりができる場として公害資料館
を利用していただきたいのです。

　利用する方が公害資料館を育てていく
ことが、公害資料館を豊かにしていくこ
とにつながります。次世代に公害の経験
を伝えていくには、「公害資料館が必要
だ」と広く認識されることが求められま

す。多くの人が公害資料館に価値を感じ
られるかは、利用者が増える「好循環」
をつくれるかが鍵になるでしょう。

　公害資料館を育てることは、公害のな
い社会を実現することにつながります。
立場の違う人との間にも対話がある社会
になることが「公害のない社会をつくる」
きっかけになるでしょう。公害資料館は
情報提供の場所でもありますが、いろい
ろな意見が行き交う場でもあります。現
状としては、公害が生じた地域の中で、
様々な立場の間で対話の素地が整ってい
るとはいいがたいでしょう。だからこそ、
利用者の方が主体の一人として、対話が
できる環境づくりに関わっていくことが
重要なのではないでしょうか。

学び合う公害資料館

　「公害資料館」と呼んでいますが、それ
らの形態は様々です。「公害資料館ネット
ワーク」では公害資料館は「公害地域で、
公害の経験を伝えようとしている施設や
団体」を意味します。公害資料館の機能
としては、展示・アーカイブズ・研修受

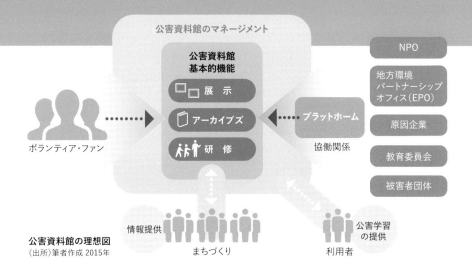

公害資料館のマネージメント

公害資料館
基本的機能

□□ 展　示

アーカイブズ

研　修

プラットホーム

協働関係

NPO

地方環境
パートナーシップ
オフィス（EPO）

原因企業

教育委員会

被害者団体

ボランティア・ファン

情報提供

まちづくり

公害学習
の提供

利用者

公害資料館の理想図
(出所)筆者作成 2015年

け入れ（フィールドミュージアム）の3分野のどれかを担っており、必ずしもハードとしての建物の有無は問いません。また、運営主体についても国・地方自治体・学校・NPOなどがあり、公立や民間など様々な運営形態があります。したがって、各公害資料館の間には立場による運営方針や主張の違いがあってもよいと考えています。

　公害資料館ネットワークは、2013年に新潟県立環境と人間のふれあい館の塚田眞弘館長と大阪の公益財団法人公害地域再生センター（あおぞら財団）が呼びかけて結成した団体です。前者は公立の公害資料館、後者は民間の公害資料館です。両館は「公害地域の今を伝えるスタディツアー」を通じて信頼関係を築き、公害資料館ネットワークの結成につながりました。結成に至った動機のひとつに、公害資料館の孤立感があげられます。この

ネットワークをつくるまで、公害の経験を伝えようとする団体や施設の間で情報共有することができなかった現状がありました。立場がそれぞれ違うからです。2013年から、年に1回のフォーラムを重ねて、各地の公害や現状について学び合うようになりました。情報を共有する中で見えてきたのは、各地の公害資料館は少ない人員で精一杯活動していますが、足りない部分を利用する方から指摘されがちということです。まだまだ市民が参加しやすい状況にはなっていませんが、現状を変えていくのは、公害資料館だけの努力ではなく、利用する側からの働きかけや協力が大きいこともわかってきました。

　公害資料館の未来を、みなさんとつくっていきたいと思っています。まずは公害資料館にアクセスしてみてください。お待ちしています。

公害資料館リスト

公害資料館は全国各地で活動しています。資料や展示を見たり、フィールドワークを体験したりできます。まずはホームページからお問い合わせください。

大気汚染

①神奈川県立川崎図書館

https://www.klnet.pref.kanagawa.jp/kawasaki/

〒213-0012 神奈川県川崎市高津区坂戸3-2-1 KSP西棟2F
TEL: 044-299-7825

ものづくり技術を支える工学・産業技術・自然科学分野の専門書や学術雑誌、全国屈指の社史コレクションのほか、川崎公害裁判の原告団・弁護団から寄贈された訴訟記録も所蔵しています。

②四日市公害と環境未来館

（よっかいち）

https://www.city.yokkaichi.mie.jp/yokkaichikougai-kankyoumiraikan/

〒510-0075 三重県四日市市安島1-3-16　TEL: 059-354-8065
Eメール: kougai-kankyoumiraikan@city.yokkaichi.mie.jp

四日市公害の発生に至る経緯や被害、環境改善に向けた様々な方策等について子どもから大人までを対象に映像や写真、絵本などを用いて展示しています。歴史を「知る」、これからの環境問題を「学ぶ」、未来のために「活動する」3つの機能を軸とした展示などを行っています。

③あおぞら財団付属 西淀川・公害と環境資料館（エコミューズ）

http://www.aozora.or.jp/ecomuse/

〒555-0013 大阪府大阪市西淀川区千舟1-1-1　TEL: 06-6475-8885
Eメール: webmaster@aozora.or.jp

西淀川公害裁判の和解金を基金に設立されたあおぞら財団の中にあります。西淀川公害の被害実態や裁判の記録のほか、全国の公害反対運動の資料も保存されています。研修やフィールドワークの受け入れ、語り部の講話が可能です。

④尼崎市立歴史博物館 "あまがさきアーカイブズ"

http://www.archives.city.amagasaki.hyogo.jp/museum/

〒660-0825 兵庫県尼崎市南城内10-2　TEL: 06-6482-5246
Eメール: ama-chiiki-shiryokan@city.amagasaki.hyogo.jp

博物館の常設展示室6（現代）で、尼崎の公害について紹介しています。あまがさきアーカイブズでは尼崎市の記録や社史、尼崎公害裁判の裁判記録や、国道43号線裁判の裁判記録が保存されています。

⑤尼崎南部再生研究室（あまけん）

http://www.amaken.jp/

〒661-0033 兵庫県尼崎市南武庫之荘3-20-12　TEL: 06-6438-1852
Eメール: info@amaken.jp

尼崎大気汚染公害訴訟の和解金を活用して2001年に設立。フリーマガジン「南部再生」の発行、郷土野菜「尼いも」の復活栽培、工業地帯を観光する運河クルージングなどを通じて地域への愛着を取り戻す活動を行っています。

⑥みずしま財団（公益財団法人 水島地域環境再生財団）

https://www.mizushima-f.or.jp/

〒712-8034 岡山県倉敷市水島西栄町13-23　TEL: 086-440-0121

Eメール: webmaster@mizushima-f.or.jp

倉敷公害訴訟の和解金の一部を基金につくられたまちづくり組織。倉敷公害訴訟の記録を保存しています。今も生産拠点である水島コンビナートの工場見学や、瀬戸内海の開発とその影響について学べる滞在型環境学習のプログラムがあります。

⑦北九州市環境ミュージアム

https://eco-museum.com/

〒805-0071 福岡県北九州市八幡東区東田2-2-6　TEL: 093-663-6751

Eメール: info@eco-museum.com

北九州の公害と公害対策の歴史が学べる施設です。環境に関する市民活動のサポートもしています。また環境問題に加えてSDGsについてもわかりやすく学ぶことができます。

水俣病

⑧熊本学園大学 水俣学研究センター

https://www3.kumagaku.ac.jp/minamata/

〒862-8680 熊本県熊本市中央区大江2-5-1 熊本学園大学14号館

TEL: 096-364-8913

Eメール: minamata@kumagaku.ac.jp

故原田正純氏が提唱した水俣学の構築を目指し、水俣病被害者、市民と共に、学問の垣根を超えた研究を実践しています。日本で唯一水俣学講義を行っています。水俣学データベース、映像アーカイブもウェブサイトで公開しています。

⑨熊本学園大学 水俣学現地研究センター

https://www3.kumagaku.ac.jp/minamata/

〒867-0065 熊本県水俣市浜町2-7-13　TEL: 0966-63-5030

Eメール: m-genchi@kumagaku.ac.jp

熊本学園大学の水俣現地の研究センターです。解散した新日本窒素労働組合の資料を整理、公開しています。水俣市民向けに公開講座や円卓会議なども開催しています。

⑩水俣市立水俣病資料館

https://minamata195651.jp/

〒867-0055 熊本県水俣市明神町53　TEL: 0966-62-2621

水俣病問題の歴史と教訓を後世に伝えるための施設です。館内では、水俣病の歴史などをパネル、写真、モニター等で紹介しています。語り部講話も行っています（要事前予約）。

⑪環境省国立水俣病総合研究センター 水俣病情報センター

http://nimd.env.go.jp/archives/

〒867-0055 熊本県水俣市明神町55-10 TEL: 0966-69-2400

Eメール: JOUHOU_CENTER@env.go.jp

熊本県環境センター、水俣市立水俣病資料館に隣接しており、水銀や水銀汚染問題の研究について学ぶことができます。また水俣病に関する各種資料や図書を整理して公開しています。毛髪の水銀検査もすることができます（結果は後日送付）。

⑫一般財団法人水俣病センター相思社 水俣病歴史考証館

https://www.soshisha.org/jp/

〒867-0034 熊本県水俣市袋34　TEL: 0966-63-5800

Eメール: info@soshisha.org

加害企業チッソが実証実験をした猫の小屋や、水俣湾に堆積した水銀ヘドロの一部など、実物展示多数。整理保存してある約10万点の関連資料はHPで検索できます。フィールドワークの受け入れも行っています。

⑬熊本大学文書館

http://archives.kumamoto-u.ac.jp/

〒860-8555 熊本県熊本市中央区黒髪2-39-1　TEL: 096-342-3951

Eメール: archives@jimu.kumamoto-u.ac.jp

大学の文書館の中で「水俣病」の関連資料が収集されています。水俣病研究会資料やチッソ水俣病関西訴訟の記録などが保存されています。

新潟水俣病

⑭新潟県立環境と人間のふれあい館―新潟水俣病資料館―

http://www.fureaikan.net/

〒950-3324 新潟県新潟市北区前新田字新々囲乙364-7　TEL: 025-387-1450

Eメール: fureai@abeam.ocn.ne.jp

新潟水俣病第2次訴訟の和解による寄付を原資の一部として設立された施設。水俣病だけでなく水環境の大切さや阿賀野川の人びとの暮らしが学べます。新潟水俣病裁判の資料を保存しています。語り部の講話も予約して聞くことができます。

⑮一般社団法人あがのがわ環境学舎

https://aganogawa.info/aboutus-top

〒959-2221 新潟県阿賀野市保田3866-1　TEL: 0250-68-5424

Eメール: aganogawa@niigata.email.ne.jp

新潟版「もやい直し」に取り組んでいます。具体的には、地域との対話や、パネル巡回展、環境学習ツアーの受け入れなどに力を入れています。また、地域との協働取り組みなどにも力を入れてきました。

イタイイタイ病

⑯富山県立イタイイタイ病資料館

https://www.pref.toyama.jp/1291/kurashi/kenkou/iryou/1291/index.html
〒939-8224 富山県富山市友杉151　TEL: 076-428-0830
富山県の神通川流域で発生したイタイイタイ病の教訓を活かし、環境と健康の大切さ、命の尊さについて考えることができる資料館です。団体見学の方は、語り部講話などの特別メニューがあります。

⑰清流会館

〒939-2723 富山県富山市婦中町萩島684　TEL: 076-465-4811
Eメール: jkda@dream.ocn.ne.jp
イタイイタイ病の被害者団体の事務所で、資料室が併設されています。清流会館は被害者住民が建てた施設で患者救済や立ち入り調査や土壌復元のための拠点施設となってきました。施設内に記念碑があります。

カネミ油症

⑱五島市カネミ油症被害資料展示コーナー

https://www.city.goto.nagasaki.jp/gotowebbook/030/030/010/
20190220235812.html
〒853-0064 長崎県五島市三尾野1-7-1 五島市福江総合福祉保健センター3F
TEL: 0959-88-9166
Eメール: kenkou@city.goto.lg.jp
五島市福江総合福祉保健センターの一角にあります。カネミ油症事件40周年および50周年に記念誌を作成しています。出前講座のメニューもあります。

軍事基地

⑲沖縄県平和祈念資料館

http://www.peace-museum.okinawa.jp/
〒901-0333 沖縄県糸満市字摩文仁614-1　TEL: 098-997-3844
Eメール: webmaster@peace-museum.okinawa.jp
沖縄戦の実相と教訓、平和の創造を主要なテーマとする資料館ですが、戦後の沖縄に関する展示もあります。米軍基地の強化と拡張、それに付随する様々な問題と県民の戦後の歩みについて学ぶことができます。

アスベスト

⑳アトリエ泉南石綿の館

https://sennanasbestos.uijin.com/
〒590-0522 大阪府泉南市新達牧野1325-3　TEL: 072-484-2063
石綿紡績業が盛んだった旧新達町牧野（現泉南市）で開業していた故梶本政治医師は、地域の石綿による健康被害に警鐘を鳴らしつづけた人です。梶本医師の遺品や泉南アスベスト国家賠償請求訴訟の記録等の展示で、運動の足跡を学ぶことができます。

三井三池炭じん爆発

㉑三川坑跡
（み かわこうあと）

〒836-0062 福岡県大牟田市西港町2-4
TEL: 0944-41-2501（大牟田市役所総合政策課）
かつては国内最大規模の炭鉱で、閉山した今も当時の採炭技術、採炭・運搬シ
ステムを伝える施設や設備が残っています。労働争議や戦後最悪の労災事故と
いわれた三井三池炭じん爆発が起こった場所であり、土日祝日には一般公開さ
れています。

福島原発事故

㉒原子力災害考証館 furusato

https://furusatondm.mystrikingly.com/
〒972-8321 福島県いわき市常磐湯本町三函208　TEL: 0246-43-2191
いわき市湯本温泉「古滝屋」の一室を改築して開館しました。東日本大震災をき
っかけとする原子力災害による被害の克服に向けた草の根の取り組みを伝えて、
考え行動する場をつくり出しています。

足尾鉱毒事件

㉓太田市足尾鉱毒展示資料室
（あし お）

https://www.city.ota.gunma.jp/005gyosei/0090-001kankyo-seisaku/
shiryoshitsu.html
〒373-0817 群馬県太田市飯塚町1549-2 太田市学習文化センター2F
TEL: 0276-47-1893 Eメール: 025600@mx.city.ota.gunma.jp（太田市環境政策課）
戦後に足尾銅山の鉱毒被害を訴えて活動した、渡良瀬川鉱毒根絶太田期成同
盟会の運動の軌跡がわかります。丸木位里・俊夫妻の「足尾鉱毒の図」も展示さ
れています。

㉔NPO法人 足尾鉱毒事件田中正造記念館

http://www.npo-tanakashozo.com/
〒374-0023 群馬県館林市大手町6-50　TEL: 0276-75-8000
館林市街地のほぼ中心、館林城の大手町に位置しています。鉱毒事件の概要や
田中正造・鉱毒被害民の闘いの歴史を学ことができます。庭には足尾銅山から
被害地までを表したジオラマ展示もあります。

ヒ素中毒

㉕宮崎大学土呂久歴史民俗資料室
（と ろ く）

〒889-2192 宮崎県宮崎市学園木花台西1-1 宮崎大学 教育学部内
TEL: 0985-58-7250
Eメール: chiikijinzai@of.miyazaki-u.ac.jp
土呂久の長い歴史から銀山時代の繁栄、亜ヒ酸製造がもたらした公害、健康被
害と補償、その教訓を活かしたアジアでの国際協力、現在の自然の蘇った美しい
土呂久の様子などを豊富な資料を通じて学ぶことができます。

㉖法政大学大原社会問題研究所 環境アーカイブズ

https://k-archives.ws.hosei.ac.jp/

〒194-0298 東京都町田市相原町4342 法政大学総合棟5F TEL: 042-783-2098
Eメール: k-archives@ml.hosei.ac.jp

戦後の環境問題に関わる社会運動、研究活動の記録を保存・公開しています。
なかでも、薬害スモン、サリドマイドなど薬害被害者資料、反原発運動映像資料、
多摩地域のミニコミなどを多く所蔵しています。

㉗立教大学共生社会研究センター

https://www.rikkyo.ac.jp/research/institute/rcccs/

〒171-8501 東京都豊島区西池袋3-34-1 メーザーライブラリー記念館新館 中2F
TEL: 03-3985-4457
Eメール: kyousei@rikkyo.ac.jp

1960年代以降の日本・海外の市民活動の記録が保存・整理・公開されています。
千葉川鉄公害裁判の記録や宇井純資料、全国各地の火力発電所・原子力発電
所に対する反対運動や訴訟の記録などがあります。

㉘豊島のこころ資料館

https://www.teshima-school.jp

〒761-4661 香川県小豆郡土庄町豊島家浦

瀬戸内海の小島、豊島で起きた有害産廃不法投棄事件と闘ってきた豊島住民
会議が開設した資料館。不法投棄の原状回復の難しさと豊島事件の教訓を展示
しています。不法投棄現場にある産廃業者の事務所を展示スペースにしています。

チェルノブイリ原発事故〈ベラルーシ〉

㉙ホイニキ地区郷土博物館

http://hoiniki.museum.by/en（英語）

Вуліца Карла Маркса 19, Chojniki, ベラルーシ

チェルノブイリ原発の汚染物質の70%はベラルーシに飛来しました。一番被害が
大きかったゴメリ州のホイニキ地区にある郷土博物館の一室にチェルノブイリ資
料室が設けられています。

チェルノブイリ原発事故〈ウクライナ〉

㉚ウクライナ国立チェルノブイリ博物館

http://chornobylmuseum.kiev.ua/ja/mainpage-2/（日本語）

Provulok Khoryva, 1, Kyiv, 02000, ウクライナ

チェルノブイリ原発はウクライナにありました。そのウクライナでチェルノブイリ
原発事故について伝えている施設です。ウクライナの首都キエフにあります。

※情報は2021年6月15日現在のものです

おすすめブックリスト

公害の多様な側面を理解していただけるように、
ジャンル別に様々な本を集めてみました。

〈証言〉
『水俣から──寄り添って語る』水俣フォーラム編 岩波書店 2018年
『新装版 自主講座「公害原論」の15年』宇井純編著 亜紀書房 2016年／初版1991年
『鳥栖のつむぎ──もうひとつの震災ユートピア』関礼子・廣本由香編 新泉社 2014年
『増補版 口述の生活史──或る女の愛と呪いの日本近代』
　中野卓編著 御茶の水書房 1995年／初版1977年

〈ルポルタージュ〉
『風成の女たち』(松下竜一その仕事 第11巻) 松下竜一著 河出書房新社 1999年／初版1972年
『ドキュメント 隠された公害──イタイイタイ病を追って』鎌田慧著 ちくま文庫 1991年／初版1970年
『ルポルタージュ 原発ドリーム──下北・東通村の現実』北原耕也著 本の泉社 2012年

〈歴史〉
『脱原発の運動史──チェルノブイリ、福島、そしてこれから』安藤丈将著 岩波書店 2019年
『国道3号線──抵抗の民衆史』森元斎著 共和国 2020年
『「犠牲区域」のアメリカ──核開発と先住民族』石山徳子著 岩波書店 2020年
『公害・環境研究のパイオニアたち──公害研究委員会の五〇年』
　宮本憲一・淡路剛久編 岩波書店 2014年

〈文学〉
『新装版 苦海浄土──わが水俣病』石牟礼道子著 講談社文庫 2004年／初版1969年
『完全版 チェルノブイリの祈り──未来の物語』スヴェトラーナ・アレクシエーヴィチ著 松本妙子訳
　岩波書店 2021年／初版1998年
『新装版 ある町の高い煙突』新田次郎著 文春文庫 2018年／初版1969年
『故郷』水上勉著 集英社文庫 2004年／初版1997年

〈写真集〉
『写真集「水俣を見た7人の写真家たち」』桑原史成・塩田武史・宮本成美・W.ユージン・スミス他著
　写真集「水俣を見た7人の写真家たち」編集委員会発行 弦書房発売 2007年
『写真集 水島の記録──1968−2016』髙田昭雄著 公益財団法人水島地域環境再生財団 2016年
『土呂久──小さき天にいだかれた人々』芥川仁写真・文 葦書房 1983年

〈入門書〉
『公害・環境問題史を学ぶ人のために』小田康徳編 世界思想社 2008年
『いのちの旅──「水俣学」への軌跡』原田正純著 岩波現代文庫 2016年／初版2002年

〈年表・事典〉
『環境総合年表──日本と世界』環境総合年表編集委員会編 すいれん舎 2010年
『公害文献大事典──1947(昭和22)年〜2005(平成17)年』
　寺西俊一監修 文献情報研究会編著 日本図書センター 2006年

※公害を経験した自治体の地方史(県・市・郡・町村史など)もおすすめします。

おすすめ映像リスト

公害患者をはじめ公害問題と向き合ってきた人びとの
生き方が見える作品を主に選びました。

『水俣──患者さんとその世界〈完全版〉』
写真提供／シグロ

『水俣──患者さんとその世界〈完全版〉』
土本典昭監督 1971年 167分
水俣病第1次訴訟中に発表され、全国に支援の輪を
広げた、記録映画史に残る感動の一作。

『阿賀に生きる』佐藤真監督 1992年 115分
「新潟水俣病」という視角からは描ききえない、阿賀野川のほとりで生きる
人びとの豊かな「日常」。

『カナダ先住民と水俣病』大類義監督 2009年 90分
カナダの先住民が経験した水俣病事件の貴重な記録。日本の水俣病関
係者との交流も収録。

写真提供／シグロ

『プリピャチ──放射能警戒区域に住む人びと』
ニコラウス・ゲイハルター監督 1999年 100分
チェルノブイリ原発事故後に放射能警戒区域で生きる多様な人びとの姿
と声の淡々とした記録。

『遺言 原発さえなければ』豊田直巳・野田雅也監督 2013年 225分
東日本大震災直後から800日間にわたって現地を記録しつづけた長編ド
キュメンタリー。

『六ヶ所村ラプソディー』鎌仲ひとみ監督 2006年 119分
青森県・六ヶ所村の核燃料再処理工場の建設に揺れる、現地の人びとの
葛藤に注目した記録。

『鉱毒悲歌そして今』『鉱毒悲歌』制作委員会 2019年 68分
足尾鉱毒事件のその後を追った前作『鉱毒悲歌』(1983年)に近年の足尾の様子を加えた新版。

『生きる権利──川崎公害』野田耕造監督 1984年 40分
川崎公害訴訟当時の記録映画。公害患者のぜん息の姿は、観る者に大気汚染のリアリティを伝える。

『海のわかれ──水島 2000年夏』
水島地域環境再生財団・倉敷市公害患者と家族の会企画・制作 2001年 47分
裁判和解後も公害患者や遺族達の苦しみが絶えることはないことを伝える。

『食卓の肖像』金子サトシ監督 2010年 103分
食品公害カネミ油症を撮った数少ない記録映画。知られざる被害実態と被害者の生の軌跡を描く。

『花はどこへいった──ベトナム戦争のことを知っていますか』坂田雅子監督 2007年 71分
夫の死をめぐってたどりついたベトナム戦争の枯葉剤。被害に向き合う現地の被害者の現実を追う。

※「NHKアーカイブス」(https://www.nhk.or.jp/archives/)からは、公害問題関連の貴重な番組・証言・ニュース
映像を無料で視聴することができます。小中高校生向けの映像(https://www.nhk.or.jp/school/)もあります。

案内人：川尻剛士 (一橋大学 大学院社会学研究科 博士後期課程)

本書関連公害年表

1600年代後半　赤沢銅山(後の日立鉱山)の鉱毒発生に対する下流農民の抗議が発生。

1891年　**帝国議会で足尾銅山鉱毒問題をめぐる討議。**

1893年　別子銅山の煙害による農業被害に対し訴えが起こる。

1902年　この頃、八幡製鉄所の労働災害多発。小坂鉱山の煙害による荒廃。

1903年　東京で浅野セメントによる粉じん被害。

1907年　日立鉱山の煙害による農業被害の賠償を求める運動。

1908年　日本窒素肥料(後のチッソ)設立。

1910年　東京で深井戸掘削により地盤沈下発生。

1911年　**三井金属鉱業神岡鉱業所からカドミウムを含む排水が流され、イタイイタイ病(富山県)発生。**
　　　　日立鉱山による亜硫酸ガスの被害。

1914年　第一次世界大戦勃発。この頃より鉱業に加え、化学産業なども発展。

1927年　後のチッソが植民地朝鮮に世界最大規模のコンビナート(興南工場)建設。

1929年　新潟水俣病の原因となる昭和肥料鹿瀬工場(後の昭和電工)設立。

1931年　満州事変勃発。

1932年　**大阪で国内初のばい煙防止規則が制定。**

1937年　日中戦争勃発。

1939年　別子銅山、四阪島製錬所内に中和工場が完成し煙害問題解決。

1945年　アジア太平洋戦争終戦。

1946年　日本国憲法公布。

1948年　優生保護法制定(1996年 母体保護法に改正)。

1949年　東京都で工場公害防止条例制定。この頃から沖縄の米軍基地で石油流出事故頻発。

1952年　ロンドン・スモッグ事件発生。

1954年　『熊本日日新聞』で「猫てんかんで全滅」の記事が掲載。

1955年　**高度経済成長始まる。イタイイタイ病社会問題化。**
　　　　東京都にばい煙防止条例制定。この頃から全国で地盤沈下多発。

1956年　**当時「奇病」とされた水俣病の発生を公式に確認。工業用水法制定。**

1957年　この頃、原因不明の薬害スモン被害が集団発生。水俣病で食品衛生法適用問題が起こる。

1958年　水質二法(水質保全法、工場排水規制法)制定。

1959年　熊本大学医学部研究班、水俣病の原因について有機水銀説を発表。

1960年　**この頃に石炭から石油へのエネルギー転換によって全国で大気汚染が問題。**
　　　　この頃、四日市でぜん息患者が多発。

1961年　ベトナム戦争でアメリカ軍が枯葉剤散布(71年まで)。
　　　　イタイイタイ病でカドミウム中毒説が提唱。

1962年　レイチェル・カーソン『沈黙の春』刊行。ばい煙規制法制定。大阪の地盤沈下収まる。
　　　　水俣病患者診査会において胎児性水俣病患者が認定。

1963年　**三島・沼津の石油コンビナート反対運動で、鯉のぼりによる調査など住民の公害学習が展開。**
　　　　三井三池炭じん爆発・CO中毒事故発生。

1964年　厚生省に公害課設置。東京オリンピック開催。庄司光・宮本憲一『恐るべき公害』刊行。

1965年　**新潟県阿賀野川流域で有機水銀中毒の発生を公式に確認。**

1967年　**公害対策基本法制定。新潟水俣病訴訟、四日市ぜんそく訴訟提起。**
　　　　山形県・米沢市スモン患者同盟発足。

1968年　大気汚染防止法、騒音規制法制定。カネミ油症発覚。

	熊本市立中学校教師・田中裕一による水俣病の授業。
	四日市公害を記録する会(澤井余志郎)発足。林えいだい『これが公害だ』刊行。
1969年	政府が最初の『公害白書』発表。
	「旧救済法」が制定(国内最初の公害被害を救済する法律)。
	東京都公害防止条例制定。石牟礼道子『苦海浄土』刊行。
1970年代	日本でモータリゼーションが本格化し、幹線道路周辺の大気汚染公害がいよいよ深刻化。
	日本の規制強化により石綿製品工場が韓国へ移転(公害輸出)。
	スタディツアーの起源となるツアーやワークキャンプ開催。
1970年	「公害国会」が開催。公害対策基本法の改正(「経済の健全な発展との調和」という条項など削除)。日本での国際シンポジウムで「環境権」が提唱される。
	東京で最初の光化学スモッグ注意報発令。薬害スモンの原因がキノホルムと判明。
	大阪府の同和教育副読本『にんげん』刊行。
	宇井純が東京大学で自主講座「公害原論」開始。大阪万国博覧会開催。
1971年	ラムサール条約(水鳥の生息地である湿地に関する条約)採択。環境庁設立。
	宮崎県高千穂町立小学校教師・齋藤正健により土呂久ヒ素公害を告発。
	イタイイタイ病訴訟・新潟水俣病訴訟で患者勝訴。大阪から公害をなくす会発足。
	文部省、小中学校学習指導要領の「公害」記述を公害対策基本法改正にあわせて修正。
	日本教職員組合教研集会に「公害と教育」分科会設置。土本典昭監督『水俣』上映。
1972年	ストックホルムで国連人間環境会議開催。国連環境計画(UNEP)設立。
	環境庁、最初の『環境白書』発行。自然環境保全法制定。
	四日市ぜんそく訴訟で患者勝訴。全国で公害患者会が組織される。
	原田正純『水俣病』刊行。
	ローマクラブ『The Limits to Growth(成長の限界)』公表。
1973年	ワシントン条約(絶滅のおそれのある野生動植物の保護を目的とした条約)採択。
	日本の高度経済成長終焉。公害健康被害補償法、化学物質審査規制法制定。
	水俣病訴訟で患者勝訴。石綿による肺ガンが初の労災認定。
	渡良瀬川鉱毒根絶太田期成同盟会発足。全国公害患者の会連絡会発足。
1974年	大気汚染防止法改正され、硫黄酸化物(SOx)総量規制導入。
	国立公害研究所設立。「患者の拠り所」として水俣病センター相思社が設立。
1975年	ベオグラード会議で国際環境教育プログラムの指針(ベオグラード憲章)を作成。
	小松基地で最初の軍用機騒音訴訟提起。
	香川県豊島で国内最大級の産業廃棄物投棄始まる。
	韓国・蔚山に六価クロム禍を起こした日本化学工業の進出が問題化(公害輸出)。
	高木仁三郎が原子力資料情報室を設立。
	沖縄国際海洋博覧会が開催され開発と環境保全が問題化。
1976年	第1回全国公害被害者総行動開催。
1977年	ナイロビで国連砂漠化防止会議、トビリシで環境教育政府間会議開催。
1978年	西淀川大気汚染公害訴訟提起。
1979年	米スリーマイル島原子力発電所事故発生。
	第1回世界気候会議(ジュネーブ)が開かれ、後に世界気候計画採択。
	薬害スモン訴訟の和解成立。第1回日本環境会議開催。
1980年代	アメリカで人種差別が環境汚染と結びつくことを告発する「環境正義」が提唱される。

1980年	ドイツでエコロジーの優先を掲げる「緑の党」結党。
1981年	大気汚染防止法施行令が一部改正され、窒素酸化物(NOx)総量規制が導入される。
	旗野秀人が聞き書き集「あがの岸辺にて」発行。
1982年	祝島の対岸に上関原子力発電所建設計画。川崎大気汚染公害訴訟提起。
	嘉手納基地爆音訴訟提起。
	日本で開発教育協会が設立され、開発教育や参加型学習の方法が紹介される。
1983年	水島コンビナート8社を相手に倉敷大気汚染公害訴訟提起。
1984年	インド・ボパール化学工場での大規模有毒ガス漏れ事故発生。
	滋賀県で第1回世界湖沼環境会議開催。
	澤井余志郎が四日市公害の記録文集『くさい魚とぜんそくの証文』を刊行。
1985年	フィラハで地球温暖化に関する国際会議が開催され、二酸化炭素による地球温暖化問題が
	注目される。オゾン層の保護のためのウィーン条約採択。東京で世界環境教育会議開催。
1986年	**旧ソ連チェルノブイリ原子力発電所事故発生。**
1987年	**国連環境と開発に関する世界委員会(ブルントラント委員会)が報告書『Our Common**
	Future(我ら共有の未来)』で「持続可能な開発」を提唱。
1988年	尼崎大気汚染公害訴訟提起。水俣病センター相思社が水俣病歴史考証館を開館。
1989年	最初の環境サミットであるアルシュ・サミットが開催。名古屋南部大気汚染公害訴訟提起。
1990年代	開発教育と共に人権教育プログラムが日本で紹介される。
1990年	気候変動に関する政府間パネル(IPCC)第1次報告書で地球温暖化について警鐘。
	国内初の地球温暖化防止行動計画決定。国立公害研究所を国立環境研究所に改組。
	日本環境教育学会発足。
1991年	第1回アジア・太平洋 NGO 環境会議(バンコク)開催。再生資源利用促進法制定。
	文部省『環境教育指導資料(中学校・高等学校編)』発行。
	西淀川で「地域再生プラン」を作成。
1992年	**リオデジャネイロで「環境と開発に関する国連会議」が開催され、「持続可能な開発」の**
	行動計画として「アジェンダ21」を採択。気候変動枠組条約採択。
	佐藤真監督『阿賀に生きる』上映。チェルノブイリ博物館開館。
1993年	**環境基本法制定。**公立初の公害資料館である水俣市立水俣病資料館が開館。
1994年	気候変動枠組条約発効。国際人口開発会議のカイロ行動計画に「リプロダクティブ・
	ヘルス／ライツ」概念が示される。水俣病資料館で語り部制度ができる。
1995年	新潟県立環境と人間のふれあい館開館。
1990年代後半	シックハウス症候群(SHS)社会問題化。
1996年	東京大気汚染公害訴訟提起。
	中国人戦後補償裁判の一環として遺棄化学兵器被害の救済のための訴訟提起。
	「水俣・東京展」開催。西淀川公害訴訟の和解金を基金としてあおぞら財団設立。
1997年	**京都で国連気候変動枠組条約締約国会議(COP3)開催。**
	環境と社会に関する国際会議で「テサロニキ宣言」採択。
1998年	国際非電離放射線防護委員会(ICNIRP)がガイドラインを制定。
	学習指導要領で「総合的な学習の時間」創設(小中学校告示、翌年高校告示)され、
	環境学習が広がる。この頃「環境ホルモン」が注目される。
	地球温暖化対策推進法、家電リサイクル法制定。
1999年	東京都が「ディーゼル車NO作戦」開始。地球温暖化対策推進法施行。

2000年	国連サミットで国連ミレニアム宣言が採択され、翌年「ミレニアム開発目標」（MDGs）策定。
	循環型社会形成推進基本法、グリーン購入法、食品リサイクル法制定。
	倉敷大気汚染公害訴訟の和解金を基金としてみずしま財団設立。
2001年	環境庁から環境省へ再編。PCB特別措置法制定。
	尼崎大気汚染公害訴訟の和解金を基金として尼崎南部再生研究室が設立。
	欧州環境庁『Late lessons from early warnings（早期警告からの遅ればせの教訓）』
	刊行（続編は2013年）。緒方正人『チッソは私であった』刊行。
2002年	ヨハネスブルグで持続可能な開発に関する世界首脳会議開催。
	自動車リサイクル法制定。神奈川県寒川町での道路建設中に旧日本軍の遺棄化学兵器
	によるとみられる神経症状発生。北九州市環境ミュージアム開設。
2003年	環境教育推進法制定。
	茨城県神栖市で旧日本軍の遺棄化学兵器による健康被害の疑いで水質調査。
2004年	水俣病関西訴訟最高裁判決、国と熊本県の責任確定。
2005年	国連ESDの10年開始。気候変動枠組条約京都議定書発効。
	クボタ旧神崎工場周辺住民の石綿被害が問題化。石綿障害予防規則制定。
	環境をテーマに愛知万国博覧会開催。
2006年	西淀川・公害と環境資料館開館。石綿健康被害救済法制定。
	石綿の製造・輸入・譲渡・提供・使用が原則禁止。
2009年	水俣病被害者の救済及び水俣病問題の解決に関する特別措置法制定。
2010年	生物多様性条約締約国会議（COP10）にて名古屋議定書採択。
	立教大学共生社会研究センター設立。纐纈あや監督『祝の島』上映。
	東海テレビ『記録人 澤井余志郎』放送。
2011年	**東日本大震災にともなう東京電力福島第一原発事故発生。**
	あがのがわ環境学舎設立。水俣に学ぶ肥後っ子教室開始。
2012年	カネミ油症患者に関する施策の総合的な推進に関する法律制定。
	福島原発事故をめぐる集団訴訟の提訴が始まる。富山県立イタイイタイ病資料館開館。
	水俣病を語り継ぐ会発足。
2013年	公害資料館ネットワーク結成。手話で楽しむサイエンスカフェ発足。
2014年	福島原発事故の避難指示解除が進み住民の帰宅が始まる（帰宅困難区域をのぞく）。
	イタイイタイ病を語り継ぐ会発足。
2015年	国連サミットで「持続可能な開発目標」（SDGs）策定。
	温室効果ガス削減のためのパリ協定採択。四日市公害と環境未来館開館。
	三池炭鉱などが「明治日本の産業革命遺産」として世界遺産登録。
	四日市公害を素材にした矢田恵梨子『ソラノイト〜少女をおそった灰色の空〜』刊行。
2016年	福島県環境創造センター交流棟コミュタン福島開館。ミュゼ環 鈴木喜美子記念館開館。
2017年	原一男監督『ニッポン国VS泉南石綿村』上映。
2019年	新型コロナウイルス感染症（COVID-19）発生。
2020年	この頃に、「香害」が問題化。東京外環自動車道工事で周辺が地盤沈下、陥没発生。
	福島県東日本大震災・原子力災害伝承館開館。
2021年	原子力災害考証館furusato開館。
	石綿訴訟最高裁判決で国の賠償責任を認める統一判断。
	新型コロナウイルス感染症の広がりの中で東京オリンピック・パラリンピック開催。

年表作成／小川輝光（神奈川学園中学高等学校 社会科教諭）

用 語 解 説

※情報は2021年8月現在のものです

 行

ESD (イーエスディー)

Education for Sustainable Developmentの略称で、「持続可能な開発のための教育」と訳される。将来世代を考慮し、環境・資源の保全のもとに適正な経済開発を行い社会発展をはかる教育は、「国連ESDの10年」(2005〜14年)として推進されたが、SD(持続可能な開発)やそのための教育の理念をめぐって論争がある。ESDの根本的な課題は、持続不可能な社会を支えている教育を再考し、方向転換することである。

石牟礼道子 (いしむれ・みちこ) 1927〜2018

作家、詩人。『苦海浄土——わが水俣病』(1969年、全三部は2016年)をはじめとする一連の作品を通して、水俣病患者の心の奥底の言葉にならないうめく声を患者にのり移って言葉に紡ぎ、作品を編みつづけた。他人の苦難を自分のことのように感じて何とかしたいと悶える心の持ち主(「悶え神さん」)であり、生涯、患者と喜怒哀楽を共にし、書くことで闘い加勢しつづけた。患者運動を離れた緒方正人の独自の呼びかけの良き理解者・支援者であった。

宇井純 (うい・じゅん) 1932〜2006

一人の技術者として自身も水銀を川に流したことへの悔恨から、科学者・技術者の加害性を自覚し、公害被害者に寄り添うことを覚悟して、水俣病をはじめとする公害の真実究明と被害者支援に生涯を捧げた公害・環境学のパイオニア。東京大学卒業後、3年間、化学メーカーに勤務。その後、大学院に進学。修了後、21年間、母校で「万年助手」に据え置かれる一方、1970年から85年まで、市民向け公開自主講座「公害原論」を同大学で主宰。86年から2003年まで沖縄大学教授を務めた。水質分析、自主講座、水銀汚染調査、適正技術開発などの仕事は、「市民科学」に収斂されていった。「公害に第三者はな

い」という宇井の言葉は、自己の立場性さらには加害性を自問することを促す。

SDGs (エスディージーズ)

Sustainable Development Goalsの略称で、「持続可能な開発目標」と訳される。2015年の国連サミットで採択された「持続可能な開発のための2030アジェンダ」で掲げられた国際目標である。17の目標と169のターゲットからなり、環境を持続的に保全し、社会的に公正かつ包摂的な経済成長をはかることによって誰一人取り残さない世界の実現を目指している。本書では、田中正造の文明観との共通性が指摘されている(P85)。

エネルギー革命 (えねるぎーかくめい)

それまで主要に使用されているエネルギー資源が他の資源へと急激に転換すること。本書では、1950年代から60年代に石炭から石油に交代したことを指す。73年には、石油が日本の一次エネルギー(自然界に存在して加工されずに供給されるエネルギー)の8割近くを占めることになった。人類による火の使用を第一次、石炭から石油への転換を第二次、さらに石油から代替・新エネルギー源への転換を第三次エネルギー革命と呼ぶ。

大阪空港公害事件
(おおさかくうこうこうがいじけん)

大阪府豊中市と周辺自治体にまたがる大阪空港は、人口密集地域に立地しているうえ、とりわけ1964年6月のジェット機乗り入れにより騒音・振動等の問題を引き起こすことになった。そこで、空港周辺住民は国に対して夜間における航空機離着陸の差止と損害賠償を求め、69年12月に訴訟を提起した。大阪地裁(74年)、大阪高裁(75年)は差止と賠償の双方を認めたが、最高裁(81年)は民事上の差止請求そのものを却下する判決を出し、社会的に大きな反響を呼びおこした。一方、夜間飛行差止を求める根拠として原告側弁護団は環境権論を提起し、この法理の展開に貢献した(P94-95)。

オーフス条約 (おーふすじょうやく)

「環境と開発に関するリオ宣言」の第10原則(市民参加権)に基づいて、国連欧州経済委員会で作成された環境条約で、1998年にデンマークのオーフス市で開催された環境閣僚会議で採択されたことから、この名で呼ばれる。情報へのアクセス、意思決定への市民参加、司法へのアクセスを各国内で法制化・制度化して保障することで、環境分野における市民参加を促進することを目的としている。2001年に発効。21年8月現在、日本は批准していない。

緒方正人 (おがた・まさと) 1953〜

不知火海漁師。6歳の時に、急性激症型水俣病で父を亡くす。自身も発病。74年に水俣病認定申請を行い、患者運動に参加して加害者責任追及の闘争を展開。しかし、しだいに運動のあり方に疑問を感じ、水俣病事件の意味を問うようになり、85年、認定申請を取り下げ、「チッソは私であった」と宣言。以来、運動を離れ、「一人」という地点から独自の呼びかけをしている。水俣病患者は、病気になっても魚を食べつづけ、子どもを産みつづけ、一人も殺さなかったと言う。この生き方をどう受け止めるか、一人ひとりに問われている。

汚染者負担の原則 (おせんしゃふたんのげんそく)

汚染を引き起こした者がそれを処理し、その環境を復元するためのコストを負担すべきであるとする原則。Polluter Pays Principle の頭文字を取ってPPPと略称される。1972年に経済協力開発機構(OECD)が環境政策の「指導原則」として採択し、日本では公害健康被害補償法(73年、P92-93)に導入された。

か行

語り／物語 (かたり／ものがたり)

ある出来事の経験者自身が「生きられた経験」を聞き手に向けて話すことと、話される内容のこと。経験者一人ひとりが主体となって自らの経験を話す「語り」に対して、ひとつの筋に沿って「語り」が束ねられ、まとまりをもつストーリーとなったものは「物語」と呼ばれる。第4章「公害は『問い』である」の「私達人類」のようなストーリー(P184-185)は「大きな物語」、「はじめに」の「SとYさん一家の物語」(P3)は「小さな物語」と区分けされる。公害資料館のような場で、出来事を忘れないように語りつぐ人を「語り部」という。

環境再生 (かんきょうさいせい)

新たな環境政策の理念として提唱されている概念。寺西俊一・除本理史はそれを「これまでの環境破壊の結果として累積させてきた各種の『環境被害ストック』の除去・修復・復元・再生への取り組みを通じて、深刻な破壊や喪失を被ってきた人びとの健康や自然を取り戻し、そのうえに、『環境的な豊かさ』(Environmental Wealth)の実現につながる農村、都市、地域経済、交通、そして住民や市民が主体となった地域社会(コミュニティ)の再生と創出を目指していくこと」と定義している。本書では、「(公害)地域再生」、「ふるさとの再生」という用語も用いられている。

環境正義 (かんきょうせいぎ)

1980年代のアメリカの環境レイシズムに反対する運動の中で提起された理念。従来の環境保護運動が、人間活動によって引き起こされる環境汚染・破壊から環境を守るためのものであったのに対して、汚染・破壊される環境の内部で社会的不公正によって被害者となる人間を守ることを目的とした。環境の保護・保全と社会的公正・正義とを結合する考えである。日本の公害反対運動ではその語は用いられなかったが、実質的には環境正義の運動であった。

現地／現場 (げんち／げんば)

出来事がまさに起こっているその場所。公害に関わる過去半世紀余りの一連のアクション(運動、報道、支援、研究、記録、教育、表現ほか)の中できわめて頻繁に使われてきた言葉である。潮谷義子は、原田正純が『現地に学ぶ』ことの大切さ」を「常に口にされていた」と述懐している(P121)が、本書ではその視点と響き合う指摘が繰り返しなされていることに注目してほしい。

公害輸出 (こうがいゆしゅつ)

汚染企業が拠点を海外に移転させたり、廃棄物や環境負荷の高い財を交易するなどして、とりわけ途上国に公害をもたらすこと。1970年代の日本においては海外直接投資が飛躍的に拡大し、以後とりわけアジアにおいて公害事件が多発した。78年に操業を開始したインドネシアのスマラン・ダイヤモンド・ケミカル社による河川汚染、82年にマレーシアで操業を開始したエイジアン・レア・アース社による放射性廃棄物放置事件、フィリピン・レイテ島のパサール銅製錬所の大気・重金属汚染など、多くの事例が知られている。

国連環境開発会議
(こくれんかんきょうかいはつかいぎ)

1992年にブラジルのリオデジャネイロで開かれた国連会議。「地球サミット」とも称されている。「持続可能な開発」を中心理念として環境と開発の問題の相互関連性が重視され、「環境と開発に関するリオ宣言」や「アジェンダ21」が採択された。会議と並行して開かれた国際NGOフォーラムで策定された「持続可能な社会と地球的規模の責務のための環境教育に関する協定」では、公正と持続可能性の価値に基づく社会変革のための環境教育が打ち出された。

国連人間環境会議
(こくれんにんげんかんきょうかいぎ)

1972年にスウェーデンのストックホルムで、「かけがえのない地球」をスローガンにして開かれた世界の環境問題に関する最初の国連会議。「人間環境宣言」や「行動計画」が採択され、その後の地球環境問題と南北問題の議論の先駆けとなった。日本の政府代表として出席した大石武一環境庁長官(当時)は、一般演説で日本の公害の経験を率直に話し、また関連集会には公害の被害者や関係者が参加して、その実情を世界に訴えた。

近藤忠孝 (こんどう・ちゅうこう) 1932～2013

弁護士、元参議院議員。イタイイタイ病訴訟弁護団副団長として一審・二審の勝利に貢献した。1960年代半ばに地元東京都北区のゴミ焼却場建設問題に関わる中で公害問題に開眼、その直後にイタイイタイ病訴訟提起の動きと出会い参加することになる。「裁判で勝利するためには被害者のいる現地で活動することが必要」として一家で富山市内に転居し、「(被害者の)言葉にならない痛みと苦しみを我がものとする」をモットーに弁護団を牽引した。72年に全国公害弁護団連絡会議の初代幹事長に就任、晩年は福島原発事故被災者の救済に情熱を注いだ。

さ 行

佐藤真 (さとう・まこと) 1957～2007

ドキュメンタリー映画作家。大学時代に水俣を訪ね、患者支援活動に関わる。新潟水俣病に関わる旗野秀人(P114-117)との出会いをきっかけに、阿賀野川沿いに家を借りて3年間、水俣病患者であり川と共に暮らす人びととの交流を深めながら、彼らの日常の暮らしと人生をまるごと映像に収め、8年がかりで『阿賀に生きる』(1992年)を完成する。10年後に再び阿賀を訪ね、今は亡き前作に登場する人びとが暮らした場所と、不在の人の気配を映した『阿賀の記憶』(2004年)を制作する。

澤井余志郎 (さわい・よしろう) 1928～2015

四日市公害の記録人・語り部。生活記録運動に学んで、戦後、勤めた紡績工場内に文学サークルを結成し、若い女工達と文集を編み、創作劇を演じた。1960年代半ば、四日市ぜんそくに苦しむ患者の声に突き動かされて、四日市公害にのめり込む。68年に「四日市公害を記録する会」を設立し、被害者から聞いたありのままの言葉で記録し、ガリ版文集「記録『公害』」(68～99年)を発行した。その土台には、「告発」と「証言」を行い、社会正義で「公害加害者を裁く」という考え方がある。71年「四日市公害と戦う市民兵の会」を結成し、第2次訴訟原告予定の子どもと母親を対象とした「反公害磯津寺子屋」を開いた。

残渣 (ざんさ)

残りかすの意。公害の多くは生産活動にともなって生じるため、被害の原因物質のみならず、多種多様な廃棄物が同時に産み出され、しばしばそれがさらなる問題を引き起こすことになる。JNC(旧チッソ)水俣工場内の巨大な「八幡残渣プール」は、熊本地震(2016年4月)で護岸にひびが入り、問題となった。本書「足尾鉱毒事件」に出てくる「スラグ」(P84)とは鉱物を精錬したあとに残存するかす(鉱滓)のこと。

JCO臨界事故 (じぇーしーおーりんかいじこ)

1999年9月30日に茨城県東海村にある核燃料加工会社JCO東海事業所で発生した事故。ウラン燃料の加工作業における通常の作業手順を逸脱した操作のために核分裂反応が止まらない臨界状態が発生し、3名の作業員が被曝、うち2名が事故後半年余りの間に死亡した。被曝した住民も667名にのぼっている。日本国内で発生した原子力事故としては、福島原発事故(国際原子力事象評価尺度でチェルノブイリ原発事故と同じレベル7)に次ぐ過酷さ(レベル4)である。

新幹線公害 (しんかんせんこうがい)

1964年10月の東海道新幹線の開業と共に発生した公害問題。十分な対策がなされないまま列車の超高速運行が実施されたことにより、開業直後から各地で騒音・振動等の問題が指摘されるようになった。とりわけ住宅が密集している名古屋地区の被害が著しく、74年3月には575名の原告により日本国有鉄道(現JR東海)を被告とする訴訟が提起された。一審・二審では損害賠償は認められたものの減速による公害差止は却下されたが、最終的には「騒音を75ホン以下とするよう最大限努力する」他の内容で86年4月に和解が成立した。原告団は現在でも解散しておらず、監視活動が継続されている。

水銀に関する水俣条約
(すいぎんにかんするみなまたじょうやく)

日本が経験した水銀汚染による健康被害と環境破壊が、地球規模で繰り返されることがないように包括的な規制を定める国際条約。2013年に採択・署名され、17年に発効。水銀には自然起源と人為起源による排出があるが、人為的排出による大気中水銀濃度が増加し、削減対策が必要との認識から条約制定の動きが始まった。水俣病関連では、水俣湾公害防止事業埋立地(P23写真)を汚染サイトとして特定・評価し管理することが課題のひとつとなっている。

た 行

ダイオキシン汚染 (だいおきしんおせん)

有機塩素化合物の一種であるダイオキシン類は、除草剤・殺菌剤やPCBの製造過程、ゴミ焼却や漂白等の過程で生成される。毒性は各ダイオキシンごとに異なるが、ばく露による被害としては皮膚の色素沈着、肝機能異常、体重減少などが知られており、さらにガンや奇形発生の誘発などが懸念されている。国外における初期の汚染事例としては、アメリカのジョージア州における鶏の大量死事件(1957年)、ベトナム戦争においてアメリカ軍が実施した枯葉作戦(61〜71年)による生態系破壊と住民・兵士(ベトナム軍・アメリカ軍双方)の健康被害、70年代初頭のアメリカのミズーリ州タイムズ・ビーチの土壌汚染、イタリアのセベソにおける農薬工場爆発事件(76年)などが知られている。日本国内の事例としてはカネミ油症事件(P38-43)や90〜2000年代のゴミ焼却場問題がある。

田中正造 (たなか・しょうぞう) 1841〜1913

足尾鉱毒事件の解決のために生涯を捧げた「義の人」。1891年の第2回帝国議会以来、衆議院議員として議会を通じて闘争を行うが事態は改善せず、1901年に議員を辞職して天皇に直訴。しかし解決への道は開かれず、谷中村を鉱毒溜の貯水池とすることが決まると村に入り、そこを終の住処と定めて抵抗を続けた。谷中入り前は、村民とは距離を隔てて外・上から闘ったが、谷中入り後は、一人の村民として自己を捨てて闘った。この転換には、彼の土着の自治観と信仰が契機となっているといわれる。

田中裕一 <small>(たなか・ゆういち)</small> 1930〜2003

熊本市立中学校社会科教諭。1968年水俣病が公害認定されてから約2カ月後、学校で水俣病を取り扱うことに極度の緊張が強いられる中、熊本市の公開研究授業として中学3年生に「日本の公害──水俣病」を行った。その後、総合的人権学習、環境問題を学ぶ修学旅行、総合的地域環境学習、環境に配慮した学校改革への生徒参加などに取り組み、退職後は、市民向け環境教育も行った。病床から「死を目前にして『死』を考える」授業を行って生涯を終えた田中は、自らを捧げ贈った「人類の先生」である。

チェルノブイリ原発事故
<small>(ちぇるのぶいりげんぱつじこ)</small>

1986年4月26日に旧ソ連ウクライナ共和国北部にあるチェルノブイリ原子力発電所4号炉で発生した爆発事故。大量の放射性物質が噴出し、風に乗ってヨーロッパ全体にまき散らされ、きわめて広範な地域で深刻な被害を引き起こしてきた。事故を起こした4号炉には2016年に新たなシェルターが設置され、その解体にはさらに世紀をまたぐ時間が必要とされている。一方、事故直後から、被害の規模や因果関係をめぐって国際原子力機関（IAEA）を中心とする国際原子力共同体と被害者を支援するNGO・科学者達との間で論争が続いており、これからも多角的な研究の蓄積が不可欠である。

土本典昭 <small>(つちもと・のりあき)</small> 1928〜2008

記録映画作家。1965年の『水俣の子は生きている』で初めて水俣病に取り組み、以来、水俣病問題をライフワークとして一連の作品を制作した。「見た」ことに動機づけられ、その責任として「撮る」ことを行った土本は、それが孕む罪を背負いながら許しを求めて「水俣」と関わりつづけて記録した。患者の「悶え、哀しみ、闘い」の世界だけでなく、児童向けに作られた『海とお月さまたち』（80年）には、自然のリズムと調和して暮らす漁師の世界が描かれている。

典型七公害 <small>(てんけいななこうがい)</small>

1960年代半ばに国による公害対策が求められた時、対象とする公害をどう規定するかが問題となった。その際、公害審議会は「政府が当面公害対策の確立を期するうえで、その対象として取り上げるべき公害は、一般に公害と呼ばれている現象のすべてを含まなければならないものではなく、そのような現象のうち、公法上の対策が必要であり、かつ可能なものであって、行政上の公害という共通の概念によって同一の原則の下に処理されることが望ましいものを選ぶべきである」との指針を打ち出した（公害審議会答申、66年10月）。この指針に基づき、公害対策基本法（67年制定、70年改正）が、大気汚染、水質汚濁、土壌汚染、騒音、振動、地盤沈下、悪臭の7つを公害と規定し、それは環境基本法（93年制定）第2条における公害の定義に引き継がれている。本書第1章ではこの「行政上の公害という共通概念」を超えた公害と「出会う」ことを目指している。

な 行

内発的発展論 <small>(ないはつてきはってんろん)</small>

先進社会をモデルとする単系の外発型発展に対して、地域固有の文化や伝統に根ざし、自律的、環境調和的に地域住民主体で進められる多様な地域形成・発展の考え方。主に①国際関係論、②社会学・民俗学、③財政学・地域経済学の系譜がある。②の領域の先駆者である鶴見和子は、1970年代半ばに水俣調査を行い、水俣病がもたらした破壊のどん底から、漁師（患者）のアニミズムを核とする自然と人間と社会の再生の展望を描いた。本書では、大分県佐伯市での具体的取り組みが紹介されている（P176）。

西岡昭夫 <small>(にしおか・あきお)</small> 1927〜2015

三島・沼津・清水2市1町の石油化学コンビナート反対闘争（1963〜64年）に高校の同僚と参加し、調査活動や共同学習を組織して計画阻止に貢献した「地域・住民の護民官」（藤岡貞彦）。その後も、地元の数々の環境問題の調査・研究に取り組む。青年期の地域課題学習、生活と科学

を結合する住民学習、教師の専門的力量と教育実践と住民運動の統一などの面で高く評価されている。環境保全と労働安全の分野で社会的不正義をなくす活動に取り組んだ個人・団体を顕彰する田尻賞の第1回受賞者である。

認定／未認定 (にんてい／みにんてい)

公害病患者の認定とは、公害健康被害補償法に基づいて自治体に設置された認定審査会によって被害者が「認定患者」としての要件を満たしていることが承認されることである。被害者は公害病患者であると認定されることによって初めて金銭的補償や医療サービス等を受けられるので、被害者にとって認定されるかどうかは決定的問題である。(新潟)水俣病においては、この認定／未認定が大きな問題となりつづけてきた。大気汚染では、1988年3月以降新規認定が行われていない。また、公害健康被害補償法の対象となっていない被害については、個別の法制度によって救済されなければならないが、そもそもその法制度自体が存在していなかったり、存在しても救済要件による選別とそれに起因する認定／未認定問題が大きな問題となっていることは、本書の各所で指摘されている通りである。

は 行

萩野昇 (はぎの・のぼる) 1915〜1990

イタイイタイ病被害地域の開業医。1946年に復員し、亡き父の病院を継いだ萩野が出会ったのは、激痛をともなう原因不明の奇病に苦しむ患者達であった。診察経験と患者発生地域調査などから、57年に鉱毒原因説を、61年にはカドミウム説を発表した。苦難の中での真実究明の努力が、公害病認定への道を拓いた。「業病」と呼ばれて沈黙を強いられてきた患者達の中からも立ち上がる人達が生まれ、学習会を開いて患者運動を支え、裁判の証言に立った。

ばく(曝)露 (ばくろ)

生体が、飲み込んだり、呼吸したり、直接触れるなどして、何らかの物理的因子ないし化学物質にさらされること。瞬間的な場合もあれば、長期に及ぶ場合もある。公害被害は、このばく露というプロセスを通して発生するので、公害を論ずるうえで必須の用語である。

原田正純 (はらだ・まさずみ) 1934〜2012

医師、水俣病研究の第一人者。大学院生の時に初めて水俣を訪れて以来、患者救済に半世紀にわたって取り組んだ。一軒一軒患者の家を訪ねて診察し、徹底した診断と調査・研究を積み重ねて、母親の胎内で有機水銀に侵される「胎児性水俣病」の存在を世界で初めて明らかにした。水俣病以外にも、カネミ油症や三井三池炭じん爆発事故による一酸化炭素中毒、さらにはブラジルやカナダの水銀汚染の現場にも足を運んだ。社会科学と自然科学を融合した学際的な「水俣学」を提唱し、開かれた水俣の学的探究を進めた。

ビキニ環礁 (びきにかんしょう)

太平洋中部に位置するマーシャル諸島共和国の一角にある環礁。1946年から58年の間に計23回の原爆・水爆実験がアメリカ合衆国によって行われた。54年3月1日に実施された「ブラボー実験」(水爆)では、日本の第五福竜丸(無線長の久保山愛吉が死亡)をはじめ多数の漁船の乗組員や近海の島々に暮らす住民が被曝した。ビキニ島では46年の実験開始に先立って167人の住民全員が強制移住させられ、現在でもその子孫達が同共和国のキリ島他で暮らしているが、持続する放射能汚染のため帰還の見通しは立っていない。

樋口健二 (ひぐち・けんじ) 1937〜

報道写真家。24歳の時に見たロバート・キャパの写真に魂がふるえ、写真の世界に入る。最初の写真集は、大気汚染問題に取り組んだ『四日市』(1972年)。以来、戦争の傷跡、被爆労働者、炭じん被害者、原発事故など、日本社会を下支えしながら「闇に消される」人達を撮って、時代を記録してきた。「一作十年」がモットー。2001年、日本人として初めて「核のない未来賞」教育

部門賞(ドイツ)を受賞。一年を通して様々な姿を現す富士山を記録しつづけるほか、全国の街並みや山河を写した写真も数々ある。

負の記憶 (ふのきおく)

歴史上の戦争・災害・公害・疾病など、否定性を帯びた暗い過去の出来事の認識を指す。不快な感情をともなうことから、出来事を記憶から消し去ってなかったことにしたり、不都合な真実が意図的に隠されたり書き換えられたりすることもある。ドイツでは、ホロコーストという「負の記憶」の想起と忘却が拮抗する中で、「対話的な想起」によって苦難の歴史に向き合う試みがなされている。公害資料館では、公害という「負の記憶」に形を与える遺物、文字や視聴覚の資料、当事者や関係者の生の声や姿を活用して、「負」から未来を拓く取り組みが行われている。

ボパール事故 (ぼぱーるじこ)

インド中部マディヤ・プラデーシュ州の州都ボパールにあったユニオン・カーバイド社の農薬工場において、1984年12月2日深夜から翌3日にかけて発生した「世界最悪の産業災害」とされる事故。この事故で40tのイソシアン酸メチルをはじめとする有毒ガスが漏れ出し、事故から間もなく数千人が死亡、以後30年の間に1万5千〜2万人以上が死に至ったとされる。事故発生以来、水俣病関係者との交流が続けられてきていることも注目される。

や 行

山内豊徳 (やまのうち・とよのり) 1937〜1990

厚生省・環境庁(当時)の官僚。水俣病訴訟に対して裁判所から1990年に出された早期解決のための和解勧告を拒否した国側の責任者。一人の人間として弱者の側に立った職務の遂行に努めてきた人が、組織の一員としての重責を果たさなければならない窮地に追い込まれた時に選択したのは、自らの命を絶つことであった。不義に抗って義に立ち返る「しかし」という言葉を、心のたったひとつの拠り所にしてきた山内の心に去来したものは何だったろうか。

ユージン・スミス (ゆーじん・すみす) 1918〜1978

アメリカの報道写真家。第二次世界大戦中、従軍写真家として沖縄戦を取材。戦後、日本経済の復興を象徴する巨大企業「日立」、そして復興過程で引き起こされた水俣病を取材し写真に収めた。妻だったアイリーン・美緒子・スミスと患者多発地域に家を借り、患者らと訪問したチッソ五井工場では暴行を受けて重傷を負いながら、3年間の滞在中、患者らの生きる姿の撮影に精力を傾けた。1975年、帰国したアメリカで写真集『MINAMATA』(英語版)を出版。2020年、ハリウッド映画『MINAMATA──ミナマタ』に。

予防原則 (よぼうげんそく)

ある活動にともなうコストが不確実でしかも潜在的に高くまた不可逆的である場合、社会はその不確実性が解消される以前に予防的行動をとるべきであるとする環境政策上の原則。1970年代初頭から国際条約等に導入されはじめ、92年にリオデジャネイロで開催された国連環境開発会議の「環境と開発に関するリオ宣言」において「環境を保護するため、予防的方策は、各国により、その能力に応じて広く適用されなければならない。深刻な、あるいは不可逆的な被害のおそれがある場合には、完全な科学的確実性の欠如が、環境悪化を防止するための費用対効果の大きい対策を延期する理由として使われてはならない」とする第15原則に結実。

四大公害裁判／訴訟
(よんだいこうがいさいばん／そしょう)

高度経済成長期に社会問題化した産業公害事件である水俣病、新潟水俣病、四日市ぜんそく、イタイイタイ病のいわゆる「四大公害病」に対して1960年代後半に被害者救済を求めて提起された4つの裁判。73年までに判決が出され、すべて原告勝利で確定した。その後の公害裁判の展開はもとより、公害被害者救済制度や公害規制法制に対して大きな影響を及ぼした。「むかし四大公害裁判があった」式の紋切り型学校知識の問い直しが不可欠。

(文／安藤聡彦・原子栄一郎)

事項索引

※著者によって使用している名称が異なるものがありますが、同じ内容のものはひとつの項目にしています。また、内容的には合致していても、本文中に索引であげた言葉が必ずしも出てこない場合もあります。

人名索引

あとがき ── 未来へ語りつぐ

　次世代へ、未来へ、「公害」の経験と教訓を語りつぎたい。

　20代から80代にわたる50名の著者とのメール等でのやりとりは、優に1000回を超えました。誰からも伝わってくるその思いを日々受け止めながら、どうやったら複雑で、見えにくい公害を、一冊の本にして伝えられるだろうかと思いあぐねました。それが、編集者である私の大きな宿題だったのです。

　情報があふれる現代社会ですが、見たことのないものを想像すること、理解することは容易ではありません。難しいことをやさしく、できるだけわかりやすい文章に変え、ビジュアルとデザインを駆使して、見えにくい公害を可視化できないかと考えました。普段は文章だけの論文や本を書かれている著者にも、写真や図版の提供を依頼しました。当時の写真が一枚あるだけで、想像力を喚起してくれます。ですが、その一枚がなかなか見つかりません。そんな時、縁のある方や各地の公害資料館がつないでくれたことで、長年公害を記録しつづけてきた方達にたどり着きました。水俣事件を撮りつづけて六十余年の桑原史成さん、カネミ油症事件の河野裕昭さん、そして四日市を皮切りに様々な公害や原発問題を84歳になった今も告発しつづけている樋口健二さん、若い人達へ届ける本ならばと全員が使用を快諾してくださいました。「公害や原発問題の背景には、弱者を切り捨ててきた日本社会の差別構造がある。それは今も変わらない」と樋口さんは言います。

　四日市公害の記録人、故澤井余志郎さんが遺された膨大な数の記録写真から私達が一枚を選ぶ時に助言をしてくださる方がいました。四日市コンビナートのどの工場の煙突から、いつ、どんな色の煙が出るのかまで熟知されているのです。地域の公害を知りつくし、語りつぐ方々のおかげで、原告患者勝訴の歴史的判決が出た1972年7月24日の夜のコンビナートの写真を載せることができました（P15）。

　また、3人の編者とは、毎回数時間に及ぶオンラインでの編集会議やメールで、幾度となく議論を積み重ねました。時には意見が食い違うこともありましたが、しだいに「公害」と「今」をつなぐ新しい本を一緒に生み出せたら、と思うようになっていきました。原稿が集まってみて

気づいたのは、各章に収められた一本一本は独立した話ですが、どの原稿にも、公害と真剣に向き合っている書き手の生きざまが浮かび上がっているということでした。公害を語る中に、人としていかに生きていくか、どんな社会を私達が選び取っていくのかを、共に考えていくための、50人からのメッセージが込められた一冊にまとまりました。

　本書は長年交流のあった、日本環境教育学会で公害教育研究プロジェクト（2016〜19年）に取り組んできた安藤聡彦さんらから「公害に学ぶことの意義を社会に発信するためのメディア」を刊行したいという相談を受け、同学会公害教育研究会、公害資料館連携フォーラム教育分科会・研究会での議論を集約して、19年11月から検討が始まりました。同学会からは出版支援金も受けています。

　こころよく執筆を引き受けてくださった著者の方々には心より御礼申し上げます。全国各地の公害資料館・博物館・団体のご協力なくしてはできあがりませんでした。また、出版にあたってはクラウドファンディングにて275名の方々にご支援もいただき実現することができました。本書が誕生するためにお力を貸してくださったすべてのみなさまに、この場を借りて感謝をお伝えさせていただきます。

　私はアジア太平洋戦争の被害・加害の体験を集め、手紙を通じて現代を生きる若者達に過去と向き合い未来を考えてもらうプロジェクトに、この十数年取り組んでいます。戦争体験者は心に深い傷を抱え、戦後を生き抜いてきました。戦争を始めた国家は、何の補償も謝罪もせず、ただ受忍することを国内外の多くの無辜の民に強いてきました。若者達は、被害加害を超えて戦争の不条理に気づき、自らに問いかけ、未来への決意を込めて、手紙を書いています。「戦争」とおなじ過ちが、戦前戦後、今も繰り返されている「公害」の中にも見えてきます。そして、公害と戦争、日本と世界、環境と平和の問題はつながっていることも。

　公害のない希望ある未来を切り拓くために語りつぐ人びとと、読者のみなさんとの懸け橋になれたなら嬉しく思います。個性的で熱くも心やさしい方々との一期一会に、心からの感謝を。

2021年初秋　　編集者　北川直実

著者紹介 ※あいうえお順

あ 行

青島恵子（あおしま・けいこ）
医療法人社団継和会 萩野病院 院長
［イタイイタイ病・医師 P110］

安藤聡彦（あんどう・としひこ）
埼玉大学 教育学部 教授
［はじめに P3／用語解説 P206］

アンナ・コロレヴスカ（Anna Korolevska）
ウクライナ国立チェルノブイリ博物館 副館長
［チェルノブイリ博物館 P166］

池田理知子（いけだ・りちこ）
福岡女学院大学 人文学部 教授［話を聴く P154］

井部正之（いべ・まさゆき）
ジャーナリスト、アジアプレス・インターナショナル
［アスベスト P62］

岩佐礼子（いわさ・れいこ）
あまべ文化研究所 代表［佐伯と土呂久 P176］

岩松真紀（いわまつ・まき）
明治大学 文学部 非常勤講師
［参加型学習・実践 P146］

宇田和子（うだ・かずこ）
高崎経済大学 地域政策学部 准教授
［カネミ油症 P38］

大久保規子（おおくぼ・のりこ）
大阪大学 大学院法学研究科 教授［環境権 P94］

小川輝光（おがわ・てるみつ）
神奈川学園中学高等学校 社会科教諭
［スタディツアー・実践 P160／関連年表 P202］

尾崎寛直（おざき・ひろなお）
東京経済大学 経済学部 教授［大気汚染 P14］

か 行

上遠恵子（かみとお・けいこ）
エッセイスト、レイチェル・カーソン日本協会会長
［レイチェル・カーソンの遺言 P130］

神長 唯（かみなが・ゆい）
都留文科大学 教養学部 教授
［公害資料館・実践 P164］

川尻剛士（かわじり・つよし）
一橋大学 大学院社会学研究科 博士後期課程
［アートが伝える公害 P168／おすすめブック・映像リスト P200］

桑原史成（くわばら・しせい）
フォトジャーナリスト
［写真 P96・100・105／水俣事件 P104］

小玉敏也（こだま・としや）
麻布大学 生命・環境科学部 教授［話を聴く・実践 P156］

後藤 忍（ごとう・しのぶ）
福島大学 大学院共生システム理工学研究科 准教授
［福島原発事故の教訓の継承 P180］

さ 行

佐藤マリ子（さとう・まりこ）
［土呂久・農業者 P126］

潮谷義子（しおたに・よしこ）
前熊本県知事、前慈愛園理事長［水俣病・行政 P118］

渋江隆雄（しぶえ・たかお）
元三井金属鉱業 執行役員・元神岡鉱業 代表取締役社長
［イタイイタイ病・企業 P122］

清水万由子（しみず・まゆこ）
龍谷大学 政策学部 准教授［公害資料館 P162］

清水善仁（しみず・よしひと）
中央大学 文学部 准教授［薬学スモン P86］

菅波 完（すげなみ・たもつ）
高木仁三郎市民科学基金 事務局長
［市民科学者・高木仁三郎 P187］

関 礼子（せき・れいこ）
立教大学 社会学部 教授［新潟水俣病 P26］

た 行

高田 研（たかた・けん）
都留文科大学 地域社会学科 特任教授
［参加型学習 P144］

髙橋若菜（たかはし・わかな）
宇都宮大学 国際学部 教授［足尾鉱毒事件 P80］

高峰 武（たかみね・たけし）
熊本日日新聞 元論説主幹、熊本学園大学 特命教授
［水俣病 P20］

丹野春香(たんの・はるか)
埼玉大学 教育学部 非常勤講師
[公害調査・実践 P152／リプロダクティブ・ヘルス／
ライツ P188]

徳竹真人(とくたけ・まひと)
環境地盤研究所 地盤解析室 室長・所長
[地盤沈下 P50]

友澤悠季(ともざわ・ゆうき)
長崎大学 環境科学部 准教授
[公害は「問い」である P184]

な行

中下裕子(なかした・ゆうこ)
弁護士 [化学物質過敏症 P44]

西村仁志(にしむら・ひとし)
広島修道大学 人間環境学部 教授
[スタディツアー P158]

は行

旗野秀人(はたの・ひでと)
新潟水俣病安田患者の会 事務局長、新潟県立環境
と人間のふれあい館運営委員
[新潟水俣病・支援者 P114]

纐纈あや(はなぶさ・あや)
映画監督、やしほ映画社 代表取締役 [祝島 P179]

林 公則(はやし・きみのり)
明治学院大学 国際学部 准教授 [軍事基地 P56]

林 美帆(はやし・みほ)
みずしま財団研究員、公害資料館ネットワーク事務局
[森脇君雄 聞き書き P106／被害者と加害者 P172
／公害資料館 P192]

原子栄一郎(はらこ・えいいちろう)
東京学芸大学 環境教育研究センター 教授
[公害をどう学んでいくか？ P134／視聴覚メディア・
実践 P142／用語解説 P206]

平野 泉(ひらの・いずみ)
立教大学共生社会研究センター アーキビスト
[公害の記録を読む・実践 P136・138]

廣瀬彩奈(ひろせ・あやな)
埼玉県立特別支援学校坂戸ろう学園 教諭
[原発事故・ろう者 P131]

古里貴士(ふるさと・たかし)
東海大学 教職資格センター 准教授
[視聴覚メディア P140]

古澤 晃(ふるさわ・あきら)
日本語教師、ベラルーシ共和国ミンスク市在住
[チェルノブイリ博物館 P166]

ま行

前嶋 匠(まえじま・たくみ)
茗溪学園中学校高等学校 社会科教諭
[参加型学習・実践 P148]

三谷高史(みたに・たかし)
仙台大学 体育学部 准教授 [公害調査 P150]

水俣病センター相思社
(みなまたびょうせんたーそうししゃ)
[水俣病患者 上野エイ子 聞き書き P98]

向井嘉之(むかい・よしゆき)
ジャーナリスト、イタイイタイ病を語り継ぐ会代表運
営委員 [イタイイタイ病 P32]

森久 聡(もりひさ・さとし)
京都女子大学 現代社会学部 准教授
[三井三池炭じん爆発 P68]

森脇君雄(もりわき・きみお)
全国公害被害者総行動代表委員、元全国公害患者
の会連合会幹事長
[全国公害被害者総行動・公害地域再生 P106]

や行

矢田恵梨子(やだ・えりこ)
マンガ家 [四日市公害マンガ P191]

山岸公夫(やまぎし・きみお)
元神戸製鋼所職員、あおぞら財団理事
[被告企業・西淀川公害訴訟 P175]

除本理史(よけもと・まさふみ)
大阪市立大学 大学院経営学研究科 教授
[福島原発事故 P74／公害健康被害補償法 P92]

ら行

力丸祥子(りきまる・しょうこ)
朝日新聞福島総局 記者
[福島原発事故・民間伝承施設 P183]

公害スタディーズ
悶え、哀しみ、闘い、語りつぐ

2021年10月15日初版発行
価格1800円＋税

編著
安藤聡彦、林 美帆、丹野春香

編集　　　　　　北川直実（オフィスY&K）
ブックデザイン　安田真奈己
カバーイラスト　柳原パト
図版作成　　　　上坂あゆみ
校正　　　　　　大江孝子

パブリッシャー　木瀬貴吉

発行　　ころから
　　　　〒115-0045
　　　　東京都北区赤羽1-19-7-603
　　　　Tel 03-5939-7950
　　　　Fax03-5939-7951
　　　　office@korocolor.com
　　　　HP http://korocolor.com
　　　　SHOP https://colobooks.com

ISBN 978-4-907239-54-1
C0036
ktks

編著者

安藤聡彦（あんどう・としひこ）

1959年生まれ。埼玉大学教育学部教授、同附属中学校校長。公益財団法人トトロのふるさと基金理事長。専門は環境教育学、社会教育学。共著書に『地域学習の創造──地域再生への学びを拓く』（佐藤一子編 東京大学出版会 2015年）、『地域づくりと社会教育的価値の創造』（日本社会教育学会編 東洋館出版社 2019年）等。3.11以後、水俣、下北半島、チェルノブイリを行き来し、様々な方に話をうかがいながら、どうすれば国内外の公害経験に深く根ざした環境教育の研究ができるのかを模索している。

林 美帆（はやし・みほ）

1975年生まれ。公益財団法人水島地域環境再生財団研究員、公害資料館ネットワーク事務局。佛教大学非常勤講師。認証アーキビスト。奈良女子大学大学院博士後期課程修了。博士（文学）。専門は日本近現代史、環境教育学。共編著書に『西淀川公害の40年──維持可能な環境都市をめざして』（ミネルヴァ書房 2013年）。2005年公益財団法人公害地域再生センター研究員に。公害資料館ネットワークの設立に尽力。21年4月から現職、倉敷・水島地域の公害に関する資料館設立に向けて活動している。

丹野春香（たんの・はるか）

1987年生まれ。埼玉大学等非常勤講師、東京医科歯科大学特任研究員。東京学芸大学大学院連合学校教育学研究科（博士課程）単位修得満期退学。専門は環境教育学、社会教育学。主論文に「藤岡貞彦の〈地域と教育〉研究における「環境権」の視座──1970年代の「教育環境権」の議論をとおして」（『社会教育学研究』54巻 2018年）。大学生の頃に経験した水俣病との出会いをきっかけに、公害に関わる人びとの思索と実践に学びながら、教育は公害とどのように向き合うのかを考えている。

協力［順不同、敬称略］
日本環境教育学会公害教育研究会、公害資料館ネットワーク、伊藤三男（四日市再生「公害市民塾」）、佐藤礼次（NPO法人労働者運動資料室）、エル・ライブラリー、新潟県福祉保健部生活衛生課、宮崎県、第2次新横田基地公害訴訟原告団、河野裕昭、嶋村大志、鈴木喜美子、鈴木梨那、永田賢介（認定NPO法人アカツキ）、白神加奈子、山口華代

みな、やっとの思いで坂をのぼる
水俣病患者相談のいま

永野三智

1800円＋税／ 978-4-907239-28-2

私たちは水俣病という不幸な経験から学ばなければならならい。だが、なによりも
まず、ここで永野さんが記録した声に耳を傾けるべきだ。

──野矢茂樹（哲学者）
朝日新聞書評（2018年10月6日）

西日本新聞、中国新聞、読売新聞など多数書評。　好評3刷！

特 装 版 も あ り ま す

水俣のアーティスト HUNKA による手摺りシルクスク
リーンのカバーの上製本。

特装版 みな、やっとの思いで坂をのぼる
永野三智
2700 円＋税／ 978-4-907239-33-6

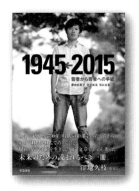

若者から若者への手紙 1945 ← 2015

落合由利子、北川直実、室田元美

1800円＋税／ 978-4-907239-15-2

昔の若者と今の若者がつながっていく。
非常に新鮮で、こうした戦争証言記録のつくり方もあるのかと感慨深い。

——関千枝子（ジャーナリスト）
9条連ニュース書評（2015年10月20日）

おはよう日本（NHK）、ニュース ZERO（日本テレビ系列）でも話題に。好評 2 刷。

英 語 版 も あ り ま す

1945 ← 2015: Reflections on Stolen Youth

英訳 若者から若者への手紙 1945 ← 2015

落合由利子、北川直実、室田元美
デボラ岩渕ほか訳

2000 円＋税／ 978-4-907239-51-0

増補新版 風よ鳳仙花の歌をはこべ
関東大震災・朝鮮人虐殺・追悼のメモランダム

ほうせんか編著

2000円＋税／ 978-4-907239-53-4

九月、東京の路上で
1923年関東大震災 ジェノサイドの残響
加藤直樹
1800円＋税／ 978-4-907239-05-3
好評8刷

●エスペラント版もあります

エスペラント版 九月、東京の路上で
Septembre, surstrate en Tokio
2000円＋税／ 978-4-907239-36-7

T Я ICK　トリック
「朝鮮人虐殺」をなかったことにしたい人たち
加藤直樹
1600円＋税／ 978-4-907239-39-8
好評3刷

ころからの新シリーズ

まーくのえともじ
金井真紀

いきする本だな

ヘイトをとめるレッスン

ホン・ソンス 著　たなともこ、相沙希子 訳

2200 円＋税／ 978-4-907239-52-7

ヘイト問題では、標的にされる人と、それ以外の人との間に、圧倒的な意識の
ギャップがある。（略）ギャップは理性で埋められる。わからないことについては、
学習するしかない。この本をすべての公共図書館と学校図書館に置いてほしい
——永江朗（フリーライター）
週刊朝日書評（2021年7月16日号）

信濃毎日新聞、週刊金曜日などで書評。BLM運動に呼応する一冊！

「いきする本だな」
続々刊行
（タイトルはすべて予定です）

黒人男性が日本で経験したレイシズムを描くエッセイ集
『僕はレイシスト』バイエ・マクニール

アジアルーツのLGBTQ当事者による短編小説アンソロジー
『サンクチュアリ』ン・イーシェン 、リベイ・リンサンガン・カントー編

米国の作家が憤りをもって宣言する反年齢差別のマニフェスト
『アゲインスト・エイジズム』アシュトン・アップルホワイト